Sch

Bibliothek wertvol er
Dekabristenzeit

Schultze, Ernst

Bibliothek wertvoller memoiren Aus der Dekabristenzeit

Inktank publishing, 2018

www.inktank-publishing.com

ISBN/EAN: 9783747795132

All rights reserved

Bibliothek
wertvoller Memoiren

Lebensdokumente hervorragender
Menschen aller Zeiten und Völker

Herausgegeben von
Dr. Ernst Schultze

3. Band

Hamburg
Im Gutenberg-Verlag Dr. Ernst Schultze
1907

Aus der Dekabristenzeit

Erinnerungen hoher russischer Offiziere (Jakuschkin, Obolenski, Wolkonski) von der Militär-Revolution des Jahres 1825

Bearbeitet von

Adda Goldschmidt

Hamburg
Im Gutenberg-Verlag Dr. Ernst Schultze
1907

Inhaltsverzeichnis

5

78042

Inhaltsverzeichnis

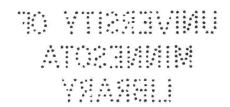

7

Vorwort zu der
„Bibliothek wertvoller Memoiren"
und
Einleitung
zu dem vorliegenden Bande

Vorwort des Herausgebers
zu der
Bibliothek wertvoller Memoiren.

Seit die Menschen in staatlicher Gemeinschaft leben,
haben sie dem bunten Wechsel der Geschehnisse, den
wir „Geschichte" nennen, Interesse zugewandt. In ältester
Zeit waren es Stammes-Sagen oder Erzählungen von
Heldentaten, was die Seelen fesselte und erregte; so
finden wir bei allen Völkern den Beginn der Dichtkunst
durch die Entstehung von National-Epen bezeichnet, von
denen viele noch heut unvergänglichen Reiz ausüben.
Später entstand die Geschichtsschreibung, noch später die
Geschichtswissenschaft, die kühl und unbestechlich auf-
zuzeichnen sucht, wie sich die Handlungen der Menschen
zu dem wechselnden Spiel und dem blutigen Ernst
der Geschehnisse zusammenfügten, und wie sie so die
Grundlage aller späteren Geschichte — also auch der
unsrigen — wurden.

Aber neben dem ruhigen Strome dieser kühlen, leiden-
schaftslosen Geschichtsschreibung läuft ein anderer Literatur-
Quell frisch sprudelnd einher, von jener viel benutzt, weil
sie ihn gar nicht entbehren könnte: die Schilderung
eigener Erlebnisse. Im klassischen Altertum noch
selten geübt, im Mittelalter wenig gepflegt, kam diese
Kunst erst in den letzten drei Jahrhunderten zu wirklich
voller Entfaltung. Staatsmänner und Feldherren, Volks-
führer und -Verführer, Eroberer und Entdecker, Gelehrte
und Künstler, hervorragende Frauen, einfache Bürger und

9

Soldaten — kurz alle, deren Leben Elemente enthielt, welche für weitere Kreise Interesse bieten, haben einzelne Episoden ihres Lebens oder auch ihren ganzen Lebenslauf beschrieben; oder sie haben ihre Beziehungen zu berühmten Persönlichkeiten, denen sie nahe standen, geschildert und uns Einblicke in deren Leben tun lassen. Viele Tausende solcher Bücher sind der Nachwelt überliefert worden, und reicher als je blüht dieser Literaturzweig in der Gegenwart.

Für die Wissenschaft der Geschichte (insbesondere der Kulturgeschichte) ist er von unschätzbarem Werte, so vorsichtig selbstverständlich bei der Benutzung einzelner Memoiren-Werke verfahren werden muß. Denn natürlich drängen sich oft genug Eigenliebe, verletzte Eitelkeit, Unwille über arge Behandlung, Enttäuschung über unerfüllte Hoffnungen oder der Wunsch, sich weiß zu waschen, vor die klare und gerechte Schilderung der wirklichen Vorgänge und trüben die Zeichnung mehr oder minder stark. Aufgabe der Geschichtswissenschaft ist es, solche gewollten und ungewollten Entstellungen nachzuweisen und unparteiisch das wahre Gesicht der Geschehnisse wiederherzustellen.

Andererseits sind Memoiren zuweilen geradezu die einzige Quelle, aus der sich über die Geschichte bestimmter Zeiträume überhaupt schöpfen läßt. Und was vielen Memoiren einen so besonderen Reiz verleiht — einen Reiz, den nur verhältnismäßig wenige Werke der reinen Geschichtswissenschaft ausüben können — das ist die Anschaulichkeit und der Stimmungsgehalt, die von ihnen ausströmen. Wir mögen schon aus den Werken der Geschichtsschreiber ersehen, welche verheerenden Wirkungen ein Krieg über die Lande brachte, wie ein ganzes Volk sich heldenmütig gegen den Untergang wehrte, oder wie in Friedenszeiten Wohlstand und Gesittung sich mehrten. Mit wieviel greifbarerer Deutlichkeit aber erkennen wir dies alles, wenn wir aus einer guten Selbstbiographie anschaulich erfahren,

10

wie diese Ereignisse d e m E i n z e l n e n das Schicksal bitter oder angenehm machten. Das Leben und Treiben in Stadt und Land, gewaltige Unglücksschläge, die auf ein Volk herniederfielen, die Gedanken und Ansichten eines Zeitalters, seine Art, sich zu freuen und Leiden zu tragen, seine Geselligkeit und seine öffentlichen Einrichtungen — kurz interessante Begebenheiten sowohl wie eigenartige Zustände treten uns mit besonderer Klarheit vor Augen, wenn sie uns von A u g e n z e u g e n geschildert werden.

Häufig rühren wertvolle Memoiren von Menschen her, die an ihrem Lebensabend auf ein an Schicksalen und Erlebnissen überreiches Leben zurückblicken, und denen doch unter der Schneelocke noch ein jugendliches Herz schlägt. Und wenn wir auch nicht den geringsten Grund haben, über die Geschichtswissenschaft unserer Tage so schroff zu urteilen wie G o e t h e über die Geschichtsschreibung seiner Zeit, für den sie „etwas Leichenhaftes", „den Geruch der Totengruft" an sich hatte — so bleibt doch auch jetzt für die Mehrzahl der Gebildeten bestehen, was er von sich über die starke Anziehungskraft berichtete, die „alles wahrhaft Biographische" auf ihn ausübte. In jeder Selbstbiographie sah er eine willkommene Bereicherung unseres Wissens vom Menschen, und über den Benvenuto Cellini, den er selbst bearbeitete, äußerte er: „Er ist für mich, der ich ohne unmittelbares Anschauen gar nichts begreife, von größtem Nutzen; ich sehe das ganze Jahrhundert viel deutlicher durch die Augen dieses konfusen Individui als im Vortrage des klärsten Geschichtsschreibers."

Auch S c h i l l e r hat den Wert guter Memoiren ungemein hoch veranschlagt. Viele Jahre seines Lebens hat er eine bändereiche „Sammlung historischer Memoires" herausgegeben, und wenn diese heute auch fast ganz vergessen ist, so ist doch das Interesse für wertvolle Memoiren geblieben.

Um so sonderbarer mag es anmuten, daß in keinem Lande der Welt seither der Versuch unternommen wurde,

11

die wertvollsten Memoiren aller Zeiten und Völker in einem Sammelwerke zu vereinigen. Wohl gibt es eine Sammlung von Memoiren zur französischen Geschichte — wohl eine solche zur Geschichte der französischen, eine andere zur Geschichte der englischen Revolution — wohl eine Anzahl anderer Memoirensammlungen — aber eine umfassende Sammlung aus der ganzen Weltliteratur ist nicht wieder unternommen worden. Sie ist nicht leicht herzustellen — und je geringeren Umfang sie haben soll, desto schwerer. Aber sie kann von allergrößtem Interesse für jeden sein, für den lebendige Schilderungen aus Geschichte und Kulturgeschichte Reiz besitzen.

Es soll nichts in diese „Bibliothek wertvoller Memoiren" Aufnahme finden, was nicht allgemein menschlich interessant ist; einem Erzähler, der für sich selbst kein Interesse zu erwecken vermag — zu welchem Zwecke er doch keineswegs beständig im Vordergrunde zu stehen braucht — wird sie sich nicht öffnen. Auch wer mit der Wahrheit leichtfertig umspringt, mag draußen bleiben. Kleine Irrtümer werden die Bearbeiter der einzelnen Bände in Anmerkungen richtig zu stellen suchen, von denen auch sonst (zur Aufklärung schwieriger Stellen, zur Erläuterung wenig bekannter Ort- und Zeitumstände) Gebrauch gemacht werden wird. Einleitungen sollen das ihrige zu demselben Zwecke beitragen. Einzelne Sätze oder größere Teile, die wenig Interesse bieten und ohne Schaden für das Ganze entbehrt werden können, werden fortgelassen werden. Denn die „Bibliothek wertvoller Memoiren" ist mehr für den gebildeten Laien bestimmt als für den Historiker von Fach, der doch immer nach den Originalen selbst greifen muß.

Kein Volk hat eine reichere Memoirenliteratur geschaffen als die Franzosen. Aber auch die Deutschen, die Engländer, die Italiener, die Spanier, einzelne orientalische und manche andere Völker besitzen köstliche Lebens-Dokumente einzelner Männer und Frauen. Nur ist eben vieles

12

davon — selbst für das eigene Volk — so vom Staube der
Jahrzehnte oder Jahrhunderte überdeckt, so gänzlich in
Vergessenheit geraten, daß eine Wiederbelebung nötig ist.
Welche Schätze in diesen vergessenen Me-
moiren schlummern, das werden schon einige der
ersten Bände dieser Sammlung zeigen. Hoffentlich erregen sie das erwünschte Interesse und erfüllen damit ihren
Zweck: die Neigung für die Beschäftigung mit Geschichte
und Kulturgeschichte zu stärken und Hunderten Wissens-
durstiger Stunden interessanter Belehrung zu verschaffen.
Hamburg-Großborstel.   Dr. Ernst Schultze.

ꙅꙅꙅꙅꙅ

Einleitung zu dem vorliegenden Bande.

Das russische Reich hat in den letzten zwei Jahrhunderten eine ganze Reihe von Aufständen und Palastrevolutionen erlebt. Die Aufstände sind in der Regel auf
bestimmte Teile seines riesigen Gebietes beschränkt geblieben, die Palastrevolutionen haben sich fast nur in den
beiden Hauptstädten geltend gemacht. Im 18. Jahrhundert
haben sich die Mitglieder des Herrscherhauses gegenseitig
umbringen lassen — z. B. Peter I. seinen Sohn und Katharina II. ihren Gemahl. Bis zum Ende des 18. Jahrhunderts
haben auch die Palastrevolutionen nur den Zweck gehabt,
einen Herrscher durch einen anderen zu ersetzen, nicht
aber, das Regierungssystem zu ändern. Auch als Paul I.
1801 seinen adligen Mördern zum Opfer fiel, geschah
dies, weil er seiner gesamten Umgebung die unwürdigste
Behandlung zumutete und weil seine persönliche Tyrannei
unerträglich geworden war.

24 Jahre darauf brach dann zum ersten Male in Rußland ein Aufstand aus, der nicht die Beseitigung des einen
Despoten durch einen anderen zum Zweck hatte, sondern
der die Staatsform des russischen Reiches zu ändern unternommen war. Es war der denkwürdige Dekabristen-

13

a u f s t a n d — der Aufstand der „Dezembermänner" —, so genannt, weil er im Dezember (russisch Dekaber) losbrach.

Die Teilnehmer dieses Dekabristenaufstandes bestanden fast nur aus adligen Gardeoffizieren, die sich schon jahrelang vorher in einer geheimen Gesellschaft zusammengeschlossen hatten. Sie hatten fast alle die beiden Feldzüge nach Frankreich mitgemacht und waren im Jahre 1815 mit ganz neuen Ideen in ihre Heimat zurückgekehrt. Die staatlichen und gesellschaftlichen Einrichtungen des Westens — der deutschen Einzelstaaten sowie namentlich Frankreichs — hatten ihnen gezeigt, welch gewaltiger Abstand ihr eigenes Vaterland von den fortgeschritteneren westlichen Völkern trennte. Und sie waren der Ansicht, daß eine Verbesserung zunächst eine völlige Veränderung der russischen Regierungsform zur Voraussetzung habe.

Denn in Rußland herrschte unbedingt der Wille des Zaren. War er aufgeklärt oder gab er sich (wie Katharina II.) den Anschein, aufgeklärt zu sein, so konnte manche vernünftige Einrichtung in Angriff genommen werden — sicher zu rechnen war darauf nicht. Wie schlimm sich die Dinge aber entwickeln konnten, wenn ein anfangs liberaler Herrscher seine Ansicht allmählich oder plötzlich änderte, das zeigten gerade mit erschreckender Deutlichkeit die Regierungsjahre Alexanders I. Als er 1801 nach der Ermordung seines Vaters zur Regierung gekommen war, begann er die Herrschaft in liberalem Geiste und trug sich mit den besten Absichten. Er pflegte von der „Last" der unbeschränkten Herrschaft zu sprechen und nahm sich vor, eine Verfassung nach dem Muster der englischen oder französischen einzuführen, die Leibeigenschaft abzuschaffen, den unwürdigen Zwang, unter dem das Leben der gesamten Bevölkerung stand, zu lockern, Schulen und Universitäten zu gründen — kurzum,

14

seinen despotisch regierten in einen freiheitlich regierten Staat umzuwandeln.

Aber er hielt diese Absichten nicht lange fest. Seit dem Jahre 1812 änderte er seine Anschauungen, an Stelle seines liberalen Staatssekretärs Michael M. Speranskij trat als allmächtiger Leiter der Regierungsgeschäfte der Graf Alexej Araktschejew, „ein Apostel der Knechtschaft". Und seit seiner Rückkehr aus Frankreich stand Alexander, während seine Offiziere die Ideen des Westens in sich aufgenommen hatten, fast völlig unter dem verderblichen Einflusse Metternichs und der völkerknechtenden Gedanken, die der „Heiligen Allianz" zugrunde lagen. Gleichzeitig verfiel er in Mystizismus und religiöse Schwermut, und wie er vorher eine liberale Herrschaft geführt hatte, so regierte er jetzt in reaktionärem Sinne. Medizin, Astronomie, die gesamten Wissenschaften mußten sich dem Wortlaut der Bibel anpassen, die Erde durfte sich nicht um die Sonne drehen, und alles das, was er zuvor im liberalen Sinne geschaffen hatte, wurde jetzt in Grund und Boden verdammt.

So wurde sein unglückliches Land, das schon ein ganzes Jahrhundert lang das Schaukelsystem zwischen orientalischem Despotismus und orientalischer Regierungsunfähigkeit einerseits und freiheitlichen Verwaltungsgrundsätzen andererseits über sich ergehen lassen mußte, wiederum nach der anderen Seite geschleudert und damit abermals aus dem Gleichgewicht gebracht. Es ist nicht zu verwundern, daß sich infolgedessen in einem Teile der gebildeteren Kreise Rußlands ein lebhafter Widerstand regte. Denn wenn auch die materiellen Interessen der oberen Gesellschaftsklassen von einer reaktionären Regierung größere Vorteile zu genießen schienen, als von einer liberalen, so haben sich doch in Rußland stets, auch in den Kreisen des Adels, ideal gesinnte Menschen

15

gefunden, die den eigenen Vorteil nicht durch das Unglück der Massen des Volkes erkaufen wollten.

So bildete sich eine Reihe von Geheimbünden, wie sie in Rußland auch schon im 18. Jahrhundert bestanden hatten. Gewöhnlich hatten sie sich hinter religiösen Zwecken verborgen. Katharina II. war aber eine Zeitlang liberal genug gewesen, die Errichtung von Freimaurerlogen zu dulden; nur hatte sie sie in ihrem letzten Regierungsjahre wieder verfolgt. Unter Alexander I. wiederholte sich dasselbe Schauspiel: ursprünglich war er den Freimaurerlogen günstig gesinnt, dann entzog er ihnen seine Gunst, und im Jahre 1822 — dem entschiedensten Wendepunkte zur reaktionären Regierungspolitik — wurden alle Freimaurerlogen geschlossen.

Am bekanntesten ist unter den neu gegründeten geheimen Gesellschaften die 1816 entstandene „S o c i é t é o c c u l t e" geworden. Sie teilte sich 1820 in den Südbund und den Nordbund, von denen in diesem Buche unter der Bezeichnung „Südliche Gesellschaft" und „Nördliche Gesellschaft" viel die Rede sein wird. Das Programm dieser Gesellschaften bezweckte hauptsächlich wirtschaftliche Reformen — insbesondere eine Verbesserung der unglücklichen Lage des geknechteten, abergläubischen, unwissenden, leibeigenen Bauernstandes. Sie glaubten der Erreichung dieser Ziele am besten durch einen Umsturz der Staatsverfassung näher kommen zu können, und man trug sich dafür mit verschiedenen Plänen.

Als aber Alexander I. plötzlich am 1. Dezember 1825 in Taganrog starb, schien schnelles Handeln geboten, und der Südbund und der Nordbund suchten daher eine Militärrevolution zu erregen. Man hoffte, die Soldaten für sich gewinnen zu können, weil ja zu den geheimen Gesellschaften eine Anzahl hoher Offiziere gehörten und weil die Soldaten gelehrt waren, ihren Vorgesetzten in blindem

16

Kadavergehorsam zu folgen. Daß die beiden Geheimbünde für Rußland eine Verfassung durchzusetzen wünschten, konnte man den gemeinen Soldaten allerdings nicht klar machen — dazu waren sie bei dem gänzlichen Fehlen jeder Volksbildung in Rußland zu unwissend. Aber ein Teil von ihnen folgte ihren Offizieren doch. Diese nahmen zum Vorwand, daß eine Zeitlang Unsicherheit darüber herrschte, welcher der beiden Brüder Alexanders die Herrschaft antreten sollte: der ältere liberale Konstantin oder der jüngere reaktionäre Nikolaus. Konstantin hatte, um eine „Mesalliance" mit einer polnischen Gräfin eingehen zu können, schon 1820 auf die Thronfolge heimlich verzichtet. Als nun Nikolaus die Regierung nach einigem Zögern wirklich antrat, streuten die Offiziere, die zum Geheimbund gehörten, die Nachricht aus, Konstantins Verzicht auf den Thron sei eine Lüge, er befinde sich vielmehr gefangen in Warschau. So empörten sich die Truppen in Petersburg gegen Nikolaus und folgten ihren Offizieren unter dem Rufe: „Es lebe Konstantin!" Es wird erzählt, daß sie auch in den Ruf: „Es lebe die Konstitution!" mit einstimmten — weil sie darunter nicht den ihnen unbekannten Begriff einer Verfassung, sondern den Namen der Frau des Konstantin verstanden.

Der Aufstand brach in Petersburg am 26. (14.) Dezember 1825 aus. Aber es fehlte den Aufständischen völlig an systematischer Leitung, weil der zum Leiter des Nordbundes erwählte Fürst Sergej Trubetzkoi in dem Augenblick, auf den alles ankam, nicht zu finden war. So zerstreute die erste Kartätschensalve, die Nikolaus auf die 2000 Meuterer abfeuern ließ, die Verschwörer. Ihre Führer wurden gefangen genommen, und auch diejenigen Mitglieder des Geheimbundes, die sich nicht an dem Aufstande hatten beteiligen können, wurden in den nächsten Tagen gefangen gesetzt — darunter der befähigte und energische

Einleitung

Oberst Paul von Pestel in Kiew, der Adjutant des Generals Graf von Wittgenstein.

Wie diesen Männern der Prozeß gemacht wurde, werden die folgenden Blätter erzählen. Sie schildern die Gründe, aus denen sich einige der Mitglieder der geheimen Gesellschaft dieser angeschlossen hatten — die verfehlte Militärrevolution selbst — den darauf folgenden Prozeß — die Verschickung der meisten Verurteilten nach Sibirien — und ihr Leben dort als Sträflinge im Lande der Verbannung.

ааааа   E. S.

Jakuschkin.

Iwan Dmitriewitsch J a k u s c h k i n wurde im Jahre 1793 geboren. Er erhielt seine erste Erziehung im Elternhause. Seine Eltern sorgten dafür, daß er gut unterrichtet wurde und hielten ihm verschiedene russische und ausländische Lehrer. Im Jahre 1808 kam Jakuschkin in das Haus des Professors Mersljakow und bezog dann die Universität. Er hörte Kollegien über russische Literatur, Weltgeschichte, russische Geschichte, Ästhetik, Rechte und Gesetze der bedeutendsten Völker, Statistik, Mathematik, Physik und Kriegswissenschaften.

1811 trat Jakuschkin in das Ssemenowskische Regiment ein und machte mit diesem die Feldzüge der Jahre 1812, 1813 und 1814 mit. Nach der Schlacht bei Borodino erhielt er das Kriegsehrenzeichen, nach der Schlacht bei Kulm das preußische eiserne Kreuz. Im Dezember 1812 wurde er zum Fähnrich befördert. 1814 kehrte er mit seinem Regiment aus Frankreich zurück. 1816 wurde er zum Unterleutnant befördert und bald darauf mit dem Range eines Kapitäns vom Stabe in das 37. Jägerregiment

18

versetzt. Im Jahre 1818 nahm er als Kapitän seinen Abschied.

J. D. Jakuschkin verheiratete sich mit Anastasia Wassiljewna Scheremetew, die ihm zwei Söhne, Wjatschesslaw und Eugen, schenkte. Im Januar des Jahres 1826 wurde er in Moskau verhaftet, weil er an den Bestrebungen der „Geheimen Gesellschaft" teilgenommen hatte. Nach Petersburg gebracht und dort in dem Alexejewskischen Ravelin der Peter-Pauls-Festung interniert, wurde er durch den Urteilsspruch in die erste Abteilung der Verschwörer eingeordnet und zum Tode durch Enthaupten verurteilt; das Urteil wurde dann gemildert, nämlich in zwanzigjährige Zwangsarbeit umgewandelt.

Nach verbüßter Zwangsarbeit, deren Dauer auf allerhöchsten Befehl verkürzt wurde, wurde Jakuschkin in Jalutorowsk angesiedelt. Er lebte dort mit N. W. Bassargin, A. W. Entalzew, M. J. Murawiew-Apostol, Fürst E. N. Obolenski, S. G. Puschtschin und W. K. Tiesenhausen zusammen. Dieser Kreis von Dekabristen hinterließ eine tiefe Spur im Leben Jalutorowsks. Jakuschkin tat besonders viel für die Bildung der Bevölkerung. Er gründete zwei Schulen, die eine für Knaben im Jahre 1842, die andere für Mädchen 1846. Der Unterricht wurde nach dem Lancasterschen System gegenseitigen Unterrichtes gehandhabt; der Hauptlehrer und Leiter des Ganzen war Jakuschkin selbst. Die Schulen hießen „Gemeindeschulen", aber ihr Lehrplan war ein sehr ausgedehnter; so stand z. B. Algebra, Geometrie und Maschinenlehre auf dem Programm. Als Jakuschkin Jalutorowsk verließ, hatten 531 Knaben und 191 Mädchen die Schulen durchgemacht. Kraft des allerhöchsten Manifestes vom 26. August 1856 durfte Jakuschkin in das europäische Rußland zurückkehren. Zuerst wurde es ihm verboten, in Moskau zu leben, dann durfte er zeitweise dorthin kommen, um

Heilung von seinen Leiden zu suchen. Aber es war zu spät. Er starb in Moskau im Jahre 1857 und wurde auf dem Pjatnitzkikirchhofe begraben. Auf seinen ausdrücklichen Wunsch wurde ihm kein Denkstein gesetzt.

Seine Memoiren sind nach dem im Besitze seines Sohnes Eugen Jakuschkin befindlichen Originalmanuskript gedruckt und von diesem in russischer Sprache herausgegeben worden.

A. G.

ꙴꙴꙴꙴꙴ

Obolenski.

Fürst Eugen O b o l e n s k i wurde im Jahre 1795 geboren. 1825 war er Leutnant im finnländischen Garderegiment und dem Generalstab in Petersburg zugeteilt. Er war Mitglied der „Geheimen Gesellschaft" und Leiter des Komitees der „Gesellschaft des Nordens". Im Jahre 1825 gefangen genommen und nach Sibirien deportiert, verlebte er zunächst zehn Monate in den Minen von Nertschinsk und wurde dann 1827 nach Tschita gebracht. Dort fand er die meisten seiner Kameraden vor. 1830 wurde er mit allen seinen Gefährten nach Petrowsk gebracht. Einige Jahre darauf wurde er im Dorfe Satanga, oberhalb des Baikal, angesiedelt. Später kam er in das Städtchen Jalutorowsk in Westsibirien. Dort verheiratete er sich mit einer Sibirierin, die ihm mehrere Söhne schenkte. Im Jahre 1856 wurde er begnadigt und zog dann nach Kaluga. Er durfte, obwohl sein Geschlecht von Rurik abstammte, den Fürstentitel nicht wieder führen, aber seinen Kindern wurde gestattet, ihn wieder anzunehmen.

A. G.

ꙴꙴꙴꙴꙴ

20

Wolkonski.

Fürst Sergei Grigoriewitsch W o l k o n s k i wurde im Jahre 1788 geboren. Sein Vater, Fürst Gregor Semeno-witsch Wolkonski, war damals General-Gouverneur in Orenburg, seine Mutter, Fürstin Alexandra Nikolajewna Wolkonskaja, war eine geborene Repnin. Sergei Gri-goriewitsch war, wie es zu damaliger Zeit Sitte war, acht Jahre Sergeant und Adjutant bei Suworow, und erst im Jahre 1806 begann seine eigentliche militärische Laufbahn. Als Adjutant von Graf Kamenski, von Ostermann, von Tolstoi und von Benningsen machte er den Feldzug 1806—1808 mit. Er nahm an allen bedeutenden Gefechten teil; avancierte rasch, erhielt verschiedene Orden und den goldenen Degen für Tapferkeit. Bei Preußisch-Eylau wurde er verwundet. Nachdem dieser Krieg durch den Frieden von Tilsit be-endet war, suchte der junge Fürst an neuen kriegerischen Taten teilzunehmen. Im Jahre 1810 beteiligte sich Wol-konski, der zuerst unter dem Grafen Kamenski, dann unter Lansheron stand, an der Einnahme von Silistria und Rust-schuk. Später nahm er unter Batin an den Kämpfen bei Schumla im Balkangebirge teil. 1811 wurde er zum Flügel-Adjutanten von Kutusow, dem Kommandierenden der Donau-Armee, ernannt.

Im Jahre 1812 brach der Riesenkampf zwischen Ruß-land und dem Westen unter der Leitung Napoleons aus. Sergei Grigoriewitsch stand als Oberst bei der zweiten West-Armee. Er befehligte die das feindliche Gebiet durchstreifende Abteilung und stellte die Verbindung zwischen der Hauptarmee und Wittgenstein her. Dann verfolgte er die Franzosen an der Beresina und erwarb sich bei Kalisch das Georgenkreuz vierter Klasse. Im Jahre 1813 war er zuerst als Generalmajor in der Suite des Kaisers, dann stand er als aktiver General im Armee-

21

korps Winzingerodes und später bei dem Korps der russischen, von Bernadotte befehligten Truppen. Bei Leipzig verdiente er sich außer vielen deutschen Ehrenzeichen den Annenorden erster Klasse. 1814 nahm er als Befehlshaber einer Dragoner-Division an der Einnahme von Soissons und den Kämpfen bei Craonne und Laon teil. 1815 zog er nach der zweiten Niederlage Napoleons mit den Truppen in Paris ein. Während des Wiener Kongresses befand er sich im Gefolge des Kaisers Alexander.

Nach Rußland zurückgekehrt, verheiratete er sich mit der Tochter des berühmten Nikolai Nikolajewitsch Rajewski und diente dann bis 1824 als Brigadekommandeur weiter. Anfang des Jahres 1826 wurde er wegen seiner Teilnahme an der Dekabristenverschwörung gefangen genommen, verurteilt und nach Sibirien verbannt. Erst 1856 kehrte er von dort zurück. Bis zum Jahre 1859 lebte er in Moskau, später in Kleinrußland auf dem Lande. Im Jahre 1863 starb seine Gattin, die alles Schwere mit ihm getragen hatte, und am 28. November 1865 setzte der Tod auch seinem Leben ein Ziel.

In Nachfolgendem ist nur ein Auszug aus den Memoiren des Fürsten Wolkonski gegeben — mit besonderer Berücksichtigung dessen, was den Dekabristen-Aufstand betrifft.

A. G.

Memoiren
von
J. D. Jakuschkin

.1. Kapitel
Europäische Einflüsse und ihre weitgehenden Wirkungen

Der Krieg des Jahres 1812 erweckte das russische Volk zum Leben und bildete eine wichtige Periode in seinem politischen Dasein. Alle Anstrengungen der Regierung, die in Rußland eindringenden Gallier hinauszujagen, würden vergeblich gewesen sein, wenn das Volk in seiner früheren Erstarrung verharrt hätte. Die Anordnung der Regierung allein hätte die Einwohner der Städte nicht dazu vermocht, sich bei Annäherung der Franzosen in Wälder und Sümpfe zu begeben und ihre Behausungen dem Feuer zu überlassen. Die Anordnung der Regierung allein hätte es nicht vermocht, die ganze Einwohnerschaft Moskaus zu bewegen, mit der Armee zusammen die alte Residenz zu verlassen. Das ganze Land auf dem Wege nach Rjäsan war mit einer bunten Menge bedeckt, und ich erinnere mich noch des Wortes eines auf mich zukommenden Soldaten: „Nun, Gott sei Dank, ganz Rußland zieht ins Feld!" In den Reihen der Soldaten war kein einziger, der nur als blindes Werkzeug mitging; jeder fühlte, daß er berufen war, an einer großen Sache mitzuwirken.

Der Kaiser Alexander, der das Heer vor der Schlacht bei Witebsk verließ und bei Wilna zu ihm zurückkehrte, stand niemals vorher und niemals nachher seinem Volk so nah, wie in dieser Zeit. Sein Volk liebte und verehrte ihn damals. Rußland war gerettet, aber das genügte Alexander nicht; er zog mit seinem Heer in das Ausland, um die Völker von dem allgemeinen Bedrücker zu befreien.

25

Jakuschkin

Das von Napoleon in den Staub getretene preußische
Volk antwortete zuerst auf den großherzigen Ruf des
Kaisers Alexander; es erhob sich einmütig und rüstete
sich zum Kampf. Im Jahre 1813 hörte Kaiser Alexander
auf, russischer Zar zu sein; er verwandelte sich in einen
europäischen Kaiser. Er war groß, als er in Deutschland
mit der Waffe in der Hand vorwärtsstürmte und jeden
zum Kampf für die Freiheit rief. Er war noch größer,
als er uns im Jahre 1814 nach Paris führte. Alle Verbündeten waren bereit, wie blutdürstige Wölfe über das
sinkende Frankreich herzufallen! Kaiser Alexander rettete
Frankreich! Er stellte es Frankreich sogar anheim, sich
das ihm liebste Herrschergeschlecht zu wählen, und machte
nur zur Bedingung, daß weder Napoleon noch ein Glied
seiner Familie den französischen Thron besteigen dürfte.
Als man dem Kaiser Alexander mitteilte, daß die Franzosen die Bourbonen auf dem Thron zu sehen wünschten,
machte er es Ludwig XVIII. zur Pflicht, den Wunsch
seines Volkes zu erfüllen und dessen Unabhängigkeit bis
zu einem gewissen Grade sicher zu stellen. Die Freiheits-
urkunde Ludwigs XVIII. gab den Franzosen die Möglichkeit, die von ihnen im Jahre 1789 begonnene Sache weiter-
zuführen. Der Republikaner Laharpe[1]) konnte sich der
Taten seines kaiserlichen Pfleglings freuen!

Das in Deutschland verbrachte Jahr, die in Paris verbrachten Monate konnten nicht ohne Einfluß auf die Anschauungen der denkenden russischen Jugend bleiben;
sie wuchs mit diesen außergewöhnlichen Verhältnissen.

Im Jahre 1814 verließen wir Frankreich und kehrten

---

[1]) Fréderic César Laharpe, Direktor der Helvetischen Republik
und Erzieher des Kaisers Alexander I. von Rußland, geboren 1754
in Rolle im Waadtland, gestorben 30. März 1838 in Lausanne. Er
war in seinen Anschauungen von Rousseau und Voltaire stark
beeinflußt.

26

auf dem Seewege nach Rußland zurück. Die erste Gardedivision wurde bei Oranienbaum ausgeschifft und hörte
das Dankgebet an, das der Obergeistliche Dershawin bei
der Landung sprach. Während des Gebetes schlug die
Polizei unbarmherzig auf das Volk, das sich den Truppen
neugierig nähern wollte, ein. Das war der erste unangenehme Eindruck, den wir bei der Heimkehr in unser
Vaterland empfingen. Ich erhielt die Erlaubnis, nach
Petersburg abzureisen, um dort mein Regiment zu erwarten. Ich wohnte bei meinem Regimentskameraden
Tolstoi (dem jetzigen Senator) und wir gingen zusammen,
und zwar in Zivil, um uns den Einzug der ersten Gardedivision in die Residenz anzusehen. Zur Feier dieses
großen Tages waren bei der Einfahrt nach Peterhof in
aller Eile Tore errichtet worden. Auf diese Tore hatte
man sechs alabasterne Pferde gestellt, die je eines der
sechs Regimenter der ersten Division bezeichnen sollten.
Tolstoi und ich standen nicht weit von dem goldenen
Wagen entfernt, in dem die Kaiserin Maria Feodorowna
mit der Großfürstin Anna Pawlowna saß. Endlich erschien
der Kaiser. Er ritt auf seinem herrlichen Rotfuchs an
der Spitze der Gardedivision und trug seinen Degen ent-
blößt, um ihn vor der Kaiserin zu senken . . . . .
      Im Jahre 1814 führten wir — die Petersburger Jugend
— ein qualvolles Dasein. In den letzten zwei Jahren
hatten wir die großen Ereignisse vor Augen gehabt, die
über das Schicksal der Völker entschieden hatten —, in
irgend einer Weise hatte jeder von uns tätigen Anteil an
ihnen genommen; jetzt war es für uns unmöglich, die
Leere des Petersburger Lebens zu ertragen und das Geschwätz der Alten anzuhören, die alles Altbestehende
lobten und jede fortschrittliche Bewegung tadelten. Wir
waren ihnen um 100 Jahre voraus. Im Jahre 1815, als
Napoleon von der Insel Elba entfloh und in Frankreich

27

eindrang, wurde die Garde mobil gemacht; wir freuten uns darüber wie über einen unerwarteten Glücksfall. Dieser Marsch von Petersburg bis Wilna und zurück war aber nur ein Spaziergang für die Garde.

Im Ssemenowskischen Regiment bildete sich ein Artel.[1]) 15—20 Offiziere taten sich zusammen, um die Möglichkeit zu haben, jeden Tag gemeinsam zu Mittag zu essen; nicht nur die Mitglieder speisten im Artel, sondern auch alle diejenigen, die durch den Dienst gezwungen waren, den ganzen Tag bei der Truppe zu verbringen. Nach dem Mittagessen spielten einige Schach. Andere lasen ausländische Zeitungen und verfolgten alle europäischen Ereignisse mit dem größten Interesse. Ein derartiges Verbringen der Zeit war etwas ganz Neues. Als ich im Jahre 1811 in das Ssemenowskische Regiment eingetreten war, hatten die Offiziere bei ihren Zusammenkünften entweder Karten gespielt und sich ohne die geringsten Gewissensbisse dabei betrogen, oder sie hatten unsinnig gezecht. Der Kommandeur des Ssemenowskischen Regiments, General Potemkin, begünstigte unser Artel und speiste zuweilen mit uns. Aber nach einigen Monaten befahl der Kaiser Potemkin, das Artel im Ssemenowskischen Regiment aufzuheben, weil ihm derartige Zusammenkünfte von Offizieren sehr mißfielen.

Allein noch liebten wir alle den Kaiser —, wir dachten daran, wie groß er in den Jahren 1813 und 1814 gewesen war, und erwarteten seine Ankunft im Jahre 1815 mit

[1]) Artel ist eine Rußland eigentümliche Form von Wirtschafts- und Erwerbs-Genossenschaften; sie tragen patriarchalisch-sozialistischen Charakter. Die neueren russischen Nationalökonomen erklären den Artel als „einen auf Vertrag gestützten Bund mehrerer gleichberechtigter Personen, die zur gemeinsamen Verfolgung wirtschaftlicher Zwecke sich unter Beobachtung solidarischer Haftbarkeit mit Kapital und Arbeitskraft, oder nur mit Arbeitskraft vereinigt haben."

28

1. Kapitel

Ungeduld. Endlich erschien die Flagge auf dem Winterpalais, und noch am selben Tage wurden alle Gardeoffiziere
zur Cour befohlen. Es herrschte allgemeines Erstaunen,
daß die Artillerieoffiziere nicht anwesend waren; sie waren
gekommen, aber man hatte ihnen den Zutritt zum Palais
nicht gestattet. Der Oberst Taube hatte dem Kaiser gemeldet, daß sich die Offiziere seiner Brigade im Verkehr
mit ihm Unverschämtheiten erlaubt hätten. Taube war bei
Offizieren und Soldaten verhaßt; die Folge seines Berichtes war, daß zwei Fürsten Gortschakow (der Haupt-
kommandierende an der Donau und der ehemalige
General-Gouverneur von West-Sibirien) und noch fünf
andere ausgezeichnete Offiziere aus der Garde in die Linie
versetzt wurden. Dieser Vorgang brachte in der ganzen
Armee einen unangenehmen Eindruck hervor. Außerdem
kamen allen fortwährend Redensarten zu Gehör, in denen
Kaiser Alexander deutlich seine Verachtung der Russen
zu erkennen gab. So hatte Kaiser Alexander zum Beispiel
bei einer Heerschau in Frankreich Wellington auf dessen
Lob über die vorzügliche Organisation des russischen
Heeres so laut, daß alle es hören konnten, geantwortet:
er danke das nicht den Russen, sondern den Ausländern,
die in seinem Heere dienten. General-Adjutant Oshe-
rowski, ein Verwandter von Sergei und Matwjei Murawiew, erzählte letzteren, als er eines Tages aus dem Palais
zurückkam, daß der Kaiser von den Russen im allgemeinen
gesprochen hätte und gesagt hätte, daß jeder Russe entweder ein Spitzbube oder ein Dummkopf wäre — usw.
    Nach seiner Rückkehr im Jahre 1815 erbat sich der
Kaiser von seinen Ministern für einen Monat Ruhe; dann
überließ er dem Grafen Araktschejeff die Regierung des
Reiches fast ganz. Seine Seele war in Europa, in Rußland kümmerte er sich nur noch um die Vergrößerung
seines Heeres. Der Zar war jeden Tag bei der Parade;

29

in allen Regimentern wurde fleißig exerziert und marschiert.

Der Dienst in der Garde wurde mir unerträglich. Im Jahre 1815 tauchte die Möglichkeit eines Krieges mit den Türken auf, und ich bat um meine Versetzung in das 37. Jäger-Regiment. Oberst von Wisin, der als vorzüglicher Offizier in der Armee bekannt war, war Kommandeur dieses Regimentes. Ich kannte ihn aus dem Jahre 1813. Zu jener Zeit wohnten Sergei Trubetzkoi, Matwjei und Sergei Murawiew und ich in der Kaserne zusammen; wir trafen uns häufig mit den drei Brüdern Murawiew, Alexander, Michail und Nikolai —, außerdem auch mit Nikita Murawiew. In unseren Unterhaltungen bildete gewöhnlich die Lage Rußlands das Hauptthema. Wir erörterten die Hauptschäden in unserem Vaterlande: die Verstocktheit des Volkes, die Leibeigenschaft, die grausame Behandlung der Soldaten, deren 25jährige Dienstzeit fast der Zwangsarbeit zu vergleichen war; überall herrschte Wucher, Raub und eine offenbare Nichtachtung des Menschen als solchen. Die sogenannte höhere, gebildete Gesellschaft bestand zum größten Teil aus Altgläubigen, denen eine Berührung mit den uns beschäftigenden Fragen schon als schreckliches Verbrechen erschien; von den auf ihren Gütern lebenden Gutsbesitzern gar nicht zu reden!

Als Trubetzkoi und ich eines Tages bei Matwjei und Sergei Murawiew waren, kamen Alexander und Nikita Murawiew mit dem Vorschlag, eine geheime Gesellschaft zu gründen, zu uns. Nach den Worten Alexanders sollte das Ziel dieser Gesellschaft darin bestehen, den in russischen Diensten stehenden Deutschen entgegenzuwirken. Ich wußte, daß Alexander und seine Brüder Feinde jedes Deutschtums waren, und erklärte, daß ich einer Verschwörung gegen die Deutschen niemals

30

beitreten würde. Wenn sich aber eine geheime Gesellschaft bilden würde, deren Mitglieder mit Einsetzen aller
Kräfte für das Wohl Rußlands arbeiten wollten, so wäre
ich gern bereit, ihr beizutreten. Matwjei und Sergei Murawiew antworteten auf den Vorschlag Alexanders fast
dasselbe wie ich. Nach einigem Hin- und Herreden bekannte Alexander, daß sein Vorschlag, eine Gesellschaft
gegen die Deutschen zu gründen, nur ein Probevorschlag
gewesen wäre, und daß er, Nikita und Trubetzkoi schon
früher übereingekommen wären, eine Gesellschaft ins
Leben zu rufen, die im weitesten Sinne des Wortes dem
Wohle Rußlands dienen sollte. Auf diese Weise wurde
die geheime Gesellschaft gegründet, die vielleicht nicht
ganz nutzlos für Rußland gewesen ist.

Wir beschlossen, Statuten für die Gesellschaft fest-
zusetzen und im Anfang nur Mitglieder mit Zustimmung
von uns allen Sechsen aufzunehmen. Bald darauf verließ
ich Petersburg, um mich zu dem 37. Jäger-Regiment zu
begeben. Auf dem Wege dahin besuchte ich meinen
Onkel, der mein kleines, im Gouvernement Smolensk gelegenes Gut verwaltete, und erklärte ihm, daß ich meine
Bauern frei zu machen wünschte. Ich wußte damals noch
nicht, wie sich das einrichten lassen und was daraus hervorgehen würde; aber da ich die volle Überzeugung hatte,
daß die Leibeigenschaft ein Greuel wäre, so war ich von
dem Gefühl durchdrungen, daß es meine erste Pflicht
wäre, die von mir abhängigen Leute freizugeben. Mein
Onkel hörte meinen Vorschlag ganz ohne Erstaunen, aber
mit tiefer Bekümmernis an; er war überzeugt, daß ich den
Verstand verloren hätte.

Als ich in Sosnice, dem Hauptquartier des 37. Jäger-
Regimentes, ankam, erfuhr ich, daß das Regiment neu for-
miert werden sollte, und daß der Stamm der Truppe nach
Moskau gehen sollte. Von Wisin riet mir von der Über-

31

30

nahme einer Kompagnie ab. Er verkehrte nicht als Regimentskommandeur mit mir, sondern als der liebenswürdigste Kamerad. Wir waren unzertrennlich und saßen jeden Abend bis lange nach Mitternacht zusammen; alle Fragen, mit denen wir uns in Petersburg beschäftigt hatten, lagen ihm ebenso am Herzen wie uns. In unseren Gesprächen kamen wir dahin überein, daß wir, um den auf Rußland lastenden Übeln entgegenzuarbeiten, vor allem dem Altglauben des erstarrten, verknöcherten Adels entgegenwirken und Einfluß auf die Jugend gewinnen müßten; die Gründung einer geheimen Gesellschaft, in der jedes Mitglied wüßte, daß es nicht allein stünde, daß es anderen seine Ansichten klarlegen könnte und so mit größerem Vertrauen und mit größerer Entschlossenheit handeln könnte, erschien uns als das wirksamste Mittel dazu. Schließlich sagte mir von Wisin, daß er sofort in eine derartige Gesellschaft eintreten würde, und wenn sie auch nur aus fünf Personen bestände. Als er das sagte, konnte ich mich nicht enthalten, ihm das Vorhandensein einer geheimen Gesellschaft in Petersburg anzuvertrauen und mich als Mitglied derselben zu bekennen. Von Wisin schloß sich uns sofort an. Mit der nächsten Post teilte ich Nikita Murawiew die wichtige Erwerbung mit, die ich in der Person des Obersten von Wisin für unsere Gesellschaft gemacht hatte. Ich hoffte, Dank von allen zu ernten, statt dessen erhielt ich einen strengen Verweis, daß ich gegen die zwischen uns vereinbarten Bedingungen, kein neues Mitglied ohne vorher eingeholte Zustimmung der übrigen Mitglieder aufzunehmen, gehandelt hätte; und ich fühlte, daß ich, trotz einer gewissen Berechtigung zu meiner Voreiligkeit, diesen Verweis verdiente. Zu Anfang des Jahres 1817 kam ich nach Moskau und wurde bald darauf zu dem Stamm des 37. Jäger-Regiments, dessen Stabsquartier nach Dmitrow verlegt wurde, versetzt; da
32

ich keine Kompagnie führte, lebte ich in Moskau und ging bis September in Zivil herum, um dann meinen Abschied einzureichen. Von Wisin brachte auch die meiste Zeit in Moskau zu und wollte wie ich den Dienst quittieren.

Zu jener Zeit kamen die unter Führung des Grafen Woronzow in Frankreich gebliebenen Truppen zurück. Das zu Schiff herbeigeführte Apscheronskische Regiment und das 38. Jäger-Regiment waren zur Parade beim Zaren in Petersburg. Der Zar erschrak, als er sah, wie wenig die Leute gedrillt waren, und jagte sie von der Parade fort. Das 37. Jäger-Regiment trat in das 5. Korps ein. Der Kommandeur dieses Korps, Graf Tolstoi, der Divisions-Kommandeur Chowanski und der Brigade-General Polta-ratzki (Konstantin Markowitsch), die noch mit von Wisin bekannt waren, überredeten ihn dazu, das 38. Jäger-Regiment zu übernehmen und ernannten ihn zum Komman-deur desselben. Als von Wisin sich von dem 37. Jäger-Regiment verabschiedete, liefen ihm die Tränen an den Wangen herunter, und Offiziere wie Soldaten weinten wie er. In diesem Regiment war die Anwendung des Stockes schon nicht mehr gebräuchlich gewesen. Bei Übernahme des 38. Jäger-Regimentes fiel von Wisin die Aufgabe zu, die Soldaten neu zu uniformieren und sie so zu drillen, daß das Regiment einen tadellosen Parade-marsch vor dem Zaren machen konnte. Von Wisin fing seine Aufgabe damit an, daß er eine Annäherung mit den Kompagnieführern suchte. Er beauftragte sie mit dem ersten Eindrillen der Leute und verbot ihnen entschieden, bei dem Unterricht von dem Stocke Gebrauch zu machen. Für die Fahnenjunker richtete er eine Schule ein und stellte selbst die Lehrer an; im Laufe von einigen Monaten gab er mehr als 20000 Rubel für das Regiment aus; als der Zar dann am Ende des Jahres das 38. Jäger-Regiment bei der Parade sah, war er außer sich vor Entzücken und

Jakuschkin

drückte von Wisin seine Dankbarkeit mit den schmeichel-
haftesten Worten aus.

Zu Ende des Jahres 1817 siedelte die Zarenfamilie
nach Moskau über und verlebte dort neun oder zehn
Monate. Noch im August kam das besondere Gardekorps,
das aus den ersten Bataillonen aller Infanterieregimenter
und den ersten Schwadronen aller Reiterregimenter bestand, nach Moskau. Bei dem Korps befand sich auch
Artillerie. Diese Abteilung wurde von dem General Rosen
kommandiert, Alexander Murawiew war der Chef des
Stabes. Mit dieser Abteilung kamen Nikita, Sergei und
Matwjei Murawiew nach Moskau. Michail Murawiew,
der schon Mitglied der Gesellschaft war, fand sich gleich-
falls in Moskau ein.

Während meiner Abwesenheit hatte sich die Gesellschaft sehr vergrößert. In Petersburg waren viele
neue Mitglieder aufgenommen worden, unter ihnen
Burzew (der später als Generalmajor im Kaukasus gefallen ist) und Pestel, beide Adjutanten des Grafen Wittgenstein. Pestel stellte die ersten Statuten für unsere
Gesellschaft auf. Bemerkenswert war in diesen Statuten
erstens, daß alle, die in die geheime Gesellschaft eintreten wollten, sich verpflichten mußten, unter keiner Bedingung den Dienst zu quittieren. Diese Bedingung hatte
den Zweck, mit der Zeit alle hervorragenden Ämter im
militärischen und im bürgerlichen Leben den Verfügungen
der geheimen Gesellschaft unterzuordnen; zweitens wurde
verlangt, daß die Mitglieder, wenn der regierende Kaiser
seinem Volke keinerlei Unabhängigkeit zubilligte, seinem
Nachfolger keinesfalls den Eid leisten sollten, ohne dessen
Selbstherrschaft zu beschränken.

Bei ihrer Anwesenheit in Moskau fanden die Murawiews, besonders Michail, daß die in Petersburg nieder-
geschriebenen Statuten für das Anfangswirken der ge-
34

heimen Gesellschaft nicht förderlich wären. Es wurde vorgeschlagen, zur Aufstellung neuer Statuten zusammen-
zutreten und sich dabei nach den von dem Grafen Ilja
Dolgoruki aus dem Auslande mitgebrachten deutschen
Statuten zu richten, deren sich die Preußen in ihrer geheimen Vereinigung gegen die Franzosen bedienten. Dann
wurden die Statuten für den künftigen Wohlfahrtsbund
aufgestellt, und die interimistische „geheime Gesellschaft" wurde mit dem Namen „militärische Gesellschaft"
bezeichnet. Diese Gesellschaft strebte eine immer größere
Ausbreitung und ein Zusammenschließen aller gleichge-
sinnten Männer an. Bei vielen jungen Leuten war infolge
der gähnenden Leere in ihrem Leben ein solcher Über-
schuß an Lebenskraft vorhanden, daß sie es als ein Glück
betrachteten, ein hohes Ziel vor sich zu sehen. Es ist
aus diesem Grunde nicht zu verwundern, daß alle damals
in Moskau anwesenden tüchtigen, jungen Leute in die Gesellschaft eintraten, oder wenigstens die Gesinnungen der
Mitglieder teilten. Gewöhnlich versammelten sich die Mitglieder bei von Wisin, mit dem ich damals zusammen lebte,
oder bei Alexander Murawiew in Chamownikow in
einem Hause, in dem auch der Chef der Gardeabteilung,
General Rosen, lebte. Diese Versammlungen wurden mehr
und mehr besucht; an den Beratungen nahmen auch die
beiden Brüder Perowski teil (der eine war Minister der
Apanage-Departements, der andere General-Gouverneur
in Orenburg). Sie beschäftigten sich mit denselben
Fragen, die uns allen am Herzen lagen.

Zu dem schon in Rußland vorhandenen Übel kam jetzt
noch ein neues hinzu.

Kaiser Alexander beabsichtigte schon lange, militärische Kolonien zu gründen und schritt jetzt zur Ausführung seines Planes. Graf Araktschejeff wurde beauftragt, die vom Kaiser selbst gemachten Entwürfe zur Ein-

8*   35

Jakuschkin

richtung militärischer Kolonien in die Tat umzusetzen.
Graf Araktschejeff, der sich bei jeder Gelegenheit rühmte,
nur das unwandelbare Werkzeug der Selbstherrschaft zu
sein, blieb es auch in diesem Falle. Im Gouvernement
Nowgorod empörten sich die Kronsbauern jener Amts-
bezirke, in denen die ersten militärischen Kolonien gegründet werden sollten. Sie empfanden mit dem den
Russen eigenen Instinkt, daß für sie Unheil daraus entstehen würde. Graf Araktschejeff ging mit Artillerie und
Kavallerie gegen die Bauern vor. Man schoß auf sie, beraubte sie und ließ sie Spießruten laufen. Nach ihrer
Unterwerfung wurde ihnen erklärt, daß ihre Häuser und
alle ihre Habe nicht mehr ihr Eigentum wären, daß sie
selbst Soldaten und ihre Kinder Kantonisten werden
müßten. Als Soldaten hätten sie einige dienstliche Obliegenheiten zu erfüllen, außerdem müßten sie auf dem
Felde arbeiten, aber nicht für sich selbst, sondern für das
Regiment, dem sie zuerteilt würden. Dann rasierte man
den Bauern die Bärte ab, kleidete sie in Militärmäntel ein
und schrieb sie für Kompagnien und Korporalschaften
ein. Die Nachricht von den Nowgoroder Vorgängen setzte
alle Welt in Schrecken . . . .

Der Kaiser beschäftigte sich fast ausschließlich mit
Musterungen, Paraden und Besichtigungen; er kümmerte
sich außerdem nur um die Gründung militärischer Kolonien und um die Anlage von großen, durch ganz
Rußland führenden Straßen; dafür schonte er weder Geld
noch Schweiß, noch Blut seiner Untertanen. Weder der
Zar selbst noch irgend jemand aus seiner Umgebung ver-
mochten eine genügende Erklärung dafür zu geben, was
es eigentlich mit den militärischen Kolonien für eine Bewandtnis hätte. Eines Tages wandte sich der Kaiser, der
nach einer vorzüglichen Besichtigung besonders guter
Laune war, bei einem Diner in Tultschin mit der Frage
36

an den General Kisselew, ob er sich endlich mit den militärischen Kolonien ausgesöhnt habe. Kisselew antwortete, daß er verpflichtet wäre, an den Nutzen der militärischen Kolonien zu glauben, weil Seine Kaiserliche Hoheit das von ihm wünschten, daß er aber absolut nichts von der Sache verstände. — „Wie kannst du das nicht verstehen," erwiderte Kaiser Alexander ihm — „bei der jetzigen Ordnung der Dinge weint und heult ganz Rußland bei jeder Rekrutenaushebung; wenn die militärischen Kolonien erst gegründet sind, gibt es keine Rekrutenaushebungen mehr." Wenn man den Grafen Araktschejeff nach dem Zweck der militärischen Kolonien fragte, antwortete er jedesmal, daß ihn das nichts anginge —, er wäre nur der Vollstrecker des kaiserlichen Willens. Man wußte, daß die militärischen Kolonien mit der Zeit den ganzen mittleren Landstrich Rußlands vom Norden bis zum Süden einnehmen sollten. In den Kolonien sollten die Stabsquartiere aller Fuß- und Reiterregimenter sein, und diese sollten verpflichtet sein, alle dort einquartierten Truppen aus eigenen Mitteln zu verproviantieren. Das allein war schon ein unausführbarer Plan. Bei der schließlichen Gründung von Kolonien sollten sich die ihnen Angehörenden sofort in eine bewaffnete, militärische Kaste verwandeln, die nichts mit dem übrigen Volke gemein haben sollte.

Die Kolonien lösten sich in nichts auf, wie alle unüberlegten Projekte, auch wenn sie von einem mit ungeheurer Macht ausgerüsteten Menschen ins Werk gesetzt werden.

Im Jahre 1817 wurde eine Verfassung Polens in französischer Sprache gedruckt. In den letzten Punkten dieser Verfassung war gesagt, daß kein Stück Land von dem polnischen Reiche losgerissen werden dürfte, aber daß nach dem Ermessen und dem Willen der höchsten Obrigkeit von Rußland abgetrenntes Land dem polnischen Reich zugefügt werden könnte. Daraus war zu schließen, daß

37

36

Jakuschkin

ein Teil Rußlands mit dem Einverständnis des Kaisers polnisches Eigentum werden konnte . . . .

Zu Ende des Jahres 1817 war die ganze Zarenfamilie schon in Moskau, und man erwartete die baldige Ankunft des Kaisers.

Eines Tages kam Alexander Murawiew in ein ihm unbekanntes Haus, in dem ich zu Mittag eingeladen war. Er ließ mich herausrufen und sagte mir mit geheimnisvoller Miene, daß ich am Abend zu ihm kommen möchte. Ich erschien zur festgesetzten Stunde und fand nur eine kleine Versammlung vor. Außer dem Hausherrn waren nur Nikita, Matwjei und Sergei Murawiew, von Wisin, Fürst Schachowski und ich anwesend. · Alexander Murawiew las uns einen von Trubetzkoi erhaltenen Brief vor, in dem er uns von allen in Petersburg umlaufenden Gerüchten in Kenntnis setzte. Zunächst teilte er uns mit, daß der Zar in Polen verliebt wäre — das war uns allen bekannt; der Zar betrachtete Polen, dem er erst kürzlich eine Verfassung verliehen hatte, und das er für unvergleichlich gebildeter hielt als Rußland, als einen Teil Europas. Zweitens teilte er uns mit, daß der Zar Rußland haßte — das war nach allem, was der Zar seit dem Jahre 1815 in Rußland getan hatte, augenscheinlich. Drittens teilte er uns mit, daß der Zar beabsichtigte, einen Teil von Rußland an Polen abzutreten —, auch das war wahrscheinlich. Schließlich sagte er uns, daß der Rußland hassende und verachtende Kaiser die Absicht haben sollte, seine Residenz nach Warschau zu verlegen. Das klang unwahrscheinlich, aber nach all dem Unglaublichen, das der russische Zar in Rußland vollführt hatte, konnte auch diese letzte Nachricht glaubwürdig erscheinen — besonders da unsere Phantasie in dem Augenblick sehr erregt war. Alexander Murawiew las den Brief noch ein zweites Mal laut vor; dann gaben wir alle unserem Kummer über die

38

37

1. Kapitel

elende Lage Rußlands unter der Regierung des Kaisers Alexander lebhaften Ausdruck. Mich überlief ein Schauer; ich ging im Zimmer umher und fragte alle Anwesenden, ob sie alles, was Trubetzkoi uns in seinem Briefe mitteilte, glaubten, und ob sie auch der Ansicht wären, daß Rußland nicht unglücklicher sein könnte als unter dem jetzt regierenden Kaiser. Alle versicherten mir, daß ihnen das eine wie das andere unzweifelhaft wahr erschiene! Ich sagte, daß die geheime Gesellschaft in diesem Falle gar nichts machen könnte, und daß jetzt jeder von uns nach seinem eigenen Gewissen und nach seiner eigenen Überzeugung handeln müßte. Alle schwiegen einen Augenblick.

Schließlich sagte Alexander Murawiew, daß man, um das Rußland drohende Unheil abzuwenden, der Herrschaft des Kaisers Alexander ein Ende machen müßte. Er schlug vor, durch das Los zu entscheiden, wer von uns den Schlag gegen den Zaren führen sollte. Aber ich antwortete ihm, dieser Vorschlag käme zu spät, ich wäre entschlossen, auch ohne Los mich selbst zum Opfer zu bringen, und ich würde keinem diese Ehre abtreten. Dann trat wieder Schweigen ein. Von Wisin kam zu mir heran und bat mich, mich zu beruhigen. Er sagte mir, daß ich in einem Zustande fieberhafter Erregung wäre und in solcher Gemütsverfassung kein Gelübde tun dürfte, das mir am nächsten Tage unsinnig erscheinen würde. Ich versicherte von Wisin meinerseits, daß ich vollständig ruhig wäre und ihm zum Beweise dafür eine Partie Schach anböte, in der ich ihn zu besiegen dächte. Die Versammlung wurde aufgehoben und ich ging mit von Wisin nach Hause. Er ließ mir fast die ganze Nacht keine Ruhe und redete unaufhörlich auf mich ein, von meinem unsinnigen Vorhaben abzustehen. Mit Tränen in den Augen sagte er mir, daß er mit Entsetzen an den Augenblick dächte, in

39

Jakuschkin

dem man mich auf das Schafott führen würde. Ich sagte ihm, daß er dieses für ihn so schreckliche Schauspiel nicht sehen würde. Ich faßte den Entschluß, mich bei der Ankunft des Kaisers Alexander mit zwei Pistolen am Usspenski-Dom aufzustellen, und wenn der Kaiser in den Palast ginge — ihn mit der einen und mich mit der anderen Pistole zu erschießen. Ich hielt einen derartigen Schritt nicht für Mord, sondern für ein Duell, in dem beide sterben mußten.

Als von Wisin am anderen Tage einsah, daß alle seine Versuche, mir den Plan auszureden, vergeblich wären, begab er sich nach Chamownik und teilte allen dort lebenden Mitgliedern mit, daß ich um keinen Preis von meinem Vorhaben Abstand nehmen wollte. Am Abend versammelten sich dieselben Personen, die am Tage vorher bei Alexander Murawiew gewesen waren, bei von Wisin; in den Gesprächen wurde gerade das Gegenteil von dem am Abend vorher Besprochenen behauptet. Man sagte mir, daß die Mitteilungen von Trubetzkoi auch unwahr sein könnten, und daß der Tod Kaiser Alexanders im gegenwärtigen Augenblick von keinem Nutzen für das Reich sein würde, außerdem würde ich mit meiner Hartnäckigkeit nicht nur sie alle in das Verderben stürzen, sondern zugleich die in ihren ersten Anfängen stehende geheime Gesellschaft, die mit der Zeit für Rußland von großem Nutzen werden könnte, vernichten. Fast den ganzen Abend wurde darüber disputiert, und schließlich gab ich ihnen das Versprechen, mein Vorhaben nicht auszuführen. Ich sagte ihnen jedoch, daß sie mich durch ihren Leichtsinn zu dem größten Verbrechen hätten treiben können, da sie gestern als ganz sicher hingestellt hätten, was sie heute als leeres Geschwätz betrachteten; aber . . . . und zum Schluß erklärte ich ihnen, daß ich ihrer geheimen Gesellschaft nicht mehr angehören wollte.

40

1. Kapitel

Dann redeten von Wisin, Nikita Murawiew und die anderen mir sehr zu, die Gesellschaft nicht zu verlassen, aber ich erklärte entschieden, daß ich keiner Versammlung mehr beiwohnen würde. Ich verließ jedesmal das Haus, wenn die Versammlung bei von Wisin tagte, aber ich sah die Hauptmitglieder der Gesellschaft, mit denen ich nah bekannt war, dennoch täglich. Sie sprachen in meiner Gegenwart ganz offen von ihren Angelegenheiten, und ich wußte von allem, was sie vorhatten. Die Statuten des Wohlfahrtsbundes, die unter dem Namen „grünes Buch" bekannt sind, las ich gleich bei ihrem Erscheinen. Die Hauptverfasser derselben waren Michail und Nikita Murawiew. In diesen Statuten war gleich zu Anfang gesagt, daß die Mitglieder der geheimen Gesellschaft sich vereinigt hätten, um den schlecht gesinnten Elementen entgegenzuwirken und zugleich die guten Absichten der Regierung zu fördern. Diese Worte waren schon halbwegs unwahr, da niemand von uns an die guten Absichten der Regierung glaubte. Zu dieser Zeit vergrößerte sich die Mitgliederzahl der geheimen Gesellschaft bedeutend, viele der Mitglieder donnerten bei jeder Gelegenheit gegen die barbarischen Einrichtungen, wie Gebrauch des Stockes, Leibeigenschaft usw. Jetzt erscheint es unglaublich, daß diese unter gebildeten Leuten schon längst entschiedenen Fragen in Rußland vor 38 Jahren sogar für die Leute neu waren, die sich für gebildet hielten, d. h. französisch sprachen und mit der französischen Literatur etwas vertraut waren. In dieser Sache waren wir Jungen entschieden Plänkler, oder, wie die Franzosen sagten: „des enfants perdus". Auf Schritt und Tritt begegnete man, nicht nur in der Linie, sondern auch in der Garde, „Zähnefletschenden", denen es undenkbar erschien, daß man aus einem Russen einen tauglichen Soldaten machen könnte, ohne eine Fuhre Stöcke auf seinem Rücken zu zerbrechen.

41

Jakuschkin

Fast alle Gutsbesitzer betrachteten die Bauern als ihr unantastbares Eigentum und sahen in der Leibeigenschaft eine Institution der heiligen, alten Zeit, an die man nicht rühren konnte, ohne die Grundpfeiler des Reiches zu erschüttern. Ihrer Meinung nach war der Adelstand die größte Stütze Rußlands, und sie glaubten, daß mit Aufhebung der Leibeigenschaft der Adel zugleich vernichtet werden würde. Diese konservativen Leute hielten jeden Schritt zur Ausbreitung der Volksbildung für verderblich und standen den freien Gedanken der damaligen Jugend überhaupt feindlich gegenüber, nichts destoweniger trat diese Jugend überall kühn für die Wahrheit ein.

2. Kapitel
Steigende Erbitterung gegen den Kaiser und Wachsen des Wohlfahrtsbundes

Im Jahre 1818 kam der Oberst des Lubenskischen Regiments, Grabbe, nach Moskau und stieg bei von Wisin ab; er und von Wisin waren gleichzeitig Adjutanten bei Ermolow gewesen. Viele meiner Bekannten lobten Grabbe als einen in jeder Hinsicht vorzüglichen Menschen. Das war für mich schon ein Grund, mich nicht sehr nach seiner Bekanntschaft zu sehnen. Ich fürchtete, es könnte ein von seinen vortrefflichen Eigenschaften durchdrungener Mensch sein, und diese Art vorzüglicher Menschen war mir nicht sympathisch. Wir lebten einige Tage unter demselben Dache, ohne uns ein einziges Mal zu treffen. Endlich kam er eines schönen Morgens, als ich noch im Bette lag, in mein Zimmer, streckte mir die Hand hin und sagte: „Ich sehe, daß Sie nicht mit mir zusammentreffen wollen, aber ich habe den Wunsch, Ihre Bekanntschaft zu machen." Nach wenigen Stunden waren wir schon ganz bekannt miteinander. Während wir im Zimmer auf und nieder gingen, brachte der Bursche Grabbe Husarenjacke und Dolman. Ich fragte ihn, wohin er sich in diesem Anzuge begeben wollte, und er sagte mir, daß er sich notwendig bei dem Grafen Araktschejeff melden müßte. Dann setzten wir unsere Wanderung im Zimmer fort und unser Gespräch wandte sich den alten Geschichtsschreibern zu. Wir liebten die Alten leidenschaftlich; fast jeder von uns besaß

43

Plutarch, Titus Livius, Cicero, Tacitus und andere. Grabbe
teilte unsere Vorliebe für die Alten. Ich las ihm aus einem
auf dem Tische liegenden Buche einige Briefe des Brutus
an Cicero vor, in denen Brutus, der sich entschlossen hat,
Oktavian entgegen zu handeln, Cicero Kleinmut vorwirft.
Bei dieser Lektüre geriet Grabbe in Feuer; er sagte dem
Burschen, daß er nicht fortgehen würde, und wir speisten
zusammen. Auf diese Weise kam er gar nicht zu Araktschejeff, ungeachtet der bis zu ihm dringenden Gerüchte,
daß der Graf sehr böse auf ihn wäre und einige Male ge-
äußert hätte: „Dieser Grabbe scheint sehr hochmütig geworden zu sein, daß er nicht zu mir kommt." Bald darauf
nahm von Wisin Grabbe in die „geheime Gesellschaft" auf.

Am 6. Januar 1818 fand die Parade der Gardeabteilung im Kreml statt. Das Wetter war sehr schlecht;
außerdem waren die Front-Unteroffiziere falsch aufgestellt,
so daß die Parade nicht vom Fleck kam. Der Zar war
wütend und steckte den Chef des Stabes, Alexander Murawiew, auf der Hauptwache in Arrest. Daraufhin nahm
Alexander Murawiew seinen Abschied. Nachdem er den
Dienst quittiert hatte, verheiratete er sich. Seine Frau
sang die Marseillaise mit ihm zusammen, aber nach einigen
Monaten verstand sie es, ihren Mann aus einem toll-
kühnen Liberalen in einen verwegenen Mystiker zu verwandeln. Er sagte sich infolgedessen von der „geheimen
Gesellschaft" los und schrieb seinen ehemaligen Kameraden einen Brief, der in dem Bericht des Komitees
erwähnt wird. Übrigens geschah das schon im Jahre 1819.

Zur Zeit der Anwesenheit des Kaisers in Moskau lief
das Gerücht um, daß er die Bauern befreien wollte. Man
konnte dem Gerücht um so eher Glauben schenken, als
der Kaiser die Bauern in den Ostseeprovinzen freigemacht
hatte. Allerdings war ihre Lage dadurch nur schlechter
geworden. Kaiser Alexander schämte sich vor Europa,
44

daß mehr als 10 Millionen seiner Untertanen Sklaven waren, aber infolge der Inkonsequenz seiner Handlungsweise verwirrte er nur die Gemüter und brachte die Sache selbst keinen Schritt weiter. Als er eines Tages seinen Spaziergang am Quai machte, sah er einige Bauern auf den Knien liegen; einer von ihnen trug ein Papier auf dem Kopfe. Es war ein Schreiben, in dem diese Bauern aus dem Tulskischen Gouvernement sich beschwerten, daß sie für die Arbeit in der Fabrik ihres Gutsbesitzers nicht immer Bezahlung erhielten. Der Kaiser sandte sofort einen Feldjäger zum Tulskischen Gouverneur Olenin und befahl ihm, die Angelegenheit zu ordnen. Ich war mit Olenin bekannt, und er selbst erzählte mir den Vorgang. Nach erhaltenem Befehl begab sich Olenin alsbald auf das Gut seines Freundes und befahl dem Verwalter, sofort mit den Bauern abzurechnen. Dabei erwies es sich, daß es sich nur um einen ganz geringen Rückstand handelte. Der Tulskische Gouverneur berichtete dem Kaiser, daß die Forderungen der Bauern erfüllt wären, und damit war die Sache erledigt. Aber dieser Vorfall regte die Gutsbesitzer entsetzlich auf. Zu gleicher Zeit tauchten unaufhörlich Gerüchte über Exekutionen in den verschiedenen Gouvernements auf. Auf dem Gute der Gribojedowa im Kostromskischen Gouvernement hatten die Bauern, durch die grausame Behandlung des Verwalters und die über ihre Kräfte gehenden Steuern dazu getrieben, den Gehorsam gekündigt. Auf ausdrücklichen Befehl wurde eine militärische Exekution an ihnen vollzogen; dann erhielt der Kostromskische Adel den Auftrag, eine Steuer festzustellen, die für die Bauern nicht drückend sein könnte. Der Kostromskische Adel, der, wie der gesamte Adel, nicht sein eigener Feind sein wollte, berichtete, daß 70 Rubel für die Seele in diesem Bezirk als eine sehr mäßige Steuer gelten könnte. Auf diesen Bericht erfolgte

45

Jakuschkin

von keiner Seite eine Entgegnung, obgleich jeder wußte,
daß kein einziges Gut im Kostromskischen Gouvernement
so ungeheure Steuern zahlte.

Noch im Jahre 1815 warf sich der Kaiser mit Leiden-
schaft auf die Anlage von Wegen und auf die Ausschmückung von Städten und Dörfern. Die Wege wurden
so schlecht angelegt, daß während der letzten zehn Jahre
seiner Regierung kein Weg bei schlechtem Wetter fahrbar
war! Als der Kaiser im Jahre 1818 Moskau verließ, ernannte er den Fürsten Chowanski zum General-Gouverneur von Witebsk und befahl ihm, sich nach Jaroslawl
zu begeben, um sich bei dem dortigen Gouverneur, Beso-
brasow, über Wegebau zu unterrichten. Der Kaiser war
mit dem Wege, der durch das Jaroslawskische Gouvernement führte, sehr zufrieden —, weil er ihn bei dem
trockensten Wetter befahren hatte. Chowanski hatte das
Unglück, den Weg in strömendem Regen passieren zu
müssen; er blieb an verschiedenen Stellen stecken und
konnte sich nur mit Mühe bis Jaroslawl und wieder zurück
schleppen. Und für diesen Wegebau kamen auf jede Seele
im Jaroslawskischen Gouvernement 10 Rubel! Der Haupt-
kommandierende des ersten Armeekorps, Sacken, war gezwungen, seine Kalesche einige Werst vor Moskau zu
verlassen und auf dem Pferde seines Vorreiters in die
alte Residenz einzuziehen. Der persische Gesandte, der
das Gouvernement Smolensk passierte, versicherte, daß in
Persien kein einziger so schlechter Weg existierte, wie
in Rußland. Als der Kaiser die Gouvernements Tschernigow und Poltawa durchreiste, war er sehr unzufrieden mit
den Wegen in diesen Gouvernements und erteilte dem
General-Gouverneur Rjepnin einen strengen Verweis.
Rjepnin entschuldigte sich mit der Mißernte in den beiden
Gouvernements und sagte, er hätte es für unerläßlich gehalten, die Bauern in diesem Jahre von dem Wegebau zu

46

dispensieren. Der Kaiser antwortete darauf: „Was sie zu Hause knacken und beißen, können sie auch auf den Landstraßen knacken und beißen." Er verhärtete sich augenscheinlich mehr und mehr gegen Rußland. Der Bau dieser großen Wege, die unpassierbar waren, war allenthalben für die Bauern ein Ruin; man trieb sie aus verschiedenen Orten — oft von sehr weit her — zur Arbeit zusammen. Sie mußten den Weg an beiden Seiten tief aufgraben, die ausgegrabene Erde in die Mitte werfen und alles feststampfen; dann mußten sie zu beiden Seiten des Weges Gräben anlegen, sie mit Rasen einfassen und schließlich zwei Reihen Birken einpflanzen — die Birken wurden übrigens häufig nur vor der Durchfahrt des Zaren ohne Wurzeln in die Erde gesteckt. Die Ausschmückung der Städte bestand darin, daß die Hauswirte für die Ankunft des Zaren die Straßenfront ihrer elenden Häuser mit Brettern bekleideten und die Dächer mit irgend einer Farbe, die ihnen gerade in die Hände fiel, anstrichen. In den Dörfern wurden die Hütten mit geflochtenen Zäunen umgeben, und an einigen Orten — ich sah das im Tulskischen Gouvernement — wurden die Hütten mit weißem Lehm angeschmiert —, und das alles ergötzte den Kaiser.

Nach dem Abmarsch der Garde im Jahre 1818 blieben in Moskau noch 30 Mitglieder zurück, die zum größten Teile von Alexander Murawiew angeworben waren. Obgleich ich demissioniert hatte, mußte ich in jenem Jahre notwendig nach Petersburg reisen. Beide — von Wisin und Michail Murawiew — gaben mir Briefe an Nikita Murawiew mit und beauftragten mich, mit ihm und mit anderen über die Angelegenheiten der Gesellschaft zu sprechen. Bei meiner Ankunft in Petersburg machte mich Nikita, der zu jener Zeit auch im Ruhestand war und sich eifrig mit den Angelegenheiten der geheimen Gesellschaft beschäftigte, mit Pestel bekannt. Bei dem ersten Kennen-

47

Jakuschkin

lernen stritten wir gleich fast zwei Stunden miteinander.
Pestel sprach sehr klug und war so überzeugt von der
Unanfechtbarkeit seiner Behauptungen, wie von der Wahrheit erwiesener mathematischer Formeln. Er verteidigte
seine Meinung auf das Hartnäckigste und ließ sich niemals
und durch nichts beirren. Vielleicht war das der Grund,
daß er, als einziger von uns allen, im Laufe von fast zehn
Jahren, ohne auch nur eine Minute nachzulassen, eifrig
für die Sache der geheimen Gesellschaft arbeitete. Seit
er davon überzeugt war, daß die geheime Gesellschaft
das richtige Mittel zur Erreichung des ersehnten Zieles
wäre, setzte er sein ganzes Leben für dieselbe ein. Am
Tage nach meiner Ankunft in Petersburg versuchte Nikita,
mich zu überreden, wieder in die geheime Gesellschaft
einzutreten. Er bemühte sich, mir zu beweisen, daß jetzt
keine Gründe mehr vorlägen, mich ihr fern zu halten, da
der Gesellschaft durch die Statuten des Wohlfahrtsbundes
eine durchaus maßvolle Haltung vorgeschrieben wäre; er
äußerte weiter, daß Pestel und andere es sehr seltsam
fänden, daß ich Aufträge von Moskauer Mitgliedern über-
nähme und alles, was in der Gesellschaft vor sich ginge,
wüßte, ohne ihr anzugehören. Nach diesen Ausführungen
blieb mir nichts anderes übrig, als auf Nikitas Vorschlag
einzugehen; ich unterschrieb einen Schein, ohne ihn vorher gelesen zu haben, weil ich wußte, daß er verbrannt
werden würde. Daraufhin wurde ich aufgefordert, die
Versammlung zu besuchen. Fürst Lopuchin, der später
Chef der Ulanen-Division im Grenadier-Korps wurde, Peter
Koloschin, Fürst Schachowski und viele andere versammelten sich bei Nikita. Durch allerhand überflüssige
Formalitäten machte die Versammlung den Eindruck einer
schlechten Komödie. Wenn sich die Mitglieder der militärischen Gesellschaft in Moskau versammelten, so geschah es mit dem Zweck, einander kennen zu lernen und
48

näherzutreten. Jeder sprach freimütig über die Fragen, die uns alle beschäftigten. Hier hingegen beriet man während dieser ganzen Sitzung über Aufstellung eines möglichst bindenden Eides für die neu in den Wohlfahrtsbund eintretenden Mitglieder und darüber, ob sie ihren Eid auf das Evangelium oder auf ihren Degen schwören sollten. All das wirkte äußerst lächerlich. Aber Lopuchin, Schachowski und fast alle anderen Anwesenden waren eifrige Freimaurer und von der Loge her daran gewöhnt, sich mit derartigen Abgeschmacktheiten zu befassen. Sie stießen sich durchaus nicht an ihnen, im Gegenteil, sie wünschten einiges Freimaurertum in den Wohlfahrtsbund hineinzubringen.

In weniger als zwei Jahren gelangte der Wohlfahrtsbund zu vollster Blüte; in den Jahren 1818 und 1819 hatte er seine glänzendsten Zeiten. Die Zahl der Mitglieder vergrößerte sich bedeutend; viele von den Mitgliedern der militärischen Gesellschaft traten in den Wohlfahrtsbund ein, unter ihnen auch die beiden Perowskis; außerdem traten Ilja Bibikow, der spätere litauische General-Gouverneur, und Kawelin, der ehemalige Petersburger General-Gouverneur, in den Bund ein. Junge Leute aus allen Regimentern gehörten der geheimen Gesellschaft an. Burzew nahm vor seiner Abreise nach Tultschin, Puschtschin, Obolenski, Narüschkin, Lorer und viele andere in die Gesellschaft auf. Die Hauptmitglieder schätzten das ihnen anheimgestellte Mittel, durch freie Meinungsäußerung zu wirken, sehr; sie glaubten an die Kraft dieses Mittels, und ihr Wirken war erfolgreich. Ihr Einfluß in Petersburg war unverkennbar. Im Ssemenowskischen Regiment war der Gebrauch des Stockes schon fast ganz abhanden gekommen. Auch in anderen Regimentern bemühten sich die Kompagnieführer, den Gebrauch des Stockes nach Möglichkeit zu umgehen. Man hörte sehr

Jakuschkin

selten mehr von Grausamkeiten, die früher an der Tages-
ordnung gewesen waren.

Vor dem Ausmarsch in das Ausland hatten einige
Bataillonskommandeure und Hauptleute des Ssemenowskischen Regimentes, dessen Offizierkorps als das beste
in der Garde galt, sich versammelt, um darüber zu beraten,
wie man die Soldaten am besten bestrafte: ob wenig,
aber häufig, oder selten und hart. Ich erinnere mich
deutlich, daß der Kommandeur des zweiten Bataillons,
der spätere Minister der äußeren Angelegenheiten bei
Karl X. von Frankreich, Baron Damasse, antwortete, er
wäre der Ansicht, daß man den Soldaten selten, aber
streng bestrafen und ihm niemals weniger als 200 Stockschläge geben lassen müßte. Ich muß bemerken, daß
eine derartig grausame Bestrafung nicht nur für schlechte
Führung in Anwendung kam, sondern manchmal für das
kleinste Vergehen im Dienst oder sogar für einen Fehltritt
in der Front angeordnet wurde. Viele der drückenden
Neuerungen der Regierung, besonders die militärischen
Kolonien, wurden von den Mitgliedern des Wohlfahrtsbundes offen getadelt, dadurch begann sich in allen Kreisen
der Petersburger Gesellschaft eine öffentliche Meinung zu
regen; man begnügte sich nicht mehr, wie früher, mit den
Erzählungen von den Vorgängen bei Hofe und den Wach-
paraden in der Manege. Viele fingen an, das, was um
sie her vorging, zu kritisieren.

3. Kapitel
Lage der Bauern in Rußland und Pläne zur Verbesserung der traurigen Zustände

Als ich im Jahre 1819 Moskau verließ, um die Meinigen wiederzusehen, besuchte ich auch mein Gut im Smolenskischen Gouvernement. Die Bauern versammelten sich und baten mich, daß ich, da ich doch nicht diente und nichts täte, auf meinem Gute bleiben sollte, um mit ihnen zu leben; sie versicherten mir, daß ihnen meine Anwesenheit nützlich sein würde, weil sie bei mir weniger Bedrückung zu fürchten hätten. Ich überzeugte mich von der Wahrheit ihrer Worte und siedelte ganz auf das Land über. Die Nachbarn schickten sofort Abgesandte, um mich zu meiner Ankunft zu beglückwünschen, und jeder ließ mir sagen, daß er mich sehr bald besuchen würde; aber ich ließ sie durch ihre Boten um Entschuldigung bitten, daß ich jetzt keinen von ihnen annehmen könnte. Sie ließen mich in Ruhe, aber es versteht sich von selbst, daß sie mich für einen Sonderling hielten. Meine erste Anordnung war Verringerung der Fronarbeit um die Hälfte. Das Gut war auf Fronleistungen angewiesen, und die Lage der Bauern war durchaus keine befriedigende; viele Steuern, die für die Bauern sehr drückend und für den Gutsbesitzer wenig nutzbringend waren, hob ich auf. Bald nach meiner Ankunft in Shukowo kam ich mit der ländlichen Polizei aneinander. Man berichtete mir, daß ein Mensch in dem durch mein Land fließenden und von dem Regen hoch angeschwollenen Flusse ertrunken wäre. Ich befahl, noch an demselben Tage einen Bericht über den

Vorgang an das Landgericht zu schicken und eine Wache bei dem Ertrunkenen aufzustellen. Es vergingen drei oder vier Tage, ohne daß das Landgericht die geringste Anordnung in dieser Angelegenheit traf. Um diese Zeit kam von Wisin aus Moskau zu mir, um mich zu besuchen; wir gingen zusammen am Ufer des Flusses spazieren und waren erschüttert von dem wahrhaft entsetzlichen Anblick, der sich uns bot. Der Ertrunkene, der mit dem Fuße an einem am Ufer eingerammten Pfahl festgebunden war, schwamm auf dem Wasser; die Haut an Gesicht und Händen glich feuchtem, weißgegerbtem Leder. Das war im Juni — und der Gestank von dem verwesenden Körper machte sich weithin bemerklich. Außer der Wache saßen ein Greis und eine junge Frau am Ufer. Der Greis war der Vater, die Frau das Weib des Ertrunkenen; beide weinten bitterlich; als sie mich erblickten, warfen sie sich mir zu Füßen und baten um die Erlaubnis, den Toten begraben zu dürfen. Von Wisin und ich waren sehr aufgeregt. Ich befahl, den Toten aus dem Wasser zu ziehen, ihn auf einen Wagen zu legen und ihn zu seinem Gutsherrn, Barüschnikow, der zehn Werst von mir entfernt wohnte, zu bringen. Ich schrieb ihm, daß ich dem Landgericht über den bei mir im Flusse gefundenen Ertrunkenen Bericht erstattet hätte. Da aber von seiten des Landgerichts in dieser Angelegenheit keinerlei Schritte getan worden wären, so entschlösse ich mich — um zu verhüten, daß von dem verwesenden Körper Seuchen ausgingen —, den Toten zu ihm zu schicken, damit er dessen Beerdigung anordnete. Barüschnikow, ein sehr reicher Gutsbesitzer, erschrak und wollte anfänglich den Toten — einen seiner eigenen Bauern — nicht ohne Anordnung des Landgerichts aufnehmen, ja er wollte ihn sogar auf den Platz, wo man ihn gefunden hatte, zurückbringen lassen; aber er fürchtete sich doch vor der Verantwortung,

52

die ihn treffen würde, wenn der lange Zeit unbeerdigte
Leichnam wirklich eine Seuche hervorrufen sollte —, und
so befahl er endlich, den Toten zu beerdigen. Ich benachrichtigte das Landgericht von den an seiner Statt getroffenen Anordnungen; zugleich schrieb ich auch dem
Gouverneur von Smolensk, Baron Asch, und teilte ihm
mit, warum ich in dieser Sache so gehandelt hätte. Baron
Asch, der keine Gelegenheit vorbeigehen ließ, ohne die
von dem Adel gewählten Beamten ein wenig zu zupfen,
ließ dem Landgericht einen strengen, schriftlichen Verweis zuteil werden.

Um meinen Bauern möglichst schnell näher zu treten,
ließ ich sie zu jeder Stunde bei mir vor und suchte ihre
Forderungen nach Möglichkeit zu befriedigen; ich hatte
ihnen bald abgewöhnt, sich mir zu Füßen zu werfen und
ohne Mütze vor mir zu stehen, wenn ich selbst einen Hut
trug. Für ein Vergehen wurden sie nicht anders bestraft
als durch Urteil aller Hauswirte. Der Boden im Smolenskischen Gouvernement ist im allgemeinen unfrucht-
bar; bei dem Mangel an Vieh konnten meine Bauern ihre
Felder nicht genügend düngen. Die Ernten fielen gewöhnlich so dürftig aus, daß ihr Ertrag nur für die Bedürfnisse der Bauern und für die Aussaat genügte. Im
Winter beschäftigten sich die Bauern nur mit dem Fuhr-
mannsgewerbe und mit der Kalkausbeute; aber das eine
sowohl als das andere brachte ihnen nur unbedeutenden
Gewinn. Mit dieser Erwerbsmöglichkeit brauchten sie
natürlich nicht betteln zu gehen, aber sie konnten auch
nicht hoffen, durch sie ihre Lage zu verbessern; sie waren
so an ihre Not gewöhnt, daß sie gar nicht daran dachten,
daß es jemals anders werden könnte. Sie waren überzeugt, daß sie mit aller Arbeit doch nichts erreichen
würden, und spannten darum — ob sie nun für sich oder
für den Herrn arbeiteten — nie alle ihre Kräfte an. Man

53

mußte also auf ein Mittel sinnen, das ihre Tatkraft weckte und sie vor die Notwendigkeit stellte, fleißig zu arbeiten. Das Mittel bestand, nach meiner damaligen Auffassung, darin, die Bauern vollständig unabhängig von dem Gutsbesitzer zu machen. Ich sandte eine Bittschrift an den Minister des Inneren, Kosodawlew, und teilte ihm meinen Wunsch, meine Bauern zu befreien, und die Bedingungen, unter denen ich sie freigeben wollte, mit. Ich wollte meinen Bauern ihre Häuser, ihr Vieh, ihre Pferde und ihre ganze Habe als vollständig freies Eigentum überlassen. Die Meiereien und Weideplätze sollten, so wie sie waren, Eigentum der Dörfer werden. Ich wollte von den Bauern keinerlei Gegenleistungen fordern. Alles übrige Land wollte ich behalten; die eine Hälfte dachte ich mit Tagelöhnern zu bebauen, die andere Hälfte wollte ich meinen Bauern in Pacht geben.

Es erschien mir vor allem notwendig, den jungen Nachwuchs etwas aufzuklären und ihm bessere Erwerbsmöglichkeiten zu verschaffen, als die Väter sie bisher gehabt hatten. Damals nahm ich zum erstenmal zwölf Knaben zu mir und unterrichtete sie im Lesen und Schreiben; später wollte ich die Knaben dann zur Erlernung verschiedener Handwerke nach Moskau schicken. Die Bauern überließen mir die Knaben nicht sehr bereitwillig; zuerst glaubten sie, daß ich ihre Kinder als Hofleute zu mir nehmen wollte; das erschien ihnen um so wahrscheinlicher, als mein ganzes Hofgesinde aus einem alten, verabschiedeten Unteroffizier, der mit mir im Feldzug gewesen war, bestand. Als die Eltern aber sahen, daß ihre Kinder lesen und schreiben lernten, immer vergnügt waren und in blauen Hemden herumgingen, fingen sie an, sich darüber aufzuregen. In dieser Zeit besuchte mich mein Nachbar Limochin, um mit mir über den Bau einer Mühle an dem Flusse, der unsere beiden Güter

54

trennte, zu sprechen. Als er keine Dienerschaft bemerkte und die Knaben in einiger Entfernung von uns stehen sah, fragte er: „Was machen denn die da?" Ich antwortete ihm, daß die Knaben bei mir lesen und schreiben lernten. „Ah, vortrefflich," erwiderte er, „lehren Sie sie nur auch singen und musizieren; wenn Sie sie dann verkaufen, können Sie ein schönes Stück Geld an ihnen verdienen." Diese ekelhafte Auffassung meines Nachbarn war zu damaliger Zeit keine Seltenheit. Ich kann dafür ein Beispiel aus meiner eigenen Familie anführen. Mein verstorbener Onkel, von dem ich Shukowo übernahm, war mein Vormund; trotzdem er nicht sehr wohlhabend war, hatte er verschiedene Passionen nach Herren-Art — unter anderen auch eine leidenschaftliche Liebe für Gesang und Musik. Als ich im Auslande war, machte er in Orla die Bekanntschaft des Grafen Kamenski, des Sohnes des Feldmarschalls, und verkaufte ihm 20 Musikanten aus seinem Orchester für 40000 Rubel; unter diesen Musikanten befanden sich zwei mir gehörige Leute. Als ich im Jahre 1814 in Orla war und Kamenski zum ersten Male sah, sagte er mir in liebenswürdigster Weise, daß er mein Schuldner wäre und mir für meine Leute 4000 Rubel zu zahlen hätte; er bäte mich, sofort den Kaufbrief für sie auszustellen. Ich erwiderte Seiner Erlaucht, daß er mir nichts schuldig wäre, weil ich meine Leute um keinen Preis und an niemanden verkaufte. Am anderen Tage erhielten die beiden Bauern ihren Freibrief von mir.

Meine Knaben fingen schon an, etwas zu lesen und zu schreiben; das erfreute ihre Eltern sehr. Ich wünschte, daß die Knaben mein Gut genau kennen lernten, und so ging ich jeden Tag mit ihnen aus, um Aufnahmen zu machen; die Knaben schleppten die dazu gehörigen Gerätschaften und lernten es bald selbst, den Pfahl in gerader Richtung aufzustellen und die Kette zu ziehen. Ich

55

Jakuschkin
zeigte ihnen, wie sie den Diopter handhaben und wie
sie die Vertiefungen in die Meßtischplatte einschneiden
mußten. Das machte ihnen viel Vergnügen, und sie
wurden von Tag zu Tag verständiger.

Endlich erhielt der Land-Adelsmarschall eine Zu-
schrift aus dem Ministerium des Innern mit der Anweisung,
von mir eine Angabe zu verlangen, unter welchen Bedingungen ich meine Leibeigenen zu freien Ackerbauern
machen wollte, und wieviel Land ich jedem zu geben gedächte; außerdem sollte er meine Bauern fragen, ob sie
gewillt wären, auf die von mir vorgeschlagenen Bedingungen einzugehen und freie Ackerbauer zu werden. Mit
einem Wort: der Adelsmarschall sollte genau nach der
am 20. Februar 1805 bekannt gemachten Verordnung über
Freilassung der Bauern handeln. Ich ersah daraus, daß
man im Ministerium dem eigentlichen Sinn meiner Bittschrift nicht die geringste Aufmerksamkeit geschenkt hatte.
Es blieb mir nichts anderes übrig, als selbst nach Petersburg zu reisen, um dem Minister persönlich meine Ideen
auseinanderzusetzen. Aber vorher wollte ich wissen, ob
meine Bauern den Vorteil zu schätzen wüßten, der ihnen
aus einer Freilassung unter den genannten Bedingungen
erwachsen würde. Ich versammelte sie alle um mich und
redete länger zu ihnen; sie hörten mich aufmerksam an
und fragten endlich: „Wird uns das Land, das wir jetzt
besitzen, gehören oder nicht?" Ich antwortete ihnen, daß
das Land mir gehören würde, aber daß es in ihrer Macht
stehen würde, es von mir zu pachten. — „Nun, denn laßt
nur alles beim Alten, Väterchen! Wir sind Euer, aber das
Land ist unser." Ich bemühte mich vergeblich, ihnen die
aus ihrer Freilassung entspringenden Vorteile der Unabhängigkeit klar zu machen. Der russische Bauer will
immer ein Stück Land, und sei es noch so klein und er-
bärmlich, als sein Eigentum bebauen können. In der
56

55

Hoffnung, daß meine Bauern sich mit der Zeit mit den von mir vorgeschlagenen Bedingungen ihrer Freilassung befreunden würden, begab ich mich zu Anfang des Jahres 1820 nach Petersburg.

In den zwei Jahren meiner Abwesenheit hatte die Mitgliederzahl des Wohlfahrtsbundes sehr zugenommen; allerdings waren viele der früheren Mitglieder stark abgekühlt und hatten sich der Gesellschaft fast ganz entfremdet; andere beklagten sich darüber, daß die „geheime Gesellschaft" nichts täte. Ihrer Ansicht nach war es ganz wertlos, daß die Gesellschaft in Petersburg eine öffentliche Meinung geschaffen hatte und daß sie dieselbe beeinflußte; sie forderten von der Gesellschaft schon jetzt entscheidende Vorbereitungen für die zukünftigen Taten. Mit einem Wort, der frühere Wohlfahrtsbund existierte eigentlich schon nicht mehr; aber die Mitglieder der geheimen Gesellschaft versammelten sich einige Male in der Woche bei Nikita Murawiew. Ich lernte damals viele von ihnen kennen; außer Nikita und Nikolai Turgenjew waren F. H. Glinka, zwei Brüder Schipow (der älteste wurde später Kommandeur des Neu-Ssemenowskischen Regimentes), Graf Tolstoi, unser bekannter Medailleur, H. Dolgoruki und einige andere am eifrigsten für die Gesellschaft tätig. Ich ging mit Nikita zu Ilja Dolgoruki, der krank war und sein Zimmer nicht verlassen durfte. Er war der Wächter des Wohlfahrtsbundes. Er diente bei Araktschejeff und hatte dadurch die Möglichkeit, viele geheime Maßnahmen der Regierung kennen zu lernen; er machte seinen Kameraden immer sofort von allem Mitteilung und war der Gesellschaft dadurch sehr nützlich. Bei allen Mitgliedern des Wohlfahrtsbundes machte sich eine große Erbitterung gegen den regierenden Kaiser geltend; in der Tat wurde der Kaiser von Tag zu Tag finsterer und entfremdete sich Rußland immer mehr. Es

57

war ganz offenkundig, daß Graf Araktschejeff das Reich
regierte. Die Mitglieder des kaiserlichen Rates und die
Minister wandten sich auf Befehl des Kaisers fast in allen
Fällen, in denen es auf allerhöchste Entscheidung ankam,
an ihn. Araktschejeff lebte damals auf seinem berühmten
Grusina im Gouvernement Nowgorod, und der kaiserliche
Rat, die Minister und alle hohen Beamten mußten ihn
dort aufsuchen.

Ich sprach mit Nikolai Turgenjew über die Freilassung
meiner Bauern; er gab mir einen Brief an Dschunkowski,
den Direktor der Abteilung, in der meine Angelegenheit
behandelt wurde, mit. Dschunkowski empfing mich und
unterhielt sich zwei Stunden lang mit mir. Zuerst sprach
er mit der Wichtigkeit des bejahrten Mannes, der viel
gesehen und erlebt hat und darum das Recht zu haben
glaubt, einen jungen, unerfahrenen Menschen zu belehren;
aber dann ersah er aus meinen Worten, daß die Bedingungen, unter welchen ich meine Bauern freigeben wollte,
nicht einer flüchtigen Laune, sondern langem und reif-
lichem Nachdenken entsprungen waren. Ich fragte
Dschunkowski, ob viele Bauern seit der 1805 erschienenen
Reichsordnung für freie Ackerbauern freigelassen worden
wären. Er antwortete mir, daß seitdem 30000 Leibeigene
freigegeben worden wären; 20000 von ihnen wären Eigentum des Fürsten Galizin gewesen, eines in Moskau sehr
bekannten Verschwenders, der seine Frau im Spiel an
den Grafen Rasumowski verloren hatte. Die Leibeigenen
Galizins hätten sich dadurch losgekauft, daß sie seine
Schulden bezahlt hätten. Die Tatsache, daß im Laufe
von 15 Jahren nur eine so kleine Anzahl von Bauern freigegeben worden war, lieferte den besten Beweis dafür,
daß die Reichsordnung für freigelassene Ackerbauern nicht
als förderndes Mittel zur Aufhebung der Leibeigenschaft
in Rußland angesehen werden konnte. Dschunkowski

58

hatte sich aus dem Auslande europäische Anschauungen mitgebracht, und darum erschien ihm die Freigabe von Bauern ohne Überlassung von Land nicht so beunruhigend.

Schließlich sagte er, mir die Hand drückend, daß in der von mir vorgeschlagenen Befreiungsart viel Vernünftiges wäre, daß der jetzige Minister Graf Kotschubey aber nicht um Haaresbreite von der von ihm selbst aufgestellten Reichsordnung abweichen würde. Trotzdem wollte ich selbst mit dem Minister sprechen, obgleich ich wenig Hoffnung hatte, daß eine Rücksprache mit ihm meiner Angelegenheit förderlich sein würde. Eine ganze Woche lang ging ich täglich zum Minister, ohne daß es mir gelungen wäre, ihn persönlich zu sprechen; endlich begab ich mich eines Tages ganz früh am Morgen zum Minister und beschloß, nicht zu weichen und zu wanken, bis er aus seinem Kabinett herauskommen würde. Der diensthabende Beamte versicherte mir umsonst, daß der Graf heute nicht empfinge; ich blieb trotzdem unbeweglich auf meinem Stuhle sitzen. Der Minister verhandelte an diesem Tage mit seinen Direktoren über den Plan einer Umänderung der Uniformen für sein Ministerium. Mittags um 3 Uhr öffnete sich die Tür des Kabinetts, der Minister trat heraus, kam auf mich zu und fragte: „Was wünschen Sie?" — Ich setzte ihm in aller Kürze meine Angelegenheit auseinander. Unter anderem erwiderte er mir: „Ich zweifele gar nicht an der Rechtschaffenheit Ihrer Absichten; aber wenn wir das von Ihnen vorgeschlagene Mittel zuließen, so könnten sich das andere zunutze machen, um sich von den Verpflichtungen, die sie ihren Bauern gegenüber haben, freizumachen." Ich erkühnte mich, Seiner Erlaucht hierauf zu antworten, daß diese Behauptung nicht ganz zutreffend wäre, weil jeder Gutsbesitzer die Möglichkeit hätte, sich seiner Bauern sehr vorteilhaft zu entledigen, dadurch, daß er sie zur Übersiedelung verkaufte. Schließ-

59

Jakuschkin

lich sagte mir der Minister: „Übrigens ist Ihre Angelegenheit in unseren Händen und wir werden sie in der ge-
bührenden Weise erledigen." Und so waren alle meine
Bemühungen für die Befreiung meiner Bauern resultatlos.
Man sprach damals in Petersburg sehr viel von der Leibeigenschaft; sogar im kaiserlichen Rat wurde die Unge-
bührlichkeit, mit der man in Rußland Menschen verkaufte,
scharf verurteilt. Die Folge davon war, daß man die
Verkaufsanzeigen in den Zeitungen änderte. Früher hatte
man einfach drucken lassen: Dieser oder diese Leibeigene
ist zu verkaufen. Jetzt ließ man drucken: dieser oder
diese Leibeigene kann zum Dienen losgekauft werden —
das bedeutete genau dasselbe: „Verkauf".

Auf dem Rückwege blieb ich einige Zeit bei von
Wisin und Grabbe in Moskau. Grabbe war mit seinem
Lubenskischen Regiment in meine Nähe, Dorogobusch,
versetzt worden. Von Wisin war zum General befördert
worden. Im Sommer des Jahres 1819 kam er mit seinem
38. Jäger-Regiment zum zweiten Armeekorps — weil die
38. und 37. Jäger vereint werden sollten. In diesem Jahre
waren alle Jäger-Regimenter in Bewegung.

Als von Wisin zum zweiten Armeekorps kam, um sein
Regiment zu übergeben, besuchte er mich in Shukowo;
wir fuhren dann zusammen nach Dorogobusch, um Grabbe
zu besuchen, und machten dort die Bekanntschaft des
verabschiedeten Generals Passek, der uns auf sein nicht
weit von Elna gelegenes Gut einlud. Er war erst unlängst
aus dem Auslande zurückgekehrt und tadelte alle Greuel,
denen man auf Schritt und Tritt in Rußland begegnete,
auf das schärfste — besonders auch die Leibeigenschaft.
Sein Gut war vorzüglich eingerichtet und mit seinen Bauern
verkehrte er in menschenfreundlichster Weise, aber trotzdem wollte er sobald wie möglich wieder in das Ausland reisen.

60

3. Kapitel

Nach meiner Rückkehr aus Petersburg führte ich ein ziemlich trauriges Dasein in Shukowo. Ich hatte keine Hoffnung mehr, meine Bauern unter den Bedingungen, die ich für die Befreiung aller russischen Bauern als die günstigsten ansah, freigeben zu können. Übrigens kam ich bald zu der Einsicht, daß man die Unabhängigkeit der Bauern nur halb sicherte, wenn man ihnen nicht genügend Land als freien Besitz zur Verfügung stellte. Die Verteilung von Grund- und Boden-Eigentum an die Bauern und dessen gemeinschaftliche Verwaltung sind die Anfangsgründe, aus denen sich mit der Zeit die ganze bürgerliche Organisation unseres Staates entwickeln muß. Alle wohlgesinnten Leute, oder wie man sie damals nannte, die Liberalen, verlangten vor allem die Aufhebung der Leibeigenschaft; bei ihrer europäischen Weltanschauung waren sie überzeugt, daß ein Mensch, der nicht mehr persönliches Eigentum eines anderen wäre, schon frei wäre, auch wenn er gar keinen Besitz hätte. Die schreckliche Lage der Proletarier in Europa hatte damals noch nicht so ungeheuere Dimensionen angenommen wie jetzt. Die über diesen Gegenstand auftauchenden Fragen regten darum auch die gebildetsten und wohlmeinendsten Leute nicht im geringsten auf. — Die ekelhaften Folgen der Leibeigenschaft machten sich überall bemerkbar. Es verging kein Tag, ohne daß Gerüchte von der unglaublichen Handlungsweise meiner Gutsnachbarn zu mir drangen. Mein nächster Nachbar, Shigalow, der im ganzen 60 Seelen besaß, hielt sich eine ungeheuere Meute Jagdhunde und Windspiele und fuhr in der Equipage spazieren, während seine Bauern fast Hungers starben; oft stahlen sie sich heimlich von der Feldarbeit fort und kamen zu mir und meinen Bauern gelaufen, um sich ein Almosen zu erbitten. Eines Tages fuhr Limochin zu Shigalow und verlor beim Kartenspiel seine Equipage, vier Pferde, Kutscher und

61

Vorreiter —, dann spielten sie um das Hausmädchen, und
Limochin gewann alles zurück. Auf dem drei Werst von
mir entfernten Gute von Annenkow ersann der Verwalter
jeden Tag ein neues Erpressungsmittel. Eines Tages sagte
er den Bauern, daß ihre Herrin, die auf dem Kurskischen
Gute lebte, befohlen hätte, ihr einige erwachsene Mädchen
zur Erlernung der Teppichweberei zu schicken. Natürlich
zahlten die Bauern alles, was sie nur irgend zahlen konnten,
um sich von diesem Druck loszukaufen. Bei dem reichen
Barüschnikow wurden die Bauern bei der Feldarbeit von
dem Verwalter, dem Starosten und dem Gutsvogt mit der
Peitsche zum Fleiß angetrieben. Als ich eines Tages —
im Winter — durch den Roßlawlskischen Kreis fuhr, kehrte
ich in einem Wirtshause ein. Die Hütte war mit Menschen
überfüllt, die entsetzlich zerlumpt und elend aussahen —
einige hatten weder Fausthandschuhe noch Mützen. Diese
Menschen — mehr als hundert — gingen in eine Branntweinbrennerei, die 150 Werst von ihrem Wohnort entfernt lag, auf Arbeit. Der Gutsbesitzer, Fonton de Va-
raion, dem sie gehörten, schickte sie für den Winter zur
Arbeit in die Fabrik und erhielt dafür eine vorher ausge-
machte Summe Geldes bezahlt. Der Gutsbesitzer, dem
die Fabrik gehörte, verpflichtete sich außerdem, die Bauern
des Fonton den Winter über zu unterhalten. Derartige
Abkommen wurden sehr häufig getroffen. Als das Nishe-
gorodskische Messehaus gebaut wurde, schickte Prinz
Alexander von Württemberg eine große Anzahl seiner
armen Bauern, die ihm keine Steuern zahlten, aus dem
Witebskischen Gouvernement dorthin. Hunderte von
diesen sich in elendester Lage befindenden Bauern kamen
an Shukowo vorbei. Das alles war sehr entmutigend;
außerdem verging kein Tag, an dem ich nicht einen Zu-
sammenstoß mit der ländlichen Polizei zu befürchten hatte.
Jedes Jahr mußte man auf ein oder zwei Monate Leute zum
62

Wegebau hergeben; sie waren dort vollständig den Befehlen des Assessors unterstellt, und man hatte immer
viele Plackereien, damit derselbe sie nicht länger als notwendig behielt. Sehr oft wurden auch von vorbeiziehenden
Militärkommandos Bauern mit Fuhren verlangt. Das erste-
mal befahl ich meinen Bauern, dem Assessor die Quittung
nicht auszustellen, ehe sie von ihm den ihnen zustehenden
Fuhrlohn erhalten hätten; meine Leute blieben fünf Tage
fort und kehrten schließlich zurück, ohne einen Kopeken
erhalten zu haben. Oft wurden von den einzelnen Stationen
an der Landstraße auch Pferde zur Weiterbeförderung
hoher Persönlichkeiten verlangt. Wenn der Minister in
seiner Verordnung 20 Pferde zu stellen befahl, so forderte
der General-Gouverneur 30, der Gouverneur 40, das Landgericht schon 60 Pferde. Es endigte damit, daß ich in
allen ähnlichen Fällen den Forderungen der ländlichen
Polizei nicht nachkam, trotzdem ich sehr wohl wußte,
daß ich mich dadurch der Gefahr aussetzte, von der Obrigkeit zur Verantwortung gezogen zu werden.

Als von Wisin im Jahre 1820 aus Odessa nach Moskau
zurückgekehrt war, teilte er mir mit, daß er sich zu den
200 Werst von mir entfernt wohnenden Lewaschews begeben wollte, und daß er mich dort erwartete. Ich fuhr
zu dem angegebenen Termin zu Lewaschews. Als ich
einige Tage dort war, erschien ein Expreßbote aus Shukowo, um mir mitzuteilen, daß die Feldarbeiten eingestellt
wären und die Bauern sich in schrecklicher Aufregung befänden. Während meiner Abwesenheit war der Land-
Assessor an Shukowo vorbeigekommen. Er hatte von
dem Starosten, der die Mütze während der Unterredung
auf dem Kopf behalten hatte, erfahren, daß ich nicht zu
Hause wäre und auch nicht so bald nach Hause kommen
würde. Da hatte er sich auf den Starosten gestürzt, ihn
halbtot geschlagen und sich dann den auf dem Felde

63

arbeitenden Bauern zugewandt. Unter dem Vorwande,
daß sich ein rückständiger Rekrut unter ihnen befände,
hatte er einen von ihnen zu greifen versucht. Schließlich
hatte er einen jungen Burschen gepackt und ihn mit sich
nach Wjasma geführt. Unter meinen Leuten war kein
Rückständiger, und bei der letzten Aushebung hatte ich
die Rekrutenscheine meiner Bauern vorgelegt. Dieser Vorgang in Shukowo versetzte uns alle in große Aufregung,
und ich begab mich sofort in Begleitung von Wisins nach
Smolensk. Von Wisin war mit dem Gouverneur, Baron
Asch, bekannt. Er setzte ihm die ganze Sache auseinander, und Baron Asch befahl, meinen Bauern sofort
zu entlassen und den Assessor, der so große Aufregung
verursacht hatte, unter Anklage zu stellen.

Von Wisin begleitete mich nach Shukowo. Meine
Leute waren ganz verzweifelt und arbeiteten fast gar nicht.
Das alles beunruhigte mich entsetzlich, und ich verlor
vollständig den Kopf. Dann kam mir plötzlich ein Gedanke, wie man mit einem Schlage allen diesen Greueln
ein Ende machen könnte. Im ersten Augenblick erschien
mir mein Gedanke als eine Eingebung, bald jedoch sah
ich ein, daß er unausführbar war. In der Nacht, während
von Wisin schlief, verfaßte ich ein Schreiben an den Kaiser,
das alle Mitglieder des Wohlfahrtsbundes unterzeichnen
sollten. Ich schilderte dem Kaiser die elende Lage Rußlands und schlug ihm vor, nach dem Beispiel seiner Vorfahren zu handeln und eine Volksduma einzuberufen, damit dem Elend wirksam entgegengetreten werden könnte.
Am anderen Morgen las ich von Wisin meine Arbeit vor,
und da er sich in derselben Gemütsverfassung befand
wie ich, so willigte er ein, das Schreiben zu unterzeichnen.
Noch an demselben Tage begaben wir uns gemeinsam zu
Grabbe nach Dorogobusch. Zum Glück war Grabbe verständiger als wir beide; er weigerte sich zwar nicht, wie

64

alle anderen zu unterschreiben, aber er bewies uns klar, daß wir durch diesen Schritt die geheime Gesellschaft vernichten und uns selbst auf die Festung bringen würden. Wir sahen das ein und vernichteten das Papier; dann sprachen wir noch lange von der traurigen Lage Rußlands und sannen über Mittel und Wege nach, dieselbe zu bessern.

Es schien uns, als ob der Wohlfahrtsbund schliefe; er war aber durch seine ganze Organisation zu sehr im Handeln beschränkt. Wir beschlossen, zum 1. Januar 1821 Deputierte aus Petersburg und Tultschin nach Moskau zu laden, damit sie die Angelegenheiten der geheimen Gesellschaft prüften und versuchten, dieselbe zu größerer Tätigkeit zu veranlassen. Von Wisin sollte mit seinem Bruder nach Petersburg gehen, ich nach Tultschin. Von Wisin war vor kurzem in Tultschin gewesen und hatte verschiedene dortige Mitglieder kennen gelernt und gab mir Briefe an dieselben mit. Außerdem gab er mir einen Brief für Michail Orlow in Kischinew. Ich rüstete mich in Dorogobusch mit allem zur Reise Notwendigen aus und machte mich auf den Weg. In Tultschin angekommen, begab ich mich gleich zu Burzew; er holte mich von dem Juden, bei dem ich abgestiegen war, zu sich. Noch am selben Tage suchte ich Pestel und Juschnewski auf; den letzteren hatte von Wisin als einen ungeheuer klugen Menschen gepriesen. Er hatte sich darin getäuscht und gute Eigenschaften mit besonderer geistiger Begabung verwechselt, wie das manchmal zu geschehen pflegt. Juschnewski, der General-Intendant des zweiten Armeekorps, war ein außerordentlich guter und selten ehrlicher Mensch, aber sein Verstand war sehr begrenzt. Als ich ihn zum ersten Male sah, war ich ganz erstaunt über die Plattheiten, die er zutage förderte. Um nicht den Verdacht der Obrigkeit auf mich zu lenken, besuchte ich während meines

Jakuschkin

Aufenthaltes in Tultschin nur Pestel, den ich schon von
früher kannte, und Juschnewski, zu dem mich der Brief
von Wisins führte; aber ich wurde trotzdem bald mit der
Tultschiner Jugend bekannt. Während meiner Anwesenheit in Tultschin kamen fast alle Mitglieder zu Burzew. Sie
standen in Tultschin nicht unter besonderer Polizeiaufsicht und konnten frei miteinander verkehren und sich fast
täglich sehen. Infolgedessen entfremdete sich kein Mitglied der Gesellschaft. Übrigens hätte Pestels Anwesenheit allein schon genügt, um alle Tultschinskischen Mitglieder zusammenzuhalten. Es hatten sich mit der Zeit
zwei Parteien unter ihnen gebildet: die „Maßvollen" unter
dem Einfluß Burzews, und, wie sie sich nannten, „die
Äußersten" unter der Leitung Pestels. Aber es war nur
ein scheinbares Parteiwesen. Burzew, der von der Vor-
trefflichkeit seiner persönlichen Eigenschaften überzeugt
war, fühlte auf Schritt und Tritt Pestels Überlegenheit
und bemühte sich daher, aus allen Kräften Opposition
gegen Pestel zu machen. Trotzdem stand er äußerlich
in den besten Beziehungen zu Pestel. Kisselew, der als
kluger Mann den Wert eines Menschen zu schätzen wußte,
konnte diesen jungen Leuten seine Achtung nicht ver-
sagen, ja er liebte sogar viele von ihnen wie nahe Ange-
hörige. Er nahm alle freundlich in sein Haus auf und verkehrte außerhalb des Dienstes nie als Vorgesetzter mit
ihnen. Manchmal, wenn bei einem Mittagessen bei ihm
in der allgemeinen Unterhaltung politische Fragen auf-
tauchten, verstand Kisselew einzelnes etwas falsch. Dann
suchte man ihn von allen Seiten vernünftig zu widerlegen,
so daß er sich jedesmal genötigt sah, seinen Gästen zu-
zustimmen. Daraus geht hervor, wie groß der Einfluß
der Tultschinskischen Mitglieder auf das zweite Armeekorps war. Es ist gar kein Zweifel, daß Kisselew um das
Bestehen der geheimen Gesellschaft wußte und ein Auge
66

zudrückte. Als später Kapitän Rajewski, der Leiter der Schule des gegenseitigen Unterrichtes, in der Division Michail Orlows, unter Anklage gestellt wurde, schickte General Sabanjeeff zugleich mit dem Bericht ein bei Rajewski gefundenes Verzeichnis aller Tultschinskischen Mitglieder. Man glaubte, daß das für die Mitglieder sehr schlimme Folgen haben würde. Kisselew ließ seinen ältesten Adjutanten, Burzew, zu sich kommen, übergab ihm ein Schreiben und befahl ihm, dasselbe sofort durchzuarbeiten. Als Burzew nach Hause kam, fand er zu seinem größten Erstaunen die von Rajewski geschriebene, von Sabanjeeff separat geschickte Mitgliederliste zwischen den Blättern des Schreibens. Burzew verbrannte die Liste, und damit war die Angelegenheit erledigt.

4. Kapitel
Der Kreis in Tultschin. Trennung der
Gesellschaft in eine nördliche und südliche

Zu dieser Zeit schrieb Pestel, der Rußland zur Republik machen wollte, sein russisches Gesetzbuch. Er las mir einiges aus demselben vor, soweit ich mich erinnere, über die Einrichtung der Gerichtsbarkeit in Dörfern und Ansiedelungen. Er war viel zu klug, um zu glauben, daß sein Gesetzbuch der künftigen Verfassung Rußlands dienen würde. Er bereitete sich, wie er selbst sagte, durch sein Buch nur auf seine spätere Tätigkeit in der Semskaja Duma [3] vor. Pestel las auch Kisselew einige Abschnitte aus seinem russischen Gesetzbuche vor; Kisselew sagte ihm eines Tages, daß er seinem Zaren schon zu große Macht überließe. Unter dem Worte „Zar" verstand Pestel die exekutive Gewalt.

Schließlich wurde bei Pestel eine Versammlung anberaumt, in der ich allen Mitgliedern den Grund meiner Anwesenheit in Tultschin [4] mitteilen sollte. Burzew versicherte mir, daß Pestel, wenn er nach Moskau ginge, mit seinen scharfen Ansichten und seinem Starrsinn alles verderben würde, und bat mich, Pestel auf keinen Fall dazu aufzufordern. Bei der Versammlung schlug ich den Tultschinskischen Mitgliedern vor, Vertrauensmänner zu

---

[3] Semskaja Duma — so bezeichnete man die Landestage des moskauischen Zarentums. Duma bedeutet Rat — sowohl im Sinne einer Beratung, als der Gesamtheit der Beratenden.

[4] Tultschin ist eine Stadt in Südrußland (Podolien).

68

wählen und nach Moskau zu schicken; sie sollten dort zusammen mit den anderen alle notwendigen Änderungen der Statuten feststellen und eventuell eine Neu-Organisation der Gesellschaft beschließen. Burzew und Komarow baten um Urlaub, weil sie in eigenen Angelegenheiten einige Zeit in Moskau zuzubringen gedächten. Pestel wollte auch sehr gern nach Moskau fahren, aber viele versicherten ihm, daß, da schon zwei Deputierte nach Moskau reisten, seine Anwesenheit dort nicht notwendig wäre, um so weniger, als er dort keinerlei Beziehungen hätte, die ein Urlaubsgesuch rechtfertigten. So könnte er dadurch den Verdacht der Tultschiner Obrigkeit und möglicherweise auch den Verdacht der Moskauer Polizei auf sich und sie lenken. So entschloß Pestel sich, nicht nach Moskau zu reisen.

In Tultschin gab mir Oberst Abramow aus vorhandenen Papieren einen Reisepaß für Krons-Angelegenheiten, und so ausgerüstet begab ich mich nach Kischinew, um Orlow von Wisins Brief zugleich mit der Aufforderung, nach Moskau zu kommen, zu überbringen. Ich hatte Orlow niemals gesehen, aber viele meiner Bekannten lobten ihn als einen sowohl in geistiger als in moralischer Beziehung hervorragenden Menschen. Kaiser Alexander hatte früher auch eine sehr hohe Meinung von Orlow gehabt und hatte ihn infolgedessen in diplomatischen Angelegenheiten zu verwenden gesucht. Im Jahre 1815, als die Entfremdung zwischen Norwegen und Dänemark eingetreten war, war Orlow mit dem Auftrage hingeschickt worden, Schweden und Norwegen zu veranlassen, sich vollständig zu vereinen und nur einen gemeinsamen Landtag zu haben. Orlow hatte sich aber den dortigen Liberalen genähert und nicht in Übereinstimmung mit den erhaltenen Vorschriften gehandelt. Das mit Schweden vereinte Norwegen hatte seine eigene Verfassung behalten und war so in

69

Jakuschkin

mancher Beziehung doch ein von Schweden getrenntes
Land geblieben. Als die Absicht des Kaisers, ein besonderes litauisches Korps, mit litauischen Fahnen und
polnischen Uniformen, zu bilden, bekannt wurde, herrschte
große Aufregung unter vielen unserer Generale. Sie beschlossen, schriftlich bei dem Kaiser vorstellig zu werden.
Sie wollten ihm schildern, was für ein großer Schaden
aus der Bildung eines separaten litauischen Korps entstehen würde, und ihn anflehen, doch den für Rußland
so verderblichen Plan fallen zu lassen! Unter den Generalen, die einwilligten, dieses Schriftstück zu unterzeichnen,
befand sich auch der General-Adjutant Wassiltschikoff,
der spätere Kommandeur des Gardekorps. Er erschrak
über seine eigene Kühnheit, ging voller Reue zum Kaiser
und bat ihn um Verzeihung, daß er Böses gegen ihn im
Schilde geführt hätte. Dann erzählte er die ganze Sache,
die hauptsächlich von Orlow angeregt worden war, und
nannte die Namen aller Beteiligten. Der Kaiser beschied
Orlow zu sich, erinnerte ihn an das ihm früher bewiesene
Wohlwollen und fragte ihn, wie er sich hätte entschließen
können, ihm entgegen zu handeln? Orlow versuchte, den
Kaiser von seiner Ergebenheit zu überzeugen. Da erzählte
der Kaiser Orlow die ganze von den Generalen ersonnene
Sache ausführlich und befahl ihm, das von den Generalen
an ihn gerichtete Schreiben zu bringen. Orlow leugnete
alles ab, und der Kaiser trennte sich für immer von dem
einstigen Günstling. Orlow hat mir selbst diese Begegnung mit dem Kaiser geschildert. Bald darauf wurde er
als Chef des Stabes zum Kommandierenden des vierten
Korps, dem General Rajewski, versetzt. In Kiew gründete
Orlow eine der ersten Schulen gegenseitigen Unterrichts[6])

---

[6]) Wechselseitiger Unterricht ist die in den Schulen häufige
Einrichtung, daß die reiferen Schüler die schwächeren beim Einüben

70

für Kantonisten in Rußland. Dann hielt er in der biblischen Gesellschaft eine liberale Rede, die dann von Hand zu Hand ging; er erwarb sich in dieser Zeit noch größere Berühmtheit, als er sie vordem besessen hatte. Durch irgend einen Zufall verlor er seine Stelle als Chef des Stabes, aber bald darauf verwandte sich der ihm freundschaftlich gesinnte Kisselew bei dem Kaiser für ihn und verschaffte ihm eine Division im zweiten Armeekorps. Als Divisionskommandeur lebte er in Kischinew; dort gründete er wieder sehr nützliche Schulen für Soldaten und betraute das ihm absolut ergebene Mitglied der geheimen Gesellschaft, Kapitän Rajewski, mit deren Leitung. Zum Unglück handelte Rajewski, der sich unter dem Schutze Orlows wußte, zu entschieden und fiel deshalb dem Gericht in die Hände. Orlow selbst erteilte seiner Division auch stets die liberalsten Befehle.

Ich sah der Begegnung mit Orlow voller Spannung entgegen. Ehe ich Kischinew erreicht hatte, traf ich schon mit ihm zusammen. Er war in Begleitung seines Adjutanten Ochotnikow, eines braven, kleinen, der geheimen Gesellschaft mit Leib und Seele ergebenen Mannes, mit dem ich schon lange bekannt war. Nachdem Orlow von Wisins Brief gelesen hatte, behandelte er mich wie einen alten Bekannten und schlug mir vor, mich neben ihn in die Dormeuse zu setzen und Ochotnikow den Platz in meinem Postwagen einzuräumen; nachdem wir die Poststation erreicht hatten, tauschten wir die Plätze. Orlow sprach sich mir gegenüber gleich das erste Mal offen aus. Er war ein hübscher und gebildeter, besonders guter und liebenswürdiger Mensch. Der Verkehr mit ihm war sehr anziehend, und man mußte ihn bei näherer Bekannt-

---

des Gelernten unter Leitung des Lehrers unterstützen. Erfinder dieses Systems waren die Engländer Bell und Lancaster.

71

schaft liebgewinnen. Trotzdem er durchaus kein dummer
Mensch war, traf er mit seinem Urteil selten das Richtige.
Er sah die Dinge fast immer nur von einer Seite an und
trat deshalb fast nie mit Erfolg für seine Meinung ein.
Andererseits nahm er, dank seiner Güte und Liebenswürdigkeit, auch die beißendsten, gegen ihn gerichteten Aus-
fälle nicht übel. Ich versuchte, ihn zu der Reise nach
Moskau zu überreden. Er sagte mir, daß er mir das nicht
sicher versprechen könnte. Dann lud er mich ein, mit ihm
zu Davidoff im Kiewskischen Gouvernement zu fahren.
Als ich erfuhr, daß sich bei Davidoff, den ich nicht persönlich kannte, am 24. November, dem Namenstage seiner
Mutter, viele Gäste versammeln würden, war mir die Ein-
ladung durchaus nicht angenehm; ich war mein Leben lang
derartiger Geselligkeit aus dem Wege gegangen. Aber als
wir auf der nächsten Station mit Ochotnikow zusammen-
trafen, nahm er mich beiseite und bat mich, doch mit ihnen
zu fahren. Er versicherte, daß ich Orlow während dieser
Zeit überreden könnte, nach Moskau zu reisen — ohne das
wäre nicht viel Hoffnung vorhanden, daß er es täte. So
entschloß ich mich, nach Kamenka zu Davidoff zu fahren.

In Nowii Mirgorod, das wir passierten, besuchten
wir den Obersten Grews. Orlow war schon lange mit ihm
bekannt, sie hatten zusammen in der Gardekavallerie gedient. Grews kommandierte eines der Regimenter der
Bugskischen Kolonie und erzählte stolz, daß er als Regimentskommandeur dasselbe wäre wie ein Gutsbesitzer
mit 18000 Seelen. Überall in den militärischen Kolonien
herrschten unglaubliche Zustände. Trotzdem gab Araktschejeff jährlich viele Millionen für Gründung derselben
aus. Jetzt befanden sich, wenigstens dem äußeren Anschein nach, die Bugskische und die Tschugujewskische
Kolonie einigermaßen in Ordnung. Anfänglich hatten sich
die Kosaken geweigert, in die Kolonien einzutreten; sie
72

hatten sich dabei auf die ihnen von den früheren Herrschern ausgestellten Urkunden gestützt. Araktschejeff hatte diese Angelegenheit von Charkow aus geordnet. Den zu ihm gesandten General Salow, einen der ungehorsamsten, hatte er Spießruten laufen lassen, bis er tot hingefallen war. Die übrigen hatten sich gedemütigt.

Als ich in Kamenka ankam, glaubte ich nicht, dort einen Bekannten zu finden, und war freudig überrascht, als mir A. S. Puschkin mit ausgebreiteten Armen entgegeneilte. Ich hatte ihn auf meiner letzten Reise nach Petersburg bei Peter Tschadajew kennen gelernt. Puschkin war sehr befreundet mit Tschadajew und hatte großes Vertrauen zu ihm. Als Wassili Lwowitsch Davidoff, der ein eifriger Anhänger der geheimen Gesellschaft war, erfuhr, daß Orlow mich zu ihm geführt hatte, nahm er mich mehr als herzlich auf. Er stellte mich seiner Mutter und deren Bruder, dem General Rajewski, wie einen alten, nahen Freund vor. Der General war in Begleitung seines Sohnes Alexander Rajewski. In einer halben Stunde fühlte ich mich dort wie zu Hause. Orlow, Ochotnikow und ich blieben eine ganze Woche bei Davidoff. Puschkin, der aus Kischinew, wo er augenblicklich in Verbannung weilte, gekommen war, und Oberst Rajewski blieben ebenso lange wie wir. Wir aßen jeden Tag unten bei der greisen Mutter zu Mittag. Nach dem Essen versammelten wir uns in dem großen Gastzimmer, wo sich jeder unterhalten konnte, wie und mit wem er wollte. Die Frau von Lwowitsch Davidoff, eine geborene Gräfin Gramont, die sich später in Paris mit dem General Sebastian verheiratete, war sehr liebenswürdig gegen uns alle. Sie hatte ein niedliches Töchterchen, ein Mädchen von zwölf Jahren. Puschkin bildete sich ein, in das Mädchen verliebt zu sein; er starrte es unaufhörlich an, und wenn es sich ihm näherte, scherzte er in ungeschickter Weise mit ihm. Ein-

73

Jakuschkin

mal, als er beim Mittagessen neben mir saß, starrte er
das arme Mädchen so fürchterlich an, daß es nicht wußte,
was es anfangen sollte, und nahe daran war, zu weinen;
mir tat das Mädchen leid und ich sagte halblaut zu Puschkin: „Sehen Sie doch, was Sie anrichten! Mit Ihren un-
bescheidenen Blicken verwirren Sie das arme Kind völlig."
„Ich will die Kokette bestrafen," antwortete er mir; „zuerst hat sie mit mir charmiert und jetzt spielt sie die Grausame und sieht mich nicht an." Es gelang mir nur mit
Mühe, die Sache ins Scherzhafte zu ziehen und ihn zum
Lächeln zu bringen. Im Zusammenleben war Puschkin
unglaublich schüchtern, und bei seiner Reizbarkeit war
er leicht durch ein Wort beleidigt, das durchaus keine
Kränkung für ihn enthalten sollte. Manchmal versuchte
er gesellschaftlich gewandtere Menschen nachzuahmen, er
dachte dabei wahrscheinlich an Kawerin und andere
seiner Freunde bei den Husaren in Zarskoje Selo; dann
erzählte er die verwegensten Anekdoten von sich, und das
ganze glückte sehr schlecht und wirkte sehr abgeschmackt.
Sobald das Gespräch sich vernünftigen Dingen zuwandte,
war Puschkin sofort ganz bei der Sache. Mit besonderer
Würde und sehr richtigem Urteil sprach er über alle
literarischen Erzeugnisse. Von seinen eigenen Arbeiten
sprach er fast niemals, aber er liebte es, die Werke zeit-
genössischer Dichter miteinander zu vergleichen, dabei
ließ er nicht nur jedem Gerechtigkeit widerfahren,
sondern verstand es auch, Schönheiten in ihren Arbeiten
zu entdecken, die von anderen unbemerkt geblieben
waren. Ich sprach ihm von seinem Noël, und er
war äußerst erstaunt, daß ich diese Dichtung kannte.
Dabei waren fast alle seine ungedruckten Arbeiten nicht
nur allgemein bekannt, sondern es gab keinen des Lesens
und Schreibens kundigen Fähnrich in der Armee, der sie
nicht auswendig gewußt hätte. [Übrigens waren Pusch-
74

4. Kapitel

.kins Arbeiten ein Echo seiner Zeit mit allen ihren Mängeln und allen ihren Vorzügen. Und deshalb war Puschkin ein wahrer Volksdichter, so wie ihn Rußland noch nicht besessen hatte.

Jeden Abend blieben wir bis Mitternacht bei Wassili Lwowitsch, und unsere abendlichen Gespräche waren für uns alle sehr bedeutsam. Rajewski gehörte der geheimen Gesellschaft nicht an, aber er argwöhnte ihr Vorhandensein und beobachtete alles, was um ihn her vorging, mit gespannter Neugier. Er glaubte nicht, daß ich zufällig nach Kamenka gekommen war, und hätte zu gern den Grund meiner Anwesenheit erfahren. Am letzten Abend beschlossen Orlow, Ochotnikow und ich, so zu verfahren, daß Rajewski ganz irre werden sollte, ob wir einer geheimen Gesellschaft angehörten oder nicht. Wir hatten Rajewski der größeren Ordnung halber zum Präsidenten bei unseren Diskussionen gewählt. In halb scherzhafter, halb wichtiger Weise leitete er die Diskussion. Wenn wir sehr laut wurden, läutete er mit der Glocke; keiner durfte ohne seine vorherige Erlaubnis das Wort ergreifen. An diesem letzten Abend in Kamenka warf Orlow, nachdem wir über verschiedene Gegenstände diskutiert hatten, die Frage auf: ob die Gründung einer geheimen Gesellschaft für Rußland nützlich sein würde? Er selbst sagte dann ganz offen, was für Gründe dafür und dawider sprächen. W. L. Lwowitsch und Ochotnikow teilten die Ansichten Orlows. Puschkin versuchte mit Feuer, den großen Nutzen, den eine geheime Gesellschaft Rußland bringen könnte, klar zu legen. Dann erbat ich mir das Wort vom Präsidenten und bemühte mich, zu beweisen, daß das Bestehen einer nutzbringenden geheimen Gesellschaft in Rußland völlig ausgeschlossen wäre. Rajewski versuchte, mich von dem Gegenteil zu überzeugen; er zählte alle Fälle auf, in denen eine geheime Gesellschaft

75

mit Nutzen und Erfolg wirken könnte. Ich antwortete ihm
darauf, daß es mir leicht wäre, ihm zu beweisen, daß er
scherzte. Wenn ich ihm die Frage vorlegte, ob er — wenn
eine geheime Gesellschaft existierte — sich derselben anschließen würde, so würde er sicher „nein" antworten.
Er erwiderte mir, daß er sich ihr im Gegenteil anschließen
würde. „Wenn es so ist," antwortete ich ihm, „dann
reichen Sie mir die Hand." Und er streckte mir die Hand
hin. Ich lachte und sagte zu Rajewski, daß dies alles nur
Scherz gewesen wäre. Die anderen lachten auch, mit Ausnahme von A. L., dem stolzen Hahnrei, der schlief, und
von Puschkin, der sehr erregt war —, er hatte geglaubt,
daß die geheime Gesellschaft entweder schon existierte,
oder daß sie heute entstehen und er Mitglied werden
würde; als er sah, daß alles auf einen Scherz hinauslief,
verfärbte er sich und sagte mit Tränen in den Augen:
„Ich bin niemals so unglücklich gewesen, wie ich es heute
bin; ich sah schon ein hohes veredelndes Ziel vor Augen,
und jetzt ist alles nichts als ein Scherz!" In diesem Augenblick war er wirklich groß. Als er sich im Jahre 1827
von A. G. Murawiew, der Frau Nikitas, die sich zu ihrem
Manne nach Sibirien begab, verabschiedete, sagte er ihr:
„Jetzt verstehe ich wohl, warum mich diese Herren nicht
in die Gesellschaft aufnehmen wollten: ich war dieser
Ehre nicht wert."

Beim Abschied versprach mir Orlow, daß er sich unverzüglich nach Moskau begeben wollte. In den ersten
Tagen des Jahres 1821 lebten Grabbe, Burzew und ich
zusammen bei von Wisin. Bald darauf kamen Nikolai
Turgenjew und Fedor Glinka aus Petersburg, Michail
Orlow mit Ochotnikow aus Kiew nach Moskau. Wir
entschlossen uns, Komarow nicht in unsere Versammlungen aufzunehmen, weil wir ihm schon damals nicht
sehr trauten. An der ersten Versammlung nahmen Orlow,
76

4. Kapitel

Ochotnikow, N. Turgenjew, Fedor Glinka, zwei Brüder von Wisin, Grabbe, Burzew und ich teil. Orlow hatte die Bedingungen, unter denen er einwilligen wollte, der geheimen Gesellschaft beizutreten, aufgeschrieben und mitgebracht; in dieser Arbeit versuchte er, nach vielen einleitenden Phrasen, darzulegen, daß die geheime Gesellschaft zu den strengsten Maßregeln greifen müßte, ja, daß sie zur Erreichung des von ihr angestrebten Zieles auch zu Mitteln, die verbrecherisch erscheinen könnten, ihre Zuflucht nehmen müßte. Zuerst schlug er vor, eine geheime Typographie oder Lithographie zu gründen, damit verschiedene Artikel gegen die Regierung gedruckt und in Massen in Rußland verbreitet werden könnten. Zweitens schlug er die Gründung einer Fabrik zur Herstellung von falschem Papiergelde vor. Die geheime Gesellschaft mußte, seiner Ansicht nach, ungeheuere Mittel zur Verfügung haben, und außerdem mußte die Ausgabe von falschem Gelde den Kredit der Regierung untergraben. Als Orlow zu Ende gelesen hatte, sahen wir uns alle voller Staunen an. Schließlich sagte ich ihm, daß er uns wohl nur im Scherz derartige Mittel vorgeschlagen hätte; aber er wollte eben Widerspruch. Er war mit der Rajewski verlobt, und aus Gefälligkeit gegen ihre Verwandten wollte er alle Beziehungen zu den Mitgliedern der geheimen Gesellschaft abbrechen; auf alle unsere Entgegnungen hatte er nur die eine Antwort, entweder wir nähmen seine Vorschläge an oder er träte der geheimen Gesellschaft niemals bei. Darauf verließ er die Versammlung und verkehrte nicht mehr mit uns; nur, ehe er Moskau verließ, stieg er noch aus seinem Reisewagen aus, um sich von Wisin und mir zu verabschieden. Beim Abschied deutete er auf mich und sagte: „Dieser Mensch wird mir niemals verzeihen." Als Antwort parodierte ich einige Zeilen aus einem Brief des Brutus an Cicero und sagte ihm: „Wenn

77

Jakuschkin

wir Erfolge haben, Michail Fedorowitsch, werden wir uns
mit Ihnen zusammen freuen, wenn wir keine Erfolge haben,
werden wir uns auch ohne Sie freuen." Darauf stürzte
er auf mich zu, um mich zu umarmen.

An den folgenden Versammlungen nahmen dieselben
Mitglieder, mit Ausnahme von Orlow, teil. Der größeren
Ordnung halber wurde Turgenjew zum Vorsitzenden erwählt. Es wurde vor allem als notwendig erkannt, nicht
nur die Statuten des Wohlfahrtsbundes, sondern die ganze
Organisation der Gesellschaft zu ändern. Wir beschlossen,
überall bekannt zu machen, daß der Wohlfahrtsbund seine
Tätigkeit einstellen müßte, da unter den jetzigen Verhältnissen die geringste Unvorsichtigkeit den Verdacht der
Regierung auf uns lenken würde. Durch diese Maßnahme
wollten wir alle unzuverlässigen Mitglieder entfernen. In
den neuen Statuten sollten das Ziel und die Mittel, dasselbe zu erreichen, viel genauer angegeben werden, als
es in den Statuten des Wohlfahrtsbundes geschehen war.
Wir konnten dann hoffen, daß die Mitglieder, an deren
eifriger Mitwirkung nicht zu zweifeln war, sich zu ziel-
bewußtem, einmütigem Handeln zusammenschließen würden, und daß dadurch der geheimen Gesellschaft neue
Kräfte erstehen würden. Dann gingen wir an die Arbeit,
die neuen Statuten aufzustellen. Wir teilten dieselben in
zwei Abschnitte: im ersten Abschnitt wurden den Eintretenden dieselben philanthropischen Ziele vorgeschlagen,
wie sie im grünen Buch enthalten waren. Burzew beschäftigte sich mit der Redaktion dieses Abschnittes. Den
zweiten Abschnitt schrieb N. Turgenjew für die Mitglieder
höherer Ordnung. In diesem zweiten Abschnitt der Statuten war schon offen gesagt, daß das Ziel der Gesellschaft in einer Begrenzung der Selbstherrschaft gipfelte.
Zu diesem Zwecke wäre es unerläßlich, auf das Heer einzuwirken, um es für alle Fälle vorzubereiten. Zum ersten
78

77

4. Kapitel

Male wurde die Gründung von vier Hauptsitzen des Bundes vorgeschlagen: der eine Sitz sollte in Petersburg sein unter Leitung von N. Turgenjew; der andere in Moskau unter Leitung von Iw. Al. von Wisin, den dritten Sitz sollte ich im Smolenskischen Gouvernement einrichten, während Burzew die Gründung eines vierten Sitzes in Tultschin übernehmen wollte. Er sagte, daß er gleich nach seiner Ankunft in Tultschin die Aufhebung des Wohlfahrtsbundes bekannt machen würde; daß er aber dann sofort allen Mitgliedern, außer den Anhängern Pestels, mitteilen würde, daß neue Statuten aufgestellt wären und daß sie sich alle unter seiner Leitung vereinigen sollten. Die Statuten wurden von allen bei den Versammlungen anwesenden Mitgliedern, und dem, am Schlusse unserer Sitzungen in Moskau eintreffenden Michail Murawiew, unterzeichnet. Beide Teile der neuen Statuten waren in vier Exemplaren ausgestellt; eins war für Turgenjew, eins für J. A. von Wisin, das dritte für mich und das vierte für Burzew. Zu einer unserer ersten Versammlungen hatten wir alle in Moskau weilenden Mitglieder eingeladen, unter ihnen Sergei Wolkonski, Komarow, Peter Koloschin und viele andere. Turgenjew erklärte allen Anwesenden, als unser Präsident, daß der Wohlfahrtsbund nicht länger existierte, und setzte ihnen die Gründe für seine Auflösung auseinander.

    - Als Turgenjew nach Petersburg kam, teilte er allen mit, daß die in Moskau beratschlagenden Mitglieder eine Aufhebung des Wohlfahrtsbundes für notwendig erachtet hätten. Dann las er nur Nikita Murawiew die Statuten der neuen Gesellschaft vor, stopfte sein Exemplar dann aus Vorsicht in eine Flasche und schüttete Tabak darauf. Durch das Wirken Nikita Murawiews bildete sich aus den Petersburger Mitgliedern eine neue Gesellschaft. Bald darauf teilten der Oberst Fürst Trubetzkoi und Fürst Obo-

79

lenski, der Adjutant von Bistram, sich mit Nikita in die Arbeiten für die Gesellschaft. Nikolai Turgenjew nahm in der ersten Zeit nach seiner Ankunft in Petersburg wenig Anteil an den Arbeiten der Gesellschaft, hielt aber seine Beziehungen zu vielen der Mitglieder aufrecht. Es ist mir unverständlich, wie Turgenjew in seiner Schrift über Rußland ein Bestehen der geheimen Gesellschaft verleugnen konnte, wie er es ableugnen konnte, daß er als wirkliches Mitglied an ihr teilgenommen hatte — nicht nur bei der Zusammenkunft in Moskau —, sondern auch später bei vielen Petersburger Versammlungen.

Nach Abreise der zugereisten Mitglieder blieben in Moskau nur die beiden Brüder von Wisin zurück; im Smolenskischen Gouvernement war ich allein — Grabbe, der jeden Augenblick mit seinem Regiment versetzt werden konnte, nicht mitgerechnet. Ich hatte allerdings den Auftrag, Passek und Peter Tschaadajeff bei der ersten Begegnung in die Gesellschaft aufzunehmen. Als Tschaadajeff nach Moskau kam, machte ich ihm den Vorschlag, in unsere Gesellschaft einzutreten. Er willigte ein, sagte mir aber, warum ich ihn nicht früher aufgefordert hätte. In diesem Falle würde er nicht den Abschied genommen, sondern sich bemüht haben, Adjutant beim Großfürsten Nikolai Pawlowitsch zu werden. Es wäre sehr möglich gewesen, daß derselbe unter der Hand die geheime Gesellschaft beschützt haben würde, wenn man ihn überzeugt hätte, daß die Gesellschaft ihm im Falle einer Thronbesteigung seines älteren Bruders eine Stütze sein würde.

Als Burzew nach Tultschin zurückkehrte, erklärte er in einer allgemeinen Versammlung, daß die geheime Gesellschaft aufgehoben worden wäre. Alle Anwesenden fielen über ihn und die übrigen Mitglieder, die an der Moskauer Zusammenkunft teilgenommen hatten, her und erklärten ganz richtig, daß acht Mitglieder nicht das Recht

80

I

hätten, die ganze geheime Gesellschaft zu vernichten. Dann gaben sie einander das Versprechen, ihre Tätigkeit keinenfalls einzustellen. Burzew stand ganz allein, er machte keinem von den neuen Statuten Mitteilung und brach von dem Augenblick an alle Beziehungen mit seinen Gefährten ab. Unter der Führerschaft Pestels schlossen die Tultschinskischen Mitglieder sich zu einer neuen Gesellschaft, deren ausgesprochenes Ziel eine Änderung der Regierungsform in Rußland war, zusammen. Seit dieser Zeit hieß die Gesellschaft die südliche, im Gegenteil zu der Petersburger nördlichen Gesellschaft.

5. Kapitel
Maßnahmen der Regierung zur Bekämpfung der geheimen Gesellschaften

Im Jahre 1820 war im Smolenskischen Gouvernement eine große Mißernte und Anfang 1821 war die Not überall sehr groß. Im Roßlawlskischen Kreise aßen die Leute Tannenrinde statt Brot, und viele starben am Hungertode. Michail Murawiew, der in diesem Kreise ein Gut besaß, war Zeuge der entsetzlichen Notlage. Er bemühte sich, in Moskau Mittel zu beschaffen, um den armen Leuten helfen zu können. Sein Schwiegervater, N. N. Scheremetew, sammelte in wenigen Tagen 15000 Rubel. Dmitri Davidoff, unser erster Zuckerfabrikant, der an allen Moskauer Vergnügungen teilnahm, verstand es, an einem Ballabend das Mitleid der Damen für die Hungers sterbenden Bauern so stark zu erregen, daß ihm jede gab, was sie gerade hatte — türkische Schals, Armbänder, Ohrringe usw. Die Gatten der Damen kauften die von ihren Frauen geopferten Sachen zurück, und so kamen ungefähr 6000 Rubel zusammen. Andere Sammlungen ergaben dann noch ungefähr 30000 Rubel. J. A. von Wisin, der mit dem General-Gouverneur von Moskau, Fürst Galizin, nah bekannt war, begab sich zu diesem und erzählte ihm von dem entsetzlichen Elend im Roßlawlskischen Kreise und von der Untätigkeit der dortigen Behörden. Galizin wußte nichts von dieser Notlage. Er war ein sehr guter Mensch, nahm lebhaften Anteil und versprach, der Regierung Bericht zu erstatten. Er riet aber von Wisin, sich zunächst

82

selbst nach Roßlawl zu begeben und ihm von dort aus-
führliche Nachrichten zu bringen, auf die er sich in seinem
Bericht stützen könnte. Von Wisin und ich reisten zusammen nach Roßlawl, M. Murawiew war schon dort.
Bei unserer Fahrt durch den Kreis begegneten uns völlig
entkräftete Leute; es war zweifellos, daß viele von ihnen
vor Hunger starben. Die Bettler strömten von allen Seiten
in die Stadt; jeder von ihnen hoffte, von den Stadtbe-
wohnern wenigstens ein kleines Stückchen Brot zu erhalten. Von Wisin und ich etablierten uns mit einem
ganzen Sack voll Kupfergeld in einem Wirtshause, um die
Namen der Gutsbesitzer, unter deren Leuten sich die
meisten Bettler befanden, festzustellen. Die Bettler kamen
zwanglos zu uns; ich gab jedem ein Fünfkopekenstück
und fragte ihn nach seinem Namen, nach dem Namen
des Dorfes, aus dem er stammte, und nach dem Namen
des Gutsbesitzers, dem er gehörte; von Wisin schrieb
alles auf. Auf diese Weise entstand ein Verzeichnis, aus
dem man annähernd ersehen konnte, in welchen Dörfern
und bei welchen Gutsbesitzern die Bauern am meisten
darbten.

Dann fuhren wir zu Murawiew und trafen dort
Lewaschew und dessen Onkel, Tjutschew. Weder Lewaschew noch Tjutschew waren Mitglieder der geheimen
Gesellschaft, aber sie handelten ganz im Sinne derselben.
Die Lewaschews lebten ganz einsam auf dem Lande, beschäftigten sich mit der Erziehung ihrer Kinder und der
Besserstellung ihrer Bauern; sie kannten die Verhältnisse
jedes einzelnen genau und suchten ihm nach Möglichkeit
zu helfen. Sie hatten eine Schule für die Bauernjungen,
nach Art der Schulen mit wechselseitigem Unterricht, gegründet. Es gab damals viele Leute in Rußland, die wie
Lewaschew und Tjutschew im Sinne der geheimen Gesellschaft arbeiteten, ohne deren Vorhandensein zu ahnen.

 Jakuschkin

Murawiew, Lewaschew und Tjutschew, die ihre Nachbarn kannten, konnten mit Hilfe unserer aus Roßlawl mitgebrachten Liste feststellen, in welchen Orten am drin-
gendsten Hilfe notwendig wäre. Sie ordneten den Einkauf von Getreide für die in Moskau gesammelten Gelder
an und sorgten für dessen Austeilung. Der Preis des Ge-
treides war ungewöhnlich gestiegen: für einen Tschetwert
Roggen mußte man bis zu 25 Rubel bezahlen. So konnten
wir für die 30000 uns zur Verfügung stehenden Rubel nicht
mehr als 1300 Tschetwert Roggen kaufen; das war wenig
im Verhältnis zu der großen Anzahl Bedürftiger im ganzen
Kreise. Wir wußten nicht, wo wir die Mittel hernehmen
sollten, um das Volk bis zur nächsten Ernte zu ernähren.
Aber auch die zukünftige Ernte versprach nicht viel Gutes;
aus Mangel an Saatkorn war ein großer Teil der Bauern-
felder unbestellt geblieben. Michail Murawiew entschloß
sich, ernste Maßregeln zu ergreifen. Er berief eine große
Anzahl ihm bekannter und unbekannter Gutsbesitzer nach
Roßlawl und machte ihnen den Vorschlag, ein Schreiben
an den Minister zu richten, in dem alle Roßlawlskischen
Edelleute Zeugnis von der entsetzlichen Notlage dieses
Kreises ablegen sollten. Der Kreischef fürchtete sich,
Ärgernis bei der Obrigkeit zu erregen und unterschrieb
nicht mit. So ging das von 30 Roßlawlskischen Edel-
leuten unterzeichnete Schreiben über den Gouvernements-
chef und über den Gouverneur herüber direkt an den Minister nach Petersburg. Der Bericht machte dort starken
Eindruck. Man schickte sofort den Senator Mjörtwi nach
Smolensk und stellte ihm eine Million Rubel zur Verfügung.
Er galt in Moskau für einen der besten Senatoren, aber in
Smolensk verbrachte er die Zeit entweder schlafend, essend
oder Karten spielend, und zog dabei ganz nebensächlich,
ohne sich irgendwie zu beeilen, Nachrichten über die am
meisten der Hilfe Bedürftigen ein. Es war ekelhaft, diesen
84

nachlässigen Alten inmitten aller dieser Notleidenden zu sehen.

Als ich nach Shukowo zurückreiste, besuchte ich Passek und nahm ihn in die geheime Gesellschaft auf. Er war sehr glücklich darüber. Immer, wenn er mit Grabbe, von Wisin und mir zusammengewesen war, hatte er gefühlt, daß wir irgend ein Geheimnis vor ihm gehabt hatten, und das war ihm sehr unheimlich gewesen. Er hatte immer viel für seine Bauern getan, und nachdem er in die geheime Gesellschaft eingetreten war, widmete er ihnen sein ganzes Leben. Alle seine Bestrebungen waren darauf gerichtet, den Bauern einen bescheidenen Wohlstand zu sichern. Er richtete eine Schule mit wechselseitigem Unterricht ein und nahm auch erwachsene Schüler in dieselbe auf. Den Eltern der Betreffenden verlieh er dafür verschiedene Vergünstigungen. Aus dem Buche: „Über die Rechte und Pflichten des Bürgers", das zur Zeit der Kaiserin Katharina herausgegeben und in den letzten Jahren der Regierung Kaiser Alexanders verboten worden war, lernten die Knaben lesen. Im übrigen beschränkte sich der Unterricht darauf, daß die Knaben die von Passek für seine Bauern aufgeschriebenen Anordnungen abschreiben und auswendig lernen mußten. Den Bauern war die selbständige Verfügung über die Abgabe der Rekruten und über die Zusammenkünfte des Mir überlassen. Sie hatten ihr Gericht und ihre Rechtsprechung. Die von dem Mir erwählten Alten kamen am Sonntag im Kontor zusammen, um die Streitigkeiten zwischen den Bauern zu schlichten. Eines Tages veranlaßte Passek seinen Kammerdiener, bei den Alten über ihn Klage wegen grober Behandlung zu führen. Sie verurteilten Passek dazu, zwei Rubel in die allgemeine Kasse zu zahlen. Passek war sowohl mit seinem eigenen Verhalten, als mit der Entscheidung der Alten sehr zufrieden. Er war mit seinen Anord-

85

nungen um 20 Jahre den staatlichen Anordnungen zuvorgekommen. Da er selbst nicht mehr in der ersten Jugend stand und doch lebhaft wünschte, Erfolg in der Sache, die ihm so sehr am Herzen lag, zu sehen, wandte er die durchgreifendsten Maßregeln an, um die Lage seiner Bauern zu verbessern, und verausgabte in einigen Jahren Zehntausende, die er im Lombard hatte; infolgedessen waren schon viele unter seinen Bauern, die lesen und schreiben konnten, und deren Lage sich unglaublich gebessert hatte. Aber die Leibeigenschaft zerstörte alles wieder. Jetzt gehört das Gut einem Neffen Passeks, und es ist sehr wahrscheinlich, daß von seinen segensreichen Anordnungen schon nichts mehr zu spüren ist.

Im Herbst des Jahres 1821 brach in Petersburg die Revolte des Ssemenowskischen Regimentes aus. Kaiser Alexander befand sich zu der Zeit gerade in Laibach und erfuhr durch Metternich, daß sein geliebtes Regiment gemeutert hatte. Diese Nachricht erschütterte ihn sehr. Viele Soldaten und Unteroffiziere wurden auf finnländische Festungen gebracht, viele mußten Spießruten laufen, andere wurden mit Knuten geschlagen und dann auf Zwangsarbeit geschickt. Die übrigen mußten ihr lebenlang dienen. Die Soldaten des ersten Bataillons wurden in sibirische Garnisonen geschickt, die des zweiten und dritten wurden verschiedenen Linienregimentern zugeteilt. Die Offiziere aller Rangklassen wurden in die Heeresliste eingeschrieben mit dem Vermerk, daß sie nie Urlaub und nie ihre Entlassung erhalten dürften; außerdem durften sie nie zu irgend einer Auszeichnung vorgeschlagen werden. Vier Offiziere: Wadkowski, Koschkarow, Ermolajew und Fürst Schtscherbatow wurden vor Gericht gestellt; man hoffte bei dieser Gelegenheit von ihnen etwas Bestimmtes über das Vorhandensein einer geheimen Gesellschaft zu erfahren. Auf Schtscherbatow fiel größerer Verdacht als 86

auf die anderen, weil er mit mir und anderen, der Regierung verdächtigen Persönlichkeiten nah bekannt war. Er wurde zum Verlust aller Standesrechte verurteilt und zum gemeinen Soldaten degradiert; man versprach ihm aber völlige Verzeihung, wenn er irgend etwas Genaues über das Bestehen einer geheimen Gesellschaft berichten würde. Er selbst gehörte nicht der geheimen Gesellschaft an, aber durch seinen beständigen Verkehr mit mir wußte er vieles. Unser Geheimnis war ihm heilig, und er beschloß, lieber das unschuldige Opfer, als der Angeber zu werden. Auf alle bezüglich der geheimen Gesellschaft an ihn gerichteten Fragen antwortete er, daß er nichts wüßte. Bei der Thronbesteigung des jetzt regierenden Kaisers [6]) wurde das über ihn gefällte Urteil vollzogen. Er wurde als gemeiner Soldat in den Kaukasus geschickt.

Nach dieser Geschichte mit dem Ssemenowskischen Regiment geriet Alexander völlig unter den Einfluß Metternichs. Früher hatte er die Rechte der Völker eifrig verteidigt, jetzt verteidigte er bei jeder Gelegenheit die heiligen Rechte der Herrscher. Der Unterschied, den er früher zwischen europäischer und russischer Politik gemacht hatte, existierte für ihn nicht mehr.

Im Jahre 1822, nach seiner Rückkehr nach Petersburg, wurden durch Regierungserlaß alle Freimaurerlogen geschlossen und alle geheimen Gesellschaften verboten; von allen Beamten wurden Bescheinigungen gefordert, daß sie niemals einer geheimen Gesellschaft angehören würden. Durch diesen Erlaß wurden die Petersburger Mitglieder zu der äußersten Vorsicht gezwungen. Sie konnten infolgedessen sehr selten zusammenkommen, und die Aufnahme neuer Mitglieder hörte fast ganz auf. Das „grüne Buch" war in den Händen des Kaisers. Als er es gelesen

---

[6]) Kaiser Nikolaus regierte 1825—1855.

87

Jakuschkin

hatte, hatte er zu ihm Nahestehenden gesagt, daß die
Statuten des Wohlfahrtsbundes sehr schön wären. Er
glaubte auch, daß die in die Gesellschaft Eintretenden
anfänglich nur philanthropische Ziele verfolgten, daß sich
diese Ziele dann aber sehr bald in eine Verschwörung
gegen die Regierung umwandelten. Seit der Zeit befand
sich der Kaiser in einer beständigen Furcht vor den geheimen Gesellschaften in Rußland. Er erhielt fortwährend
Schriftstücke, die man bei verdächtigen Persönlichkeiten
beschlagnahmt hatte. Aber seltsamerweise lenkte sich der
Verdacht nie auf ein wirkliches Mitglied der geheimen Gesellschaft. Das erregte den Kaiser noch mehr. Er war
überzeugt, daß die ihn beunruhigende geheime Gesellschaft überaus stark wäre, und sagte eines Tages dem
Fürsten Wolkonski, der ihn über diesen Punkt zu beruhigen
versuchte: „Das verstehst du nicht; diese Leute können
jeden in der öffentlichen Meinung hochstellen oder herab-
setzen; außerdem stehen ihnen ungeheuere Mittel zur Verfügung. Als im vergangenen Jahr Mißernte im Gouvernement Smolensk war, haben sie ganze Kreise unterhalten." Und dabei führte er mich, Passek, von Wisin,
Michail Murawiew und Lewaschew an. Pawel Koloschin,
der im Auftrage N. Turgenjews aus Petersburg nach Moskau kam, teilte mir das mit. Ich war zufällig allein in
Moskau anwesend. J. A. von Wisin lebte auf einem Landgut unweit von Moskau, und M. A.[7]) war auf sein Kostroms-
kisches Landgut gereist. Turgenjew ließ uns durch Koloschin sagen, daß wir so vorsichtig wie möglich sein sollten,
da der Kaiser einige von uns mit Namen genannt hätte.

Im Jahre 1822, bei Neuformierung des Ssemenowskischen Regimentes, rückte die ganze Garde unter dem
Vorwande eines bevorstehenden Krieges aus Petersburg

---

[7]) Gemeint ist M. A. von Wisin.

88

87

aus. In Wirklichkeit fürchtete man die Anwesenheit der Garde in der Residenz. Wassiltschikoff kommandierte das Gardekorps schon nicht mehr. Er hatte, um seine Verantwortlichkeit hinsichtlich der Geschichte mit dem Ssemenowskischen Regiment geringer erscheinen zu lassen, dem Kaiser mitgeteilt, daß sich nicht nur in der Garde, sondern im ganzen Heere der Geist des Ungehorsams ausbreitete. Zum Beweise für seine Behauptung hatte er dem Kaiser einen Brief seines Bruders, des Kommandeurs der Husarenbrigade, zu der das Lubenskische und Grodnenskische Regiment gehörten, gegeben. In diesem Briefe beklagte sich der jüngere Wassiltschikoff bei seinem älteren Bruder über Grabbe und führte mehrere Fälle an, in denen ihm sein Untergebener nicht die schuldige Achtung gezeigt hätte. Dieser jüngere Wassiltschikoff war ein schlechter Mensch. Als Diebitsch, der Chef des Stabes beim ersten Armeekorps, durch Dorogobusch kam, bat er Grabbe inständig, sich, um' der Disziplin willen, vor der Front anständig gegen den Brigadekommandeur zu benehmen; dann fügte er gleich hinzu, im Zimmer wäre das etwas anderes, und dabei machte er mit der Hand eine Bewegung, die ausdrücken sollte: im Zimmer kann man ihn auch prügeln. Der Brief Wassiltschikoffs hatte einen starken Eindruck auf den Zaren gemacht. Grabbe war einige Monate vor diesem Vorfall mit seinem Regiment aus Dorogobusch in ein anderes Gouvernement versetzt worden. Ich entsinne mich nicht mehr, wohin. Dort erhielt er, völlig unerwartet, von dem Chef des Stabes seiner Kaiserlichen Hoheit ein Schreiben mit der Aufschrift: Dem verabschiedeten Obersten Grabbe. Fürst Wolkonski schrieb ihm, daß sein Benehmen gegen den Brigadekommandeur Strafe verdiente, daß der Kaiser aber in Anbetracht seiner vortrefflichen Dienste befohlen hätte, ihn nicht vor ein Kriegsgericht zu stellen: man sollte ihm

89

Jakuschkin

nur sein Regiment nehmen, ihm Jaroslawl als Wohnsitz anweisen und ihm verbieten, eine der beiden Hauptstädte zu betreten. Die unter Grabbe dienenden Offiziere waren von der unerwarteten Anordnung so erschüttert, daß sie Grabbe baten, ihnen zu sagen, was sie tun sollten. Er beruhigte sie, übergab sein Regiment binnen 24 Stunden dem Oberstleutnant Kurilow und begab sich dann mit seinem Burschen Iwan auf die Reise nach Jaroslawl. Er hatte kaum Mittel genug, um bis dorthin zu gelangen. Grabbe hatte das Lubenskische Regiment sechs Jahre lang kommandiert; jeder auf seinen Vorteil bedachte Regimentskommandeur würde sich in dieser Zeit ein Vermögen haben sammeln können. Einige Freunde Grabbes schossen Geld zusammen und verschafften ihm einen Jahresunterhalt; ohne denselben hätte er nicht die Möglichkeit gehabt, in Jaroslawl zu existieren.

Der Ausmarsch der Garde hatte gerade die entgegengesetzte Wirkung als die, die der Kaiser erwartet hatte. Die Offiziere aller Regimenter, die viel weniger Dienst hatten als in Petersburg und nicht unter so strenger Aufsicht standen wie in der Residenz, verkehrten viel untereinander, und immer neue Mitglieder traten der geheimen Gesellschaft bei. Nikita Murawiew schrieb in Witebsk seine Konstitution für Rußland; es war ein kurzer Auszug aus der englischen Konstitution. Bei der Rückkehr der Garde nach Petersburg nahm Puschtchin Ryleieff in die Gesellschaft auf; durch seinen Eintritt wurde die Tätigkeit der Petersburger Mitglieder eine viel regere. Viele neue Mitglieder traten der Gesellschaft bei.

Im Jahre 1822 wurde der General Ermolow aus dem Kaukasus abberufen, um die Truppen, die gegen die aufständischen Neapolitaner zu Felde ziehen sollten, zu befehligen. Er verbrachte einige Zeit in Zarskoje Selo und sah den Kaiser täglich. Die Neapolitaner wurden von den

90

Österreichern geschlagen, noch ehe sich unsere Hilfs-
truppen vom Fleck gerührt hatten, und Ermolow kehrte in
den Kaukasus zurück. Als er noch in Moskau weilte,
suchte von Wisin, Ermolows ehemaliger Adjutant, denselben auf. Ermolow begrüßte ihn mit den Worten:
„Komm hierher, stolzer Carbonari!" Von Wisin wußte
nicht, was er von dieser Begrüßung denken sollte. Ermolow fügte hinzu: „Ich will nichts von dem wissen, was
bei euch geschieht, aber ich sage dir, ich wünschte, daß
e r mich so fürchtete, wie er euch fürchtet." Die krankhaft
erregte Phantasie des Kaisers sah die Macht der geheimen
Gesellschaft unendlich vergrößert. Da er aber gar keine
Beweise von dem Bestehen dieser Gesellschaft hatte, so
war es ihm schwer, entschiedene Maßregeln gegen den
unsichtbaren Feind zu ergreifen. Die Mitglieder der geheimen Gesellschaft unterschieden sich durch nichts von
anderen Menschen. Damals äußerte nicht nur jeder anständige Mensch seine Meinung frei, sondern auch jeder,
der als anständiger Mensch erscheinen wollte.

Der Kaiser, der von dem Gespenst der geheimen
Gesellschaft verfolgt wurde, wurde immer mißtrauischer,
selbst gegen Leute, an deren Ergebenheit er nicht zweifeln
konnte. Generaladjutant Fürst Menschikow, Kanzleichef
des Hauptstabes, ging seiner Stelle verlustig, weil der
Kaiser argwöhnte, daß er mit der Regierung feindlichen
Personen in Beziehung stünde. Fürst P. M. Wolkonski,
Chef des Stabes seiner Kaiserlichen Hoheit, der seit der
Thronbesteigung des Kaisers immer in dessen Nähe gewesen war, verlor seinen Posten auch und entfernte sich
auf einige Zeit vom Hofe. Wolkonski war in Ungnade gefallen, weil er sich niemals hatte bewegen lassen, nach
Grusina zu gehen, um Araktschejeff die verlangte Verehrung zu bezeugen. Der Kultusminister Alexander Nikolajewitsch Galizin, der sich von jeher der besonderen Gnade
91

Jakuschkin ·

und des Vertrauens des Kaisers erfreut hatte, sah sich auch plötzlich seines Amtes entsetzt. Araktschejeff hatte damals den Mönch Foti in die Nähe des Kaisers gebracht. Foti war kein ganz fader Mensch; er war zwar wenig gebildet und abergläubisch, besaß aber eine flammende Einbildungskraft. Durch die unerwartete Kühnheit seiner Phantasien gewann er großen Einfluß, besonders auf die Frauen. Er wußte in kurzer Zeit das absolute Vertrauen des Kaisers zu gewinnen und verstand es, ihm zu beweisen, daß die Frömmigkeit der Weltmenschen, wie z. B. die des Fürsten Galizin, nur ein Sichabwenden von der wahren, rechtgläubigen Lehre wäre. Seit dieser Zeit besuchte der Kaiser eifrig die Klöster und unterhielt sich mit den Asketen. Er machte verschiedenen Klöstern große Schenkungen und beobachtete alle Vorschriften der griechisch-russischen Kirche auf das strengste. Viele auf Kosten der Regierung gedruckten Bücher wurden verboten, so unter anderen das „Natürliche Recht" von Kunizyn und ein Büchlein mit Erzählungen von dem Moskauer Metropoliten Filaret. Um dieses Büchleins willen, das auf ausdrücklichen Befehl hin gedruckt worden war, mußte auch Galizin leiden. Die Zensur wurde mit äußerster Strenge gehandhabt. In den Universitäten wurden viele Lehrstühle aufgehoben; in den Schulen durfte keine Mythologie gelehrt werden, in allen höheren Lehranstalten wurde das Studium der alten Literatur untersagt. In den letzten Jahren seiner Regierung war der Kaiser fast menschenscheu. Auf seinen Reisen vermied er es, die Gouvernementsstädte zu berühren, es mußten Wege für ihn angelegt werden, die durch wilde und unbesuchte Gegenden führten.

ﻭﻭﻭﻭﻭﻭﻭﻭﻭﻭﻭﻭﻭﻭﻭﻭﻭﻭﻭﻭﻭﻭﻭﻭﻭﻭﻭﻭﻭﻭ

6. Kapitel
Der Thronwechsel und seine Folgen

Zu Ende des Jahres 1822 verheiratete ich mich und verbrachte das Jahr 1822 sehr zurückgezogen auf dem in
der Nähe von Moskau befindlichen Landgut meines Schwie-
gervaters N. N. Scheremetew. Die beiden von Wisin
waren auch verheiratet und lebten auf ihren Gütern in der
Nähe von Moskau, aber auch sie sah ich sehr selten. Von
dem, was in Tultschin vor sich ging, wußten weder ich
noch sie etwas. Im Sommer des Jahres 1823 mußte ich
für einige Zeit nach Moskau fahren; ich machte dort die
Bekanntschaft des Obersten Kopylow, der aus der Garde-
artillerie austrat, um in den Kaukasus zu Ermolow zu
gehen. Ich erkannte seine Bereitwilligkeit, im Sinne der
geheimen Gesellschaft zu wirken, und nahm ihn in unsere
Gesellschaft auf. Einige Tage später kam Iw. Al. von
Wisin zu mir und bat mich, zu einer bestimmten Stunde
zu ihm zu kommen, um dort Bestushew-Rjumin zu treffen.
Bestushew hatte von Wisin gesagt, daß er den in Moskau
anwesenden Mitgliedern einen wichtigen Auftrag von
Sergei Murawiew und anderen südlichen Mitgliedern zu
übermitteln hätte. Ich kannte diesen Bestushew als einen
verdrehten und vollständig einfältigen Menschen. Als er
mich sah, wiederholte er mir mit einem Lächeln auf den
Lippen, was er von Wisin schon früher gesagt hatte. Ich
antwortete ihm, daß ich, da ich ihn kannte, nicht glaubte,
daß Sergei Murawiew ihm einen wichtigen Auftrag für
uns gegeben hätte und erklärte ihm, daß wir uns mit ihm

93

in keinerlei Verhandlungen einlassen würden. Er lächelte
ebenso einfältig wie zuvor und entfernte sich dann. Später
erwies es sich, daß er von Sergei Murawiew mit dem
Auftrag zu uns geschickt worden war, uns zum Eintritt
in die im Süden geplante Verschwörung aufzufordern.
Dieser Bestushew-Rjumin war ein seltsames Geschöpf. Man
konnte nicht sagen, daß er direkt dumm war, aber was er
tat, grenzte oft an Schwachsinn. Im täglichen Leben sagte
er unausgesetzt die unerträglichsten Plattheiten und machte
auf Schritt und Tritt die unglaublichsten Fehler. Er wurde
mit anderen zusammen aus der Liste des alten Ssemenowskischen Regimentes gestrichen und kam in das von
dem Oberst Tiesenhausen befehligte Poltawskische Regiment. In Kiew machten die Rajewskis, Söhne des Generals, und Sergei Murawiew, Bestushew oft zum Gegenstand des Gelächters. Matwjei Murawiew machte eines
Tages seinem Bruder Vorwürfe wegen seines Benehmens
gegen Bestushew und bewies ihm, daß es unanständig
von ihm und den Rajewskis wäre, Bestushew so zum
Narren zu halten. Sergei sah das ein, und um seine Schuld
gegen den Jüngling wieder gut zu machen, war er besonders freundlich gegen ihn. Bestushew schloß sich mit
unbegrenzter Hingebung an Sergei Murawiew an, und
Sergei gewann ihn schließlich sehr lieb. Bestushew wurde
in die Geheime Gesellschaft des Südens aufgenommen, in
der es damals stark gärte, und in der man Leute brauchte,
die zu allem bereit waren. Bestushew war dort ganz an
seinem Platze. Er war bis zum Unverstand entschlossen in
seinem Handeln, er rechnete nie mit den Hindernissen, die
ihm entgegentreten könnten, und ging ohne rechts und
links zu blicken vorwärts. In Kiew fand er als erster
die Möglichkeit, mit der Warschauer Geheimen Gesellschaft in Verbindung zu treten. Als er von seinem früheren
Dienstgefährten Tjutschew von dem Vorhandensein einer
94

Geheimen Gesellschaft der vereinten Slawen, der Tjutschew angehörte, und deren Führer der Artillerieleutnant Peter Borissow war, erfuhr, machte er sofort Sergei Murawiew diese wichtige Eröffnung. Dann begab er sich zur achten Division, bei der Borissow stand und überredete ihn, sich mit seinen Slawen der südlichen Geheimen Gesellschaft anzuschließen.

1824 und 1825 lebte ich in Shukowo und traf außer mit Passek, Michail Murawiew und Lewaschew mit niemandem zusammen, und mit diesen dreien auch nur selten, weil unsere Güter sehr weit voneinander entfernt lagen. Ich beschäftigte mich eifrig mit der Landwirtschaft, und ein Teil meiner Felder wurden schon von Tagelöhnern bestellt. Ich konnte hoffen, daß meine Bauern, bei ihrer besseren Lage, bald die Möglichkeit haben würden, mir Pachtzins zu zahlen. Ein Teil dieses Pachtzinses sollte als Anzahlung auf das Land, das sie jetzt bebauten, betrachtet werden, so daß sie mit der Zeit, wenn sie sich vollständig frei gemacht haben würden, Eigentumsrecht an dieses Land hätten. Zu Ende des Jahres 1825 begab ich mich mit meiner Familie nach Moskau und kam am 8. Dezember dort an. Unterwegs erfuhr ich, daß Kaiser Alexander in Taganrog gestorben wäre, und daß man überall dem Zäsarewitsch Konstantin Pawlowitsch den Eid geleistet hätte. Diese Nachricht regte mich mehr auf, als ich gedacht hätte. Ich stellte mir mit tiefem Kummer die noch elendere Lage Rußlands unter dem neuen Zaren vor. Die letzten Regierungsjahre des Kaisers Alexander waren freilich für Rußland sehr traurig gewesen; aber er hatte doch die Vergangenheit für sich. Nach seiner Thronbesteigung war er 12 Jahre lang eifrig für das Wohl Rußlands tätig gewesen, und Rußland war, dank seiner Bemühungen, doch vorwärts gekommen. Der Zäsarewitsch war ein berühmter Reiter, der beste Frontsoldat im ganzen Reich, und wollte von

95

nichts anderem, als von militärischen Dingen etwas wissen. Sein heftiges Temperament und seine rohen Sitten waren allgemein bekannt. Was konnte man von ihm Gutes erwarten? In Moskau fand ich außer von Wisin und Alexei Scheremetew viele andere Mitglieder der geheimen Gesellschaft vor: Oberst Mitkow, Oberst Narüschkin, Ssemenow, der in der Kanzlei des Fürsten Galizin angestellt war, Neledinski, Adjutant des Zäsarewitsch, und andere. Wir versammelten uns entweder bei von Wisin oder bei Mitkow. Die bei diesen Versammlungen anwesenden Mitglieder waren alle besonders erregt und erwarteten, wie es schien, etwas Feierliches und Entscheidendes. Narüschkin, der erst kürzlich aus dem Süden gekommen war, versicherte, daß dort alles zum Aufstand bereit wäre, und daß die südlichen Mitglieder über eine große Anzahl Bajonette verfügten. Mitkow versicherte seinerseits, daß die Petersburger Mitglieder im Notfall auf einen großen Teil der Garderegimenter rechnen könnten. Am 15. Dezember war ich den ganzen Tag zu Hause und sah keinen von den Gefährten. Alexei Scheremetew kam spät in der Nacht nach Hause und teilte mir die Neuigkeiten von der Verzichtleistung des Zäsarewitsch und von der Thronbesteigung Nikolai Pawlowitschs mit; dann erzählte er mir, daß Ssemenow von Puschtschin einen vom 12. Dezember datierten Brief erhalten hätte. Puschtschin hätte ihm darin mitgeteilt, daß die Petersburger Mitglieder sich entschlossen hätten, den Eid zu verweigern und die Garderegimenter an der Eidesleistung zu verhindern; außerdem hätte er sich an die in Moskau anwesenden Mitglieder mit der Bitte gewandt, den Petersburgern nach Möglichkeit zu helfen. Ich war sehr erstaunt, daß mir von Wisin im Lauf der letzten Tage nichts von diesen wichtigen Nachrichten gesagt hatte. Doch waren die beiden Brüder von Wisin in diesen Tagen durch die Adelswahlen stark in Anspruch genommen. Obgleich
96

es schon nach Mitternacht war, gingen Alexei Scheremetew
und ich sofort zu von Wisin; ich weckte ihn und überredete ihn, mit uns zusammen zum Obersten Mitkow, der
mir immer als sehr entschlossener Mensch erschienen war,
zu gehen. Wir weckten auch ihn. Es handelte sich darum,
festzustellen, was wir unter den gegenwärtigen Verhältnissen in Moskau tun konnten. Ich schlug von Wisin vor,
sofort nach Hause zu gehen, seine Generalsuniform anzulegen, sich dann in die Chamownitscheskischen Kasernen
zu begeben und die dort einquartierten Truppen unter
irgend einem Vorwande herauszuführen. Mitkow schlug
ich vor, mich zum Obersten Gurko, dem Chef des Stabes
vom 5. Korps, zu begleiten. Ich war ziemlich gut bekannt
mit ihm und wußte, daß er dem Wohlfahrtsbund angehört
hatte. Ich hoffte, Gurko überreden zu können, mit uns
gemeinsam zu handeln. Dann wollten wir noch in
dieser Nacht mit Hilfe der von Wisin herausgeführten
Truppen den Korpskommandeur, Graf Tolstoi, den Moskauer Gouverneur, Fürst Galizin, und andere Persönlichkeiten, die dem Aufruhr entgegenarbeiten würden, verhaften. Alexander Scheremetew, der Adjutant Tolstois,
sollte den in der Umgegend von Moskau stationierten Regimentern — scheinbar im Namen des Kommandeurs —
befehlen, nach Moskau zu marschieren. Auf dem Marsch
sollten Scheremetew, Oberst Narüschkin und einige Offiziere, die früher im alten Ssemenowskischen Regiment gestanden hatten, versuchen, die Truppen zur Empörung
aufzureizen und sie veranlassen, sich den möglicherweise
schon revoltierenden Moskauer Truppen anzuschließen.
Am folgenden Tage müßten wir dann Nachricht von dem,
was sich in Petersburg zugetragen hatte, erhalten. Glückte
das Unternehmen der Petersburger Mitglieder, so konnten
wir Moskauer der Sache durch unsere Mitwirkung zu noch
größerem Erfolge verhelfen; mißglückte der Anschlag in

Jakuschkin

Petersburg, so opferten wir diesem Versuch unser Leben, treu den Verpflichtungen gegen die geheime Gesellschaft, treu bis zuletzt gegen unsere Gefährten. Wir sprachen bis zum andern Morgen um 4 Uhr. Meine Gefährten kamen zu dem Schluß, daß wir vier nicht das Recht hätten, einen so wichtigen Anschlag zu unternehmen. Wir sollten uns am folgenden Abend wieder bei Mitkow versammeln — und Michail Orlow sollte gebeten werden, an dieser Versammlung teilzunehmen.

Am andern Tage saß ich morgens bei von ,Wisin, als sein Bursche zu ihm gelaufen kam und ihm die Nachricht brachte, daß der Großfürst Nikolai Pawlowitsch im offenen Schlitten in Moskau eingefahren wäre und sich direkt in das Haus des Militärgouverneurs begeben hätte. Von Wisin war überzeugt, daß der Großfürst aus Petersburg, wo alles in Empörung war, geflohen wäre. Schließlich stellte es sich heraus, daß der Generaladjutant Graf Komarowski im offenen Schlitten in die Stadt eingefahren war, mit dem Befehl, Moskau zur Eidesleistung für Nikolai Pawlowitsch aufzufordern. Der neue Kaiser hatte eigenhändig an den Fürsten Galizin geschrieben: „Wir haben hier eben eine Feuersbrunst gelöscht, ergreifen Sie alle nötigen Maßregeln, damit bei Ihnen nichts Ähnliches vorkommt.“ An demselben Tage, als sich alle zur Eidesleistung im Uspenskidom versammelt hatten, holte Filaret einen kleinen goldenen Kasten vom Altar und sagte, daß in diesem Kästchen das Unterpfand für das Glück Rußlands eingeschlossen läge; dann öffnete er den Kasten und verlas das Testament des verstorbenen Kaisers Alexander Pawlowitsch, in welchem er den Großfürsten Nikolai Pawlowitsch zum Nachfolger auf dem Thron bestimmte. Bei diesem Testamente lag die Verzichtleistungsurkunde des Zäsarewitsch. Filaret verlas auch diese. Darauf leisteten alle im Dom Anwesenden Nikolai Pawlowitsch

98

den Treueid, und später schwor ganz Moskau ihm den Eid.

Am Morgen bat mich von Wisin, mich unverzüglich zu Orlow zu begeben und ihn aufzufordern, abends zu Mitkow zu kommen. Die Vorgänge in Petersburg am 14. Dezember waren uns allen bekannt, wir wußten auch, daß alle bei diesen Vorgängen beteiligten Persönlichkeiten in der Festung saßen. Als ich zu Orlow kam, sagte ich ihm: „Eh bien, général, tout est fini." — Er streckte mir die Hand hin und sagte voller Überzeugung: „Comment fini? Ce n'est que le commencement de la fin." Dann rief man ihn nach oben zur Gräfin Orlow; er sagte mir, daß er ·in wenigen Augenblicken wieder zurück sein würde und bat mich, auf ihn zu warten. Während seiner Abwesenheit trat ein großer, starker, rothaariger Mann in einer abgetragenen Adjutantenuniform ohne Achselstücke und von überhaupt sehr wenig anziehendem Äußeren in das Zimmer ein. Ich schwieg, — er ebenfalls. Als Orlow zurückkam, sagte er: „Ah! Guten Tag, Muchanow, — Sie sind nicht bekannt? . . ." und er stellte uns vor. Ich mußte dem rothaarigen Menschen die Hand reichen. Weder Orlow noch ich kannten die bei den Vorgängen am 14. Dezember beteiligten Mitglieder persönlich. Muchanow war mit allen nah bekannt. Er erzählte uns ausführlich von jedem von ihnen und sagte schließlich: „Es ist schrecklich, solche Gefährten zu verlieren; man muß versuchen, sie zu befreien, man muß nach Petersburg gehen, um ihn zu töten." Orlow stand von seinem Platz auf, ging zu Muchanow, faßte ihn an das Ohr und küßte ihn auf die Stirn. Mir erschien das alles sehr seltsam. Ehe Muchanow gekommen war, hatte ich Orlow zu überreden versucht, mit zu Mitkow zu kommen, wo alle auf ihn warteten. Er antwortete mir, daß er meinem Wunsche keinesfalls nachkommen könnte, weil er sich heute krank gemeldet hätte, damit er nicht

7*   99

Jakuschkin

zu schwören brauchte; dabei war er in voller Uniform mit
Ordensband und Stern, so daß man hätte denken können,
er wäre eben von der Eidesleistung zurückgekommen. Als
ich einsah, daß ich mit ihm zu keinem Einverständnis gelangen könnte, sagte ich ihm, um ihn zu beruhigen, daß ich
ihn nicht wieder besuchen würde, weil ein Verkehr mit
mir ihm unter den obwaltenden Umständen gefährlich
werden könnte. Er drückte mir fest die Hand und umarmte
mich; noch ehe wir uns trennten, wandte er sich an
Muchanow und sagte ihm: „Gehe du zu Mitkow, Muchanow." Dann sagte er zu mir: „Führen Sie ihn dorthin,
Sie alle werden sehr mit ihm zufrieden sein." Der Vorschlag setzte mich sehr in Erstaunen, aber dieses Mal
verlor ich die Überlegung. Anstatt Orlow offen zu sagen,
daß ich Muchanow, den weder ich noch Mitkow kannten,
nicht bei Mitkow einführen könnte, ging ich zusammen
mit Muchanow fort, ließ ihn mit in meinem Schlitten
sitzen und führte ihn in die Versammlung ein; Muchanow
kannte fast keinen der Anwesenden, aber nach einer halben
Stunde sprach er schon so, als ob er im Kreise seiner ver-
trautesten Freunde wäre. Er war mit Ryleieff, Puschtschin,
Obolenski, Al. Bestushew und vielen anderen Mitgliedern,
die an dem Petersburger Aufstand teilgenommen hatten,
bekannt. Alle hörten ihm aufmerksam zu; er schloß seine
Erzählung wieder mit dem Vorschlag, nach Petersburg
zu gehen, die Gefährten zu befreien und den Zaren zu
ermorden. Um den Mord auszuführen, sollte man eine
ganz kleine Pistole in das Degengefäß stecken, den Degen
senken und dabei auf den Kaiser schießen. Der Vorschlag
selbst und die Art, in der er ausgeführt werden sollte,
waren so unsinnig, daß alle Anwesenden Muchanow
schweigend und ohne die geringste Erwiderung anhörten.
An diesem Abend versammelten sich die Mitglieder der
zehn Jahre bestehenden Geheimen Gesellschaft zum letzten
100

6. Kapitel

Male bei Mitkow. Um dieselbe Zeit war in Petersburg
schon alles zu Ende, in Tultschin fing man schon an, die
Mitglieder zu verhaften. Michail Orlow war der erste,
der in Moskau verhaftet und auf die Peter-Paulsfestung
gebracht wurde; dann folgten Oberst Mitkow und viele
andere. Ich wurde erst am 10. Januar 1826 in Haft genommen.

7. Kapitel
Verhaftung und Verhör

Nach dem 14. Dezember wurden in Petersburg viele Mitglieder der Geheimen Gesellschaft verhaftet; ich blieb bis zum 10. Januar in Freiheit. Als ich am Abend dieses Tages friedlich zu Hause meinen Tee trank, ließ mich plötzlich der Polizeimeister Obrieskow herausrufen. Er erklärte mir, daß er mich unter vier Augen sprechen müßte, und ich führte ihn in mein Zimmer. Hier forderte er mir alle meine Papiere ab. Ich sagte ihm, daß ich keinerlei Papiere hätte, und daß ich, wenn ich für ihn interessante Papiere gehabt hätte, dieselben längst hätte verbrennen können. Ich erwartete meine Gefangennahme und hatte absichtlich die Liste mit den Berechnungen über den Loskauf der Leibeigenen auf den Tisch gelegt, weil ich hoffte, daß sie mitgenommen würde und auf diese Weise vielleicht die Aufmerksamkeit der Regierung erregen würde. Ich schlug Obrieskow vor, diese Liste mitzunehmen, aber er sagte mir, daß diese Ziffern für ihn keine Bedeutung hätten. Er gab mir den Rat, mich wärmer zu kleiden und forderte mich auf, ihn dann zu begleiten. Ich hatte schon vorher alles für mein Fortgehen vorbereitet. Im Beisein des Polizeimeisters durfte ich von den Meinigen Abschied nehmen; dann führte Obrieskow mich zum Oberpolizeimeister Dmitri Iwanowitsch Schulgin, der mich mit den Worten begrüßte: „Sie haben sich sehr dadurch geschadet, daß Sie Ihre Papiere verbrannt haben." Ich antwortete ihm, daß ich gar keine wichtigen Papiere verbrannt hätte.

102   ı

7. Kapitel

Wenn ich mich gefährdende Papiere besessen hätte, so hätte ich allerdings Zeit gehabt, dieselben zu verbrennen, da ich wußte, daß man täglich die verschiedensten Persönlichkeiten verhaftete. „Es kann ja gar nicht anders sein, Sie müssen Briefe gehabt haben," (sic!) sagte mir der Oberpolizeimeister darauf, „bei Ihnen lernt man ja Lesen und Schreiben; Sie haben doch sicher Briefe erhalten und sie beantwortet." — „Auf meinem Schreibtisch liegen zwei Briefe," sagte ich ihm, „der eine von meiner Schwester, der andere vom Starosten aus meinem Dorf!" Schulgin sagte mir voller Freude, daß weiter nichts nötig wäre, und schickte Obrieskow hin, um die Briefe zu holen. Als ich mit Schulgin allein war, gestand er mir, daß er durchaus wenigstens einen Brief haben müßte. In dem vom Fürsten Galizin unterschriebenen Aktenstück wäre gesagt, daß man mich gefangen nehmen und die bei mir gefundenen Papiere beschlagnahmen sollte. Bald darauf kehrte Obrieskow mit den Briefen und einer Schrift Teers, die er bei mir auf dem Tisch gefunden hatte, zurück.

Ich wurde durch den Distriktspolizeimeister nach Petersburg gebracht und von ihm direkt zum Hauptstabe geführt. Dort nahm mich ein Adjutant in Empfang und führte mich zu Potapow. Potapow war sehr höflich gegen mich und brachte mich in das Winterpalais zu dem Petersburger Kommandanten Baschutzki. Baschutzki ordnete an, daß man mich in ein Zimmer der unteren Etage des Winterpalais brächte. Bei der Tür und bei dem Fenster hielten Soldaten mit entblößten Säbeln Wache. Hier verbrachte ich die Nacht und den nächsten Tag. Am Abend führte man mich nach oben, und zu meinem größten Erstaunen befand ich mich plötzlich in der Eremitage. In einer Ecke des großen Saales, wo das Porträt Clemens' IX. hing, stand ein aufgeklappter L'Hombretisch, an dem General Lewaschew in voller Uniform Platz genommen hatte. Er

103

forderte mich auf, mich ihm gegenüber zu setzen und fragte mich dann: „Gehörten Sie zu der Geheimen Gesellschaft?" Ich antwortete bejahend. Dann fragte er weiter: „Was für Handlungen der Geheimen Gesellschaft sind Ihnen bekannt?" Ich antwortete ihm, daß mir gar keine eigentlichen Handlungen der Gesellschaft bekannt wären.

„Mein lieber Herr," sagte mir Lewaschew dann, „denken Sie nicht, daß wir nichts wissen. Die Vorgänge des 14. Dezember waren nur ein vorzeitiges Aufblitzen, — Sie hatten schon im Jahre 1818 die Absicht, einen Schlag gegen Kaiser Alexander zu führen."

Das machte mich nachdenklich; ich konnte mir aber nicht vorstellen, daß die im Jahre 1818 in Moskau stattgehabte Versammlung bekannt geworden wäre.

„Ich kann Ihnen sogar die Einzelheiten von dem beabsichtigten Attentat auf den Kaiser erzählen," fuhr Lewaschew fort, „alle bei der Versammlung Anwesenden losten darum, wer den Kaiser töten sollte, und das Los fiel auf Sie."

„Das ist nicht ganz richtig, Euer Exzellenz, ich meldete mich selbst dazu, den Schlag gegen den Kaiser zu führen und wollte keinem meiner Gefährten diese Ehre überlassen."

Lewaschew schrieb meine Worte auf.

Dann fuhr er fort: „Jetzt beliebt es Ihnen vielleicht, mein lieber Herr, mir die Namen Ihrer Gefährten zu nennen, die damals an der Versammlung teilgenommen haben."

„Das kann ich auf keinen Fall tun. Als ich in die Geheime Gesellschaft eintrat, habe ich das Versprechen gegeben, keinen zu nennen."

„So wird man Sie zwingen, die Namen zu nennen. Ich stehe hier als Richter vor Ihnen, und ich mache

104

Sie darauf aufmerksam, daß es in Rußland eine Folter⁸) gibt."

„Ich bin Euer Exzellenz sehr dankbar für diese Warnung; aber ich muß gestehen, daß ich mich jetzt noch mehr als vorher verpflichtet fühle, keinen zu nennen."

„Ich spreche jetzt nicht als Richter zu Ihnen, sondern als Ihresgleichen. Ich begreife nicht, warum Sie sich für Leute opfern wollen, die Ihren Namen preisgegeben und Sie verraten haben."

„Ich stehe nicht hier, um das Betragen meiner Kameraden zu beurteilen. Meine Aufgabe ist, die Verpflichtungen zu erfüllen, die ich bei dem Eintritt in die Gesellschaft auf mich genommen habe."

---

⁸) Die Folter war in der zweiten Hälfte des Mittelalters in Europa allgemein in Gebrauch gewesen. In Rußland machte die Kaiserin Elisabeth Petrowna (1741—1762) den Versuch, die Anwendung der Folter zu beschränken. 1762 befahl Peter III. dem Senat, zu erforschen, ob es möglich sei, ohne Folter auszukommen. 1767 bestimmte Katharina II., daß die Folter nicht mehr ohne vorherigen Bericht der Gouverneure angewendet werden dürfte. 1774 erfolgte ein Geheimbefehl, der die Anwendung der Folter auf das strengste verbot. Trotzdem wurde auch unter der Regierung Alexanders I. die Folter noch angewendet. 1801 befahl Alexander I. unter Androhung strenger Strafen, nicht mehr zu foltern. Kaiser Nikolaus gab 1827 den Befehl, die Folterwerkzeuge überall zu vernichten. Dennoch kamen 1834 in Moskau und 1847 in Kostroma noch grausame Folterungen vor.

Die meisten anderen europäischen Länder waren Rußland in der Abschaffung der Folter vorausgegangen. In Deutschland z. B. wurde sie durch die peinliche Gerichtsordnung Karls V. von 1532 beschränkt. Abgeschafft wurde sie in den verschiedenen deutschen Landen nach Friedrichs des Großen Vorgang (Kabinettsordres von 1740 und 1754), zum Teil aber erst zu Anfang des 19. Jahrhunderts, so in Hannover 1822, in Coburg-Gotha 1828. In Schottland erfolgte die Abschaffung unter der Königin Anna (1702—1714), in Frankreich durch das Edikt Ludwigs XVI. von 1780 zum Teil, vollständig aber 1789.

105

104

Jakuschkin

„Alle Ihre Gefährten bezeugen, daß das Ziel der Gesellschaft darin bestanden hätte, eine andere Regierungsform an Stelle der Selbstherrschaft zu setzen."

„Das kann sein," antwortete ich.

„Was wissen Sie über die Konstitution, die man in Rußland einführen wollte?"

„Davon weiß ich absolut gar nichts."

Ich wußte damals wirklich nichts von Nikita Murawiews Konstitution. Während meiner Anwesenheit in Tultschin hatte mir Pestel einige Abschnitte aus dem „Russischen Gesetzbuch" vorgelesen, aber soweit ich mich erinnern kann, nur über die Bildung von Guts- und Dorfamtsbezirken.

„Worin bestand denn Ihre Wirksamkeit für die Gesellschaft?" fuhr Lewaschew fort.

„Ich beschäftigte mich hauptsächlich damit, Mittel und Wege zu finden, um die Leibeigenschaft in Rußland aufzuheben."

„Was können Sie darüber sagen?"

„Das ist ein Knoten, der von der Regierung entwirrt werden oder im entgegengesetzten Falle mit Gewalt zerhauen werden muß. Das kann die verderblichsten Folgen haben."

„Aber was kann denn die Regierung dabei tun?"

„Sie kann die Bauern von den Gutsbesitzern loskaufen!"

„Das ist unmöglich! Sie wissen doch selbst, wie sehr es der russischen Regierung an Geld mangelt."

Dann folgte eine erneute Aufforderung, die Mitglieder der Geheimen Gesellschaft zu nennen. Ich verweigerte jede Auskunft. Darauf legte mir Lewaschew den von ihm beschriebenen Bogen zur Unterschrift vor, und ich unterzeichnete, ohne zu lesen. Lewaschew hieß mich herausgehen. Ich kam in jenen Saal, in dem das Bild Salvatore Rosas: „Der verlorene Sohn" hängt. Bei dem Verhör
106

von Lewaschew war mir ganz leicht ums Herz gewesen, ich hatte die ganze Zeit über mit Dominichinos „Heiliger Familie" geliebäugelt; als ich aber in das andere Zimmer kam, in dem mich der Feldjäger erwartete, stieg das Schreckgespenst der Folter zum ersten Male vor mir auf. Nach zehn Minuten öffnete die Tür sich wieder und Lewaschew machte mir ein Zeichen, in den Saal, in dem das Verhör stattgefunden hatte, zurückzukommen. Neben dem L'Hombretisch stand der neue Kaiser. Er hieß mich näher treten und sagte dann:

„Sie haben Ihren Eid gebrochen?"

„Ich bin schuldig, Kaiserliche Hoheit."

„Was erwartet Sie in jener Welt? Verdammnis! Sie können die Meinung der Leute verachten, aber was Sie in jener Welt erwartet, muß Sie doch in Schrecken setzen. Ich will Sie übrigens nicht ganz verderben lassen, ich werde Ihnen einen Geistlichen schicken. Wie? Haben Sie mir nichts darauf zu antworten?"

„Was wünschen Euere Kaiserliche Hoheit von mir?"

„Mir scheint, ich sprach deutlich genug; wenn Sie Ihre Familie nicht verderben wollen, wenn Sie nicht wollen, daß man mit Ihnen wie mit einem Schwein verfährt, so müssen Sie alles gestehen."

„Ich habe mein Wort gegeben, keinen zu nennen; alles, was ich von mir selbst auszusagen hatte, habe ich Seiner Exzellenz schon gesagt," antwortete ich, auf Lewaschew deutend, der in ehrfurchtsvoller Haltung in einiger Entfernung vom Kaiser stand.

„Was kommen Sie mir mit Seiner Exzellenz und mit Ihrem abscheulichen Ehrenwort!"

„Ich kann keinen nennen, Kaiserliche Hoheit."

Der neue Kaiser trat drei Schritte von mir zurück, wies mit der Hand auf mich und sagte: „Man soll ihn so fesseln, daß er sich nicht rühren kann."

107

Jakuschkin

Während dieses zweiten Verhörs war ich ruhig; ich
fürchtete anfänglich, daß der Zar mich durch maßvolles
Sprechen, durch Anteilnahme schwankend machen könnte,
fürchtete, daß er die schwachen und kindlichen Seiten der
Gesellschaft berühren und durch Großmut siegen könnte.
Ich war ruhig, weil ich, während des Verhörs, der Stärkere
von uns beiden war. Als ich dann auf ein Zeichen Lewaschews zu dem Feldjäger herausging und von ihm auf
die Festung gebracht wurde, tauchte der Gedanke an
Folter noch drohender vor mir auf; ich war überzeugt, daß
der neue Kaiser das Wort „Folter" nur deshalb nicht
ausgesprochen hatte, weil er das für sich als unschicklich
erachtet hatte.

Der Feldjäger führte mich zu dem Kommandanten
Sukin — dann führte man mich und ihn in ein kleines
Zimmer, welches als Kirche eingerichtet war. Meine
Nerven waren stark erregt; die eines Trauerfalles wegen
schwarz gekleidete Dienerin schien mir nichts Gutes zu
weissagen. Ich saß dort eine halbe Stunde mit dem Feldjäger; er gähnte von Zeit zu Zeit und verdeckte den Mund
mit der Hand, ich betete nur um eines, — daß Gott mir
Kraft geben möchte, die Folter zu ertragen. Endlich hörte
man in den angrenzenden Zimmern das Klirren von Ketten
und das Geräusch sich nähernder Schritte. Allen voran
erschien der Kommandant mit seinem Holzfuß; er hielt
ein Blatt Papier dicht an das Licht und sagte, die Worte
auseinanderziehend: „Der Kaiser befiehlt, dich in Ketten
zu legen." Einige Menschen warfen sich auf mich, setzten
mich auf einen Stuhl und fingen an, mir Ketten an Hände
und Füße zu schmieden. Meine Freude war unbeschreiblich, ich war überzeugt, daß ein Wunder geschehen wäre:
Fesseln waren noch keine Folter. Dann übergab man
mich dem Platzadjutanten Trussow; er knotete die zwei
Enden seines Taschentuches zusammen, zog es mir über
108

den Kopf und führte mich in den Alexejewskischen Ravelin. Als ich über die Zugbrücke fuhr, fielen mir die berühmten Verse ein: „Laßt jede Hoffnung, ihr, die ihr hier eintretet!" Man sagte, daß in diesem Ravelin[9]) nur die „Vergessenen" säßen, und daß nie jemand wieder herauskäme. Die zum Kommando des Alexejewskischen Ravelin gehörigen Soldaten hoben mich aus dem Schlitten und führten mich in Nr. I. Dort sah ich den Hauptchef des Ravelins, einen 70 jährigen Greis, der dem Kaiser direkt unterstellt war. Man nahm mir die Fesseln ab, kleidete mich aus und zog mir ein dickes zerlumptes Hemd und ebensolche Beinkleider an; dann kniete der Kommandant vor mir nieder und legte mir die abgenommenen Fesseln wieder an, nachdem er die Handfesseln mit einem Lappen umwickelt hatte und fragte mich, ob ich so schreiben könnte. Ich sagte, daß ich es könnte. Darauf wünschte mir der Kommandant eine gute Nacht und sagte: „Gottes Gnade rettet uns alle." Alle gingen heraus, die Tür schloß sich hinter ihnen und der Schlüssel wurde zweimal herumgedreht.

Das Zimmer, in welchem ich saß, war 6 Fuß lang und 4 Fuß breit. Die Wände waren noch von der Überschwemmung im Jahre 1824 mit Flecken bedeckt; das Fensterglas war mit weißer Farbe angestrichen und von innen stark vergittert. In der Ecke beim Fenster stand ein Bett mit einer Matratze und einer baumwollenen Krankenhausdecke. Neben dem Bett stand ein Tischchen mit einem Krug Wasser — in den Krug waren die Buchstaben A. B. eingeritzt. In der anderen Ecke, dem Bett gegenüber stand der Nachtstuhl. Außerdem waren noch zwei Stühle vorhanden; auf einem derselben stand die Nachtlampe. Als ich allein geblieben war, war ich ganz

[9]) Ravelin ist ein Bestigungswerk vor der Kurtine und zum Schutz derselben, in der Regel flaschen- oder lünettenförmig, ursprünglich auch halbrund erbaut.

109

Jakuschkin

glücklich. Die Folter war diesesmal an mir vorübergegangen, ich hatte Zeit, mich zu sammeln und fragte mich sogar, was man eigentlich durch die Ketten, die, wie ich später erfuhr, 22 Pfund wogen, bei mir erreichen wollte. Um 9 brachte man mir das Abendessen. Der Soldat, der das Amt des Haushofmeisters versah, grüßte mich jedesmal sehr höflich. Da ich mehr als zweimal 24 Stunden nicht gegessen hatte, so verzehrte ich die Kohlsuppe mit großem Vergnügen. Ich konnte nicht im Zimmer auf und nieder gehen, weil es sehr unbequem war, sich mit den schweren Ketten zu bewegen, außerdem fürchtete ich auch, daß das Klirren der Ketten einen unangenehmen Eindruck auf meine Nachbarn machen würde. Ich legte mich schlafen und würde sehr ruhig geschlafen haben, wenn mich die Handfesseln nicht manchmal geweckt hätten.

8. Kapitel
Im Alexejewskischen Ravelin

Am anderen Tage erschien, nach der im Ravelin üblichen Ordnung, frühmorgens der Kommandant in Begleitung eines Unteroffiziers und eines Gefreiten. Er informierte sich über meine Gesundheit und ging dann weiter durch die Kasematten. Ich blieb den ganzen Morgen auf meinem Bette liegen; um 12 Uhr hörte ich Schritte sich meiner Tür nähern, dann wurde fast flüsternd gefragt: „Wer sitzt hier?" Auf diese Frage wurde geantwortet: „Dmitriew." Die Tür öffnete sich, und der große, alte, schneeweiße Protopope vom Peter-Paulsdom, Stachii, trat herein. Ich saß auf meinem Bett. Er nahm sich einen Stuhl, sagte etwas über meine traurige Lage und fügte hinzu, daß der Kaiser ihn zu mir schickte. Dann begann ein feierliches Verhör und eine Vermahnung:

„Sind Sie auch jedes Jahr zur Beichte und zum heiligen Abendmahl gegangen?"

„Ich bin seit 15 Jahren nicht zur Beichte und zum Abendmahl gegangen."

„Sie waren natürlich durch Ihre dienstlichen Obliegenheiten so in Anspruch genommen, daß Sie keine Zeit hatten, diese Christenpflicht zu erfüllen?"

„Ich bin schon seit 8 Jahren außer Dienst. Ich bin nicht zur Beichte und zum Abendmahl gegangen, weil es für mich eine leere Zeremonie gewesen wäre; ich weiß, daß man in Rußland mehr Duldsamkeit gegen religiöse Anschauungen bezeigt, als in anderen Ländern: mit einem Wort, ich bin kein Christ."

111

Jakuschkin

Stachii ermahnte mich so gut er es verstand und wies mich schließlich auf das hin, was mich in jener Welt erwartete.

„Wenn Sie an die göttliche Barmherzigkeit glauben, so müssen Sie doch überzeugt sein, daß uns allen vergeben wird: Ihnen und mir, und meinen Richtern," erwiderte ich ihm.

Dieser Alte war ein guter Mensch; er weinte und sagte, daß es ihm sehr leid täte, mir nicht nützlich sein zu können. Damit endete unsere Unterredung. Stachii ging heraus. Meine Phantasie arbeitete immer lebhafter und steigerte sich mit der Zeit bis zu einer gewissen Exaltation; als Stachii erschienen war, hatte er mich an den Großinquisitor aus dem „Don Carlos" erinnert, nach unserer Unterredung wußte ich, daß er nur ein einfacher russischer Pope war. Nach seinem Fortgang brachte mir der Gefreite statt des Mittagessens mit seiner gewöhnlichen Höflichkeit ein Stück schwarzes Brot, und ich dankte ihm auch dafür ebenso höflich wie sonst. Dieser Tag verlief dann ohne weitere Begebenheiten.

Am Morgen des dritten Tages (am 16. Januar) kam der Adjutant vom Platze, Trussow, mit dem üblichen Gefolge zu mir. Außer dem Geistlichen mußten alle in Begleitung eines Gefreiten und eines Unteroffiziers die Kasematten besuchen. Trussow brachte mir eine Pfeife und Tabak. Als er durch mich erfuhr, daß sie nicht mein Eigentum war, nahm er sie wieder mit fort. Ich kam damals gar nicht darauf, daß das eine Art Prüfung sein sollte. Am Abend desselben Tages öffnete sich meine Tür ganz unerwartet, und der Protopope des Kasanskischen Doms, Myslowski, der noch größer war als Stachii, trat zu mir herein. Seine Begrüßung war eine ganz andere; er warf sich an meine Brust, umarmte mich zärtlich und bat mich, mein Los mit Geduld zu ertragen und daran zu

112

denken, wie sehr die Apostel und die ersten Kirchenväter hätten leiden müssen.

„Väterchen," fragte ich ihn, „sind Sie im Auftrage der Regierung gekommen?"

Das machte ihn etwas stutzig.

„Natürlich, ohne Erlaubnis der Regierung kann ich Sie nicht besuchen," antwortete er, „aber in Ihrer Lage würden Sie sich wahrscheinlich sogar darüber freuen, wenn ein Hund zu Ihnen gelaufen käme, und darum dachte ich, daß mein Besuch Ihnen nicht störend sein würde."

„Natürlich kann mir, in meiner Lage, der Besuch eines Menschen, der kommt, um sich mit mir zu unterhalten, nur sehr willkommen sein; aber Sie sind Geistlicher, und darum halte ich es für meine Pflicht, gleich beim Anfang unserer Bekanntschaft offen mit Ihnen zu sprechen. Als Geistlicher können Sie mir keinerlei Trost bringen, während Ihre Besuche für einige meiner Gefährten gewiß sehr trostreich sein könnten. Sie können ihnen ihr schweres Los leichter machen."

„Es ist nicht meine Sache, was Sie glauben," antwortete Myslowski; „ich weiß nur, daß Sie leiden und würde glücklich sein, wenn meine Besuche — nicht die des Geistlichen, sondern die des Menschen — Ihnen nur ein wenig Freude machten."

Nach dieser Erklärung gab ich ihm die Hand und dankte ihm.

Er kam dann jeden Tag zu mir, und in unseren Gesprächen war niemals von Religion die Rede. Myslowski verkehrte sehr einfach und ohne die geringsten Phrasen mit mir. Da er stets zu Fuß vom Kasanskischen Dom herkam und viele Kasematten besuchte, aß er oft mit großem Appetit ein Stück Brot und trank schönes Newawasser dazu, das wir später „unseren Champagner" tauften.

Am siebenten Tage meiner Anwesenheit im Ravelin

hörte ich deutlich die Schritte zweier Menschen, die sich meiner Tür näherten. In der Tür befand sich ein kleines Glasfensterchen, das von innen stark vergittert, von außen mit einem grünen Flanellsack verhängt war. Die Schildwachen gingen gewöhnlich in Filzschuhen zu dem Fensterchen und schoben den Sack nur ganz wenig zurück, so daß man in der Zelle ihre Annäherung und ihr Hineinsehen fast niemals bemerkte. Aber dieses Mal wurde der Sack ganz fort genommen, und ich konnte deutlich den unteren Teil des Gesichtes von Lewaschew erkennen und hören, wie er französisch zu jemand sagte: „Dieser hat Fesseln an Händen und Füßen." Man sagte mir später, daß der andere der Zar gewesen wäre; das ist nicht sehr wahrscheinlich, aber möglicherweise war es der Großfürst Michail Pawlowitsch. An demselben Abend hörte ich, etwa drei Nummern entfernt von mir, ein gegen die gewöhnliche Stille im Ravelin stark abstechendes, anhaltendes Geräusch. Ich erfuhr dann durch Myslowski, daß man in dieser Nacht den unglücklichen, halb verrückten und halb toten Bulatow aus dem Ravelin fortgebracht hätte. Weder freundliches Zureden noch Drohungen hatten ihn vermocht, im Verlauf von 8 Tagen das geringste zu sich zu nehmen. Man brachte ihn in das Hospital, wo er am zweiten oder dritten Tage starb. Vor seinem Tode erlaubte man ihm noch einmal, seine beiden kleinen, leidenschaftlich geliebten Töchter wiederzusehen. Die Kinder erkannten ihn nicht wieder und rannten voller Entsetzen fort.

Am andern Tag kam abends, nachdem schon alle Türen abgeschlossen worden waren, der Gefreite zu mir und gab mir eine Semmel aus feinstem Weizenmehl; er bat mich im Namen des Offiziers, sie unverzüglich ganz aufzuessen; wenn man am anderen Morgen noch ein Stückchen von ihr finden würde, so würde es dem Offizier

114

vielleicht schlecht bekommen. Ich bat den Gefreiten, die Semmel wieder mitzunehmen, aber er legte sie auf den Tisch und ging fort. Mir blieb also nichts anderes übrig, als sie zu verzehren, obgleich ich gar keine Lust hatte zu essen. Die Folge dieser Liebenswürdigkeit des Offiziers war, daß ich entsetzliche Magenkrämpfe bekam; ich stöhnte die ganze Nacht, und erst am Morgen hatte ich starkes Erbrechen und fühlte mich danach etwas besser.

Zur gewöhnlichen, morgendlichen Besuchsstunde erschien der Festungsarzt, um sich nach meinem Befinden zu erkundigen. Ich sagte ihm, daß ich Magenkrämpfe gehabt hätte, mich jetzt aber schon besser fühlte. Darauf riet er mir, mich trockener Speisen zu enthalten, und ich antwortete ihm, daß ich mein Brot immer mit Wasser anfeuchtete. Nach zwei Stunden erschien der Kommandant der Peter-Paulsfestung Sukin bei mir; er drückte mir sein heißes Bedauern über meine Lage aus und bat mich, mit Tränen in den Augen, doch selbst Mitleid mit mir zu haben und die Namen meiner Gefährten zu nennen. Ich antwortete ihm, daß ich weder um seinet-, noch um irgend eines Menschen willen die Namen nennen würde. Die Tränen des Alten rührten mich aber, und es tat mir leid, daß ich ihm nicht gefällig sein konnte. Er sprach des Langen und Breiten darüber, was für einen guten Zaren wir hätten und nannte ihn sogar einen Engel. Ich antwortete ihm: „Gebe Gott, daß das wahr wäre!"

„Sie stifteten Unheil an," sagte er, „ein so großes Land wie Rußland kann nur durch einen alleinherrschenden Zaren regiert werden. Wenn Ihnen der Anschlag vom 14. Dezember geglückt wäre, so wären ihm nur Unruhen gefolgt, und nach etwa 10 Jahren wäre alles wieder beim Alten gewesen."

„Wir haben auch niemals geglaubt, daß wir alles mit einemmal ändern könnten," erwiderte ich ihm.

8* 115

114

Jakuschkin

Ich saß während unserer Unterredung auf meinem Bett, indes der Alte mit seinem Holzfuß vor mir stand. Nachdem er ausgeredet hatte, sagte er: „Nun, trotz Ihres Eigensinnes werde ich anordnen, daß man Ihnen Mittagessen gibt. Und weil Sie so lange keine Fleischspeisen gehabt haben, werde ich befehlen, daß man Ihnen erst Tee bringt." Ich sagte ihm, daß das gar nicht nötig wäre, aber er hörte nicht auf mich und wiederholte noch einmal, daß er befehlen würde, mir Tee und Mittagessen zu bringen. Man brachte mir tatsächlich sehr dünnen Tee und Kohlsuppe mit Rindfleisch, aber ich konnte fast nichts davon essen. Als Myslowski am Abend zu mir kam, erzählte ich ihm von dem Besuch des Kommandanten und lobte ihn als einen sehr guten Menschen. Myslowski bemerkte darauf, daß die Güte des Kommandanten gegen mich hauptsächlich von dem Wunsch diktiert wäre, daß ich nicht infolge des Fastens sterben sollte, wie Bulatow vor Hunger gestorben wäre. Die Mitglieder der Untersuchungskommission wären sehr besorgt, daß keiner von den Angeklagten vor Schluß der Verhandlung stürbe.

Ich begriff, daß diese Worte viel Wahres enthielten.

Am anderen Tage erschien Trussow bei mir und erklärte mir im Namen des Kommandanten: ich wäre so eigensinnig, daß Seine Exzellenz nie wieder zu mir kommen könnte.

Ich dachte oft an meine Frau und an meinen Sohn, aber da diese Gedanken in meiner Lage nicht sehr trostvoll waren, so versuchte ich sie mir möglichst fernzuhalten.

In den ersten Tagen des Februar brachte Trussow mir einen Brief von meiner Frau, in dem sie mir mitteilte, daß sie glücklich von einem Sohn entbunden wäre, und daß sie und die Kinder gesund wären. Als ich den Brief las, verlor ich fast den Verstand; ich war so glücklich, daß ich an die Tür stürzte, sie mit den Fäusten bearbeitete und ver-
116

8. Kapitel

langte, den Offizier zu sprechen. Ich hatte die Absicht, Tinte, Papier und Feder zu erbitten, um in meinem Glück dem Zaren meine aufrichtige Dankbarkeit dafür auszusprechen, daß ich den Brief hatte bekommen dürfen. Zu der Zeit war kein Offizier im Ravelin, und mein Brief blieb ungeschrieben. Ich wurde ganz ruhig, und da ich jetzt nicht mehr den Gedanken an meine Familie zu scheuen brauchte, so hielt ich mich für den glücklichsten Menschen in Petersburg. Nach dem Abendbrot konnte ich lange nicht einschlafen; ich war gerade eingedämmert, als die Tür mit Geräusch geöffnet wurde und Trussow mit dem üblichen Gefolge bei mir erschien. Man brachte mir meine eigenen Kleider und meinen Pelz und nahm mir die Fesseln ab. Als ich umgekleidet war, wurden mir die Fesseln wieder angelegt. Trussow nahm dem Unteroffizier die vier Schlüssel zu meinem Schloß ab. Auf seinen Rat machte ich aus meinem Taschentuch eine Binde, mit der ich die Fußketten hielt. Trussow warf mir sein Taschentuch über den Kopf und führte mich zum Hause des Kommandanten. Dort empfing mich jemand aus seiner Hand und setzte mich hinter einen Schirm. Trotz Schirm und Tuch sah ich, daß ein Diener eine Schüssel in ein Nebenzimmer trug. Gegen Mitternacht nahm mich jemand an der Hand und führte mich in das Zimmer, in dem vorher zu Abend gegessen worden war. In diesem Zimmer konnte ich durch mein Tuch nichts sehen als eine Menge Kerzen und Tische, an denen Leute saßen und schrieben. Aus diesem Zimmer wurde ich in einen großen Saal geführt, der auch sehr hell erleuchtet war. Man ließ meine Hand los, ich blieb stehen — und man nahm mir das Tuch ab. Ich stand in der Mitte des Zimmers, zehn Schritte vor mir stand ein mit rotem Tuch bezogener Tisch. Am äußersten Ende des Tisches saß der Vorsitzende der Untersuchungskommission Tatischtschew, in einer Reihe mit ihm saß

117

Jakuschkin

der Großfürst Michail Pawlowitsch; an der Seite von Tatischtschew saßen Fürst Galizin (Alexander Nikolajewitsch)
und Diebitsch; der dritte Stuhl war leer (er war für Lewaschew), der vierte war von Tschernüscheff eingenommen. An der anderen Seite des Tisches, neben dem
Großfürsten, saßen Galenitschew-Kutusow, dann Benkendorff, Potapow und der Flügeladjutant Oberst Adlerberg.
Der letzere war nicht Mitglied der Kommission, er schrieb
nur alles irgendwie Wichtige auf, um dem Kaiser gleich
über den Gang der Verhandlung Mitteilung zu machen.
Als man mir das Tuch abgenommen hatte, herrschte eine
Minute lang Schweigen im Zimmer. Dann winkte mir
Tschernüscheff mit der Hand und sagte mit feierlichem
Ton: „Treten Sie näher." Ich ging zum Tische, und das
Klirren meiner Ketten tönte in die Stille hinein. Dann
begann wieder ein formelles Verhör.

Tschernüscheff fragte mich, ob ich jedes Jahr zu
Beichte und Abendmahl gegangen wäre. Ich antwortete
ihm dasselbe, was ich Stachii geantwortet hatte.

„Haben Sie dem Kaiser Nikolai Pawlowitsch den Eid
geschworen?"

„Nein, ich habe nicht geschworen."

„Warum haben Sie nicht geschworen?"

„Ich habe nicht geschworen, weil der Schwur mit
Zeremonien und Beteuerungen verbunden ist, die ich für
mich als unschicklich erachte, um so mehr, als ich an die
Heiligkeit derartiger Beteuerungen nicht glaube."

Erst bei meinem Erscheinen vor dem Komitee begriff
ich, daß man mir durch Übersendung des Briefes meiner
Frau eine Falle hatte stellen wollen; ich sah die Mitglieder der Kommission mit einem gewissen Widerwillen an.

Tschernüscheff bat mich, die Mitglieder der Geheimen
Gesellschaft zu nennen, aber ich antwortete ihm dasselbe,
was ich Lewaschew gesagt hatte.

118

„Was kann Sie nur veranlassen, sich bei dieser Gelegenheit so eigensinnig zu zeigen?" fragte Tschernüscheff.

„Ich habe schon gesagt, daß ich mein Wort gegeben habe, keinen zu nennen."

„Sie wollen Ihre Gefährten retten, aber das wird Ihnen nicht gelingen."

„Wenn ich jemand retten wollte, so würde ich wahrscheinlich auch darauf bedacht sein, mich selbst zu retten und würde dem General Lewaschew nicht erzählt haben, was ich ihm erzählt habe."

„Sich selbst können Sie nicht retten, mein Herr. Das Komitee muß Ihnen erklären, daß es Ihnen nur Gelegenheit zu geben wünscht, durch Nennung der Namen Ihrer Gefährten Ihr Schicksal zu erleichtern. Da Sie so eigensinnig sind, wird das Komitee selbst Ihnen die Namen der Mitglieder nennen, die an der Versammlung im Jahre 1818, in der beschlossen wurde, den verstorbenen Kaiser zu ermorden, teilgenommen haben. Dort waren: Alexander, Nikita, Sergei und Matwjei Murawiew, Lunin, von Wisin und Schachowski. Einige Ihrer Gefährten bezeugen, daß das Los, den Kaiser zu töten, auf Sie fiel, andere sagen, daß Sie sich selbst dazu meldeten."[10])

„Das letzte ist wahr, ich meldete mich selbst."

„Wie entsetzlich, eine mit so viel Sündhaftigkeit belastete Seele zu haben! Ist ein Geistlicher bei Ihnen gewesen?"

„Ja, der Geistliche ist bei mir gewesen."

---

[10]) In dem Bericht war gesagt, daß ich mich zu dem Attentat meldete, weil ich unter einer unglücklichen Liebe litt. Ich habe allen Grund anzunehmen, daß Nikita Murawiew das aussagte, weil er hoffte, durch diese sentimentale Phrase meine Schuld in den Augen des Komitees zu verringern. Wenn ich ihn später danach fragte, lachte er jedesmal und suchte sich scherzend, ohne Antwort auf meine Frage, aus der Affäre zu ziehen.

119

Jakuschkin

Kutusow[11]), der bis dahin geschlummert hatte, er-
wachte in diesem Augenblick; er war noch ganz ver-
schlafen, wußte nur halb, wovon die Rede war, und rief
aus: „Wie, er wollte nicht einmal den Popen bei sich einlassen?"

Galizin beruhigte ihn und sagte ihm, daß ein Geistlicher bei mir gewesen wäre.

Als ich auf die Frage eines der Kommissionsmitglieder
antwortete, daß ich durchaus kein rechtgläubiger Christ
wäre, rief Diebitsch (ein Lutheraner) aus: „Wir sind doch
nicht klüger als unsere Vorfahren; wir sollen doch glauben
und handeln, wie unsere Väter geglaubt und gehandelt
haben."

„Anfänglich waren Sie doch eines der eifrigsten Mitglieder der Gesellschaft," setzte Tschernüscheff das Verhör fort, „was veranlaßte Sie, sich dann von der Gesellschaft zu entfernen?"

„Auf einen uns alle sehr aufregenden Brief von Trubetzkoi und auf die allgemeine Meinung hin, daß Rußland
nicht unglücklicher sein könnte, als unter der Regierung des
Kaisers Alexander, erklärte ich, daß in diesem Falle jeder
für sich nach seinem eigenen Gewissen und nicht als
Mitglied der Gesellschaft handeln müßte und sagte, daß
ich entschlossen wäre, den Kaiser zu töten. An dem Abend,
an dem die Versammlung stattfand, widersetzte sich niemand meinem Vorhaben; am folgenden Abend versammelten sich dieselben Mitglieder wieder und beschworen mich,
von meinem Vorhaben abzustehen; ich sagte ihnen, daß
sie kein Recht hätten, mich an meinem Vorhaben zu hin-
dern, da ich vollständig unabhängig von der Geheimen
Gesellschaft handeln wollte; ich würde auf jeden Fall

---

[11]) Dieser Kutusow ist nicht mit dem berühmten russischen
Feldherrn aus dem Anfang des 19. Jahrhunderts zu verwechseln,
da dieser bereits 1813 starb.

120

119

meinen Plan, den sie gestern selbst gutgeheißen hätten, ausführen. Nach hartnäckigen, mehrfach wiederholten Bitten, meinen Plan aufzugeben, der uns — ihrer Ansicht nach — alle verderben konnte, willigte ich ein, zugleich aber sagte ich, daß ich der Geheimen Gesellschaft nicht mehr angehören wollte, weil sie mich gestern entweder zu dem schrecklichen Verbrechen aufgereizt hätten, oder . . ."

„War nicht einer da," fragte Tschernüscheff, „der Ihnen von Anfang an Ihr Vorhaben auszureden versuchte?"

„Jawohl, Michail von Wisin, mit dem ich zusammen lebte, versuchte die ganze Nacht, mich von meinem Plan abzubringen." — Ich nannte von Wisin in der Annahme, daß meine Aussage ihm nützlich sein könnte.

Nach Beendigung dieses Verhörs fiel mir die Folter wieder ein, und ich war fast überzeugt, daß sie mir dieses Mal nicht erspart bleiben würde; zu meinem größten Erstaunen sah ich, daß Tschernüscheff, der mich während des Verhörs sehr drohend angesehen hatte, den Großfürsten Michail Pawlowitsch anlachte und mir dann ziemlich milde sagte, daß man mir schriftlich Fragen stellen würde, die ich auch schriftlich zu beantworten hätte.

Dann band man mir wieder die Augen zu und führte mich in den Ravelin zurück.

9. Kapitel
Erneute Verhöre und Verurteilung

Am andern Morgen brachte mir Trussow die schriftlichen Fragen vom Komitee. Es waren dieselben Fragen, die man mir am Abend vorher mündlich gestellt hatte. Dann war wieder Ruhe. Ich wußte genau, daß man mich ungestört lassen würde, bis ich die Fragen beantwortet hatte. Man gab mir Feder und Tinte, und ich schrieb sehr langsam — fast zehn Tage lang — an der Beantwortung der Fragen. Trussow kam in dieser Zeit einige Male zu mir, um zu fragen, ob ich noch nicht fertig wäre. Ich antwortete auf alle Fragen genau dasselbe, was ich dem Komitee geantwortet hatte; als ich an die Frage kam, wer mir von den Mitgliedern der Geheimen Gesellschaft bekannt wäre, verfiel ich in Nachdenken. Außer den Personen, die mir das Komitee selbst genannt hatte, hätte ich nur noch sehr wenige nennen können. Wenn ich diese Wenigen nannte, setzte ich sie kaum einer Gefahr aus, weil einige von ihnen im Auslande lebten und die anderen zu wenig Anteil an dem Wirken der Gesellschaft genommen hatten. Ich kam mir wie Don Quichote vor, der mit entblößtem Schwerte auf den Löwen losging; als der Löwe ihn kommen sah, gähnte er, wandte sich um und legte sich ruhig hin. Dann dachte ich an meine Familie! Ich machte mir vielleicht aus leerer Ruhmsucht eine Wiedervereinigung mit ihr unmöglich. In dieser Zeit besuchte mich Myslowski täglich; wir traten uns sehr nahe, und er brachte mir Briefe von den Meinen. Er war von der Regierung als Kundschafter zu uns geschickt worden und
122

ging auf unsere Seite über. Zuerst weigerte ich mich entschieden, die von ihm gebrachten Briefe zu lesen, weil ich fürchtete, daß für ihn Unheil daraus entstehen könnte; aber er war sehr beleidigt darüber und sagte mir, daß er es niemals für ein Verbrechen ansehen würde, seinem Nächsten in einer solchen Lage zu dienen. Er handelte bei diesen Gelegenheiten so geschickt und entschlossen, daß ich mich schließlich seinetwegen beruhigte und durch ihn mit den Meinen korrespondierte. Da ich nicht wußte, ob ich die Namen der mir bekannten Mitglieder nennen sollte oder nicht, fragte ich Myslowski um Rat. Man hätte glauben können, daß er nur auf diese Frage gewartet hätte. Er antwortete mir mit einer gewissen Feierlichkeit, daß ich mich in dieser Sache nicht ganz adelig benähme und daß ich mit meinem Eigensinn nur den Gang der Verhandlung verzögerte. Ich konnte ihm darauf nur antworten: „So sind Sie also auch gegen mich, Väterchen? Das hatte ich nicht von Ihnen erwartet." Bei diesen Worten stürzte er auf mich zu, umarmte mich und sagte: „Lieber Freund, handeln Sie nach Ihrem Gewissen und so, wie Gott es Ihnen eingibt!"

Ich schickte schließlich meine Antwort ab, ohne jemand zu nennen; aber ich fühlte selbst, daß meine frühere Absicht, keinen zu nennen, sich mit jeder Stunde abschwächte. Gefangenschaft, Ketten und Folter geistiger Art taten ihre Wirkung, sie übten einen verderblichen Einfluß auf mich aus. Ich hatte eine ganze Reihe Kämpfe mit mir zu bestehen und erdachte immer neue Sophismen. Ich bemühte mich, mir selbst zu beweisen, daß ich durch Nennung der mir bekannten Mitglieder der Geheimen Gesellschaft keinem schaden, aber vielen durch meine Aussage nützlich sein könnte.

Da ich mein Schreiben, in dem ich keinen genannt hatte, schon abgeschickt hatte, so verlangte ich am anderen

123

Tage Feder und Papier. Ich schrieb an das Komitee, ich wäre zu der Überzeugung gekommen, daß ich durch mein Schweigen mich selbst der Möglichkeit beraubte, denen nützlich zu sein, die sich vielleicht auf eine Rechtfertigung durch mich verließen! Das war der erste Schritt zum moralischen Niedergang.

Ich erhielt natürlich sofort die Fragen über den betreffenden Punkt, über den ich solange Auskunft verweigert hatte, zurück. Ich nannte die Personen, die mir das Komitee selbst genannt hatte und außerdem noch zwei: den General Passek, den ich selbst in die Gesellschaft aufgenommen hatte und P. Tschadajew. Der erste war im Jahre 1825 gestorben, der zweite war im Auslande. Für beide war das Gericht also nicht zu fürchten.

Danach blieb ich lange Zeit in Vergessenheit. Die Zeit der großen Fasten kam; man fragte mich, ob ich Fasten- oder Fleischspeisen essen wollte. Ich sagte, daß mir alles gleich wäre, und so erhielt ich während der ganzen Fasten Kohlsuppe mit Löffelstinten. Myslowski besuchte mich wie immer und führte niemals religiöse Gespräche mit mir. Eines Tages sprach ich ihm meine Verwunderung darüber aus, daß die Regierung von keinem eine rechtgläubige Beichte verlange. Myslowski erwiderte mir, daß die Regierung nichts direkt verlangte, daß aber viele Rechtgläubig-Getaufte, die sich später als nicht gläubig erwiesen hätten, nach Solowki oder in andere Klöster geschickt worden wären und dort eingeschlossen gehalten würden.

Mit diesen Worten öffnete mir Myslowski noch einen neuen Weg der Verführung. Ich dachte lange darüber nach und kam zu dem Schlusse, daß die Regierung, wenn sie von den Rechtgläubigen forderte, daß sie Rechtgläubige blieben, auch nur eine Beobachtung der Formen verlangte. In der sechsten Fastenwoche sagte ich Myslowski, daß ich
124

beichten und das Abendmahl nehmen wollte. „Lieber Freund," antwortete er mir, „ich wollte Ihnen das schon lange vorschlagen, aber da ich Sie kenne, wagte ich es nicht." Wir machten aus, daß er am Palmsonntag mit den Sakramenten zu mir kommen sollte, und er erschien an diesem Tage in der Tat im Epitrachilion.[12]) Er wollte mit den üblichen Zeremonien beginnen, aber ich sagte ihm, daß er ja meine Meinung in dieser Hinsicht kennte. So ließ er alle Formalitäten beiseite und fragte mich nur, ob ich an Gott glaubte. Ich antwortete bejahend. Darauf murmelte er irgendein Gebet vor sich hin und gab mir das heilige Abendmahl.

Später erfuhr ich, daß dieser Tag für den Kasanskischen Protopopen ein Tag von großer Feierlichkeit gewesen wäre. In meiner Kasematte gab er sich als der einfachste, verständigste und beste Mensch, aber sobald er außerhalb der Festungsmauern war, führte er seine Sache nicht ohne Nutzen für sich selbst. Er war nicht frei von Ruhmsucht und erzählte allen, daß er den hartnäckigsten Atheisten zum Christentum bekehrt hätte.

Am Palmsonntag, abends um 10 Uhr, als ich schon im Einschlafen war, kam der Platzmajor Poduschkin mit dem üblichen Gefolge zu mir. Er zog ein Schriftstück hervor und verlas vor allen Anwesenden, daß der Kaiser befohlen hätte, mir die Fesseln abzunehmen. Man nahm mir die Fußketten ab, und dann erklärte Poduschkin, daß ich die Handfesseln weiter tragen sollte. In der ersten Zeit war ich sehr unbehilflich ohne die Fußketten; ich war so entkräftet von dem langen Tragen der Ketten, daß mich die Handfesseln bisweilen ganz vornüber zogen. Am Oster-

---

[12]) E p i t r a c h i l i o n , ein zur Kleidung der griechisch-katholischen Priester gehöriges steifes, breites, mit Kreuzen besticktes Band von verschiedener Farbe. Es wird um den Hals getragen, beide Enden hängen bis über den Gürtel herab.

125

Jakuschkin

sonntag wiederholte sich der Besuch Poduschkins zu derselben Abendstunde; dieses Mal verlas er, daß der Kaiser
befohlen hätte, mir auch die Handfesseln abzunehmen.
Dann ließ man mich einen Monat lang in Ruhe. Die Zeit
kroch mit schrecklicher Langsamkeit dahin, aber es gab
auch freudige Augenblicke für mich. Als ich in Moskau
lebte, hatte meine Schwiegermutter N. N. Scheremetewa
von mir verlangt, daß ich jeden Sonntag bei ihrem Bruder
S. N. Tjutschew, dem Vater von F. S. Tjutschew und von
D. S. Tjutschewa, die mit Suschkow verheiratet war, zu
Mittag äße. Bei diesen Mittagessen hatte ich die lang-
weiligsten Stunden meines Lebens verbracht; aber ich hatte
hingehen müssen, weil meine Schwiegermutter sonst sehr
betrübt gewesen wäre. Wenn mir der Soldat an Sonn-
tagen meine Kohlsuppe brachte, dachte ich immer mit
Vergnügen daran, daß ich nicht bei Tjutschew zu Mittag
zu essen brauchte.

Im Monat Mai erhielt ich völlig unerwartet eine neue
Anfrage von dem Komitee. Ich sollte angeben, welcher Art
die Unterhaltung von Muchanow und Mitkow bei Empfang
der Nachrichten von den Vorgängen des 14. Dezember gewesen wäre. Ich geriet in die größte Verlegenheit. Muchanow hatte bei dieser Unterhaltung vorgeschlagen, nach
Petersburg zu gehen und den Kaiser zu töten. Ich konnte
nicht sagen, daß ich bei diesem Gespräch nicht zugegen
gewesen wäre; man hätte mir beweisen können, daß ich
log, und dann hätte man mir vielleicht ebensowenig geglaubt, wenn ich irgend etwas zugunsten Muchanows erzählt hätte. Ich hatte Muchanow nur das eine Mal bei
Michail Orlow getroffen, als er vorgeschlagen hatte, den
Kaiser zu töten. Michail Orlow hatte ihn, als er diesen
Vorschlag gemacht hatte, am Ohr ergriffen und ihn auf
die Stirn geküßt. Dann hatte Orlow mich gebeten, Muchanow bei Mitkow einzuführen.
126

9. Kapitel

Ich sah die einzige Möglichkeit, Muchanow zu retten, darin, daß ich meine Begegnung mit ihm beschrieb, ohne zu erwähnen, daß Orlow Muchanow geküßt hatte. Ich schrieb, daß ich nach Muchanows Worten überzeugt gewesen wäre, daß er niemals der geheimen Gesellschaft angehört hätte, und daß ich ihn deshalb nicht genannt hätte; seine prahlerische Aufforderung, nach Petersburg zu gehen, hätten alle Anwesenden als leeres Geschwätz aufgefaßt, und keiner hätte derselben die geringste Aufmerksamkeit geschenkt. Als ich diese Antwort an das Komitee abgeschickt hatte, erfaßte mich noch größere Unruhe. Ich fühlte, daß ich vielleicht die, wenn auch unschuldige, Ursache zu Muchanows völligem Verderben werden könnte. Ich befand mich in einer entsetzlichen Lage; es waren die schrecklichsten Augenblicke in all den Jahren meiner Einkerkerung. Ich entschloß mich, an den Kaiser zu schreiben und ihm im Briefe alles zu erzählen, was ich dem Komitee geantwortet hatte, und ihm zu beschreiben, auf welche Weise Muchanow durch mich zu Mitkow gekommen wäre. Ich bat, mir die strengste Strafe aufzuerlegen, aber Muchanow, der nur mit leerem Geschwätz teilgenommen hätte, nicht zur Verantwortung zu ziehen.[13])

Am anderen Tage führte man mich vor das Komitee. Nur Tschernüscheff saß an dem roten Tisch. Er verlas mir feierlich das nicht von meiner Hand geschriebene Zeugnis, in dem noch mehr zugunsten Michail Orlows gesagt war, als ich gesagt hatte. Dann fragte er mich, ob ich bereit wäre, mein Zeugnis zu beschwören. Ich antwortete, daß ich es beschwören könnte.

„Es ist Ihre heilige Pflicht, immer die Wahrheit zu sprechen," sagte er.

---

[13]) Ich weiß nicht sicher, ob dieser Brief gute Folgen für Muchanow gehabt hat. Jedenfalls wurde seine Strafe, vielleicht unabhängig von meinem Brief, bedeutend gemildert. Jak.

127

126

Jakuschkin

Darauf führte man mich in ein anderes Zimmer, aus welchem ich das Gespräch Tschernüscheffs mit Muchanow hören konnte.

Das waren entsetzliche Augenblicke für mich. Ich wartete, wie auf die Folter, auf eine Konfrontierung mit Muchanow, und atmete erst wieder freier auf, als ich Muchanow bei Verlesung meines Zeugnisses sagen hörte: „Ich leugne nicht, daß ich den Unsinn gesagt habe, aber ich hatte nie die Absicht, das Verbrechen zu begehen."

Ich wurde in den Ravelin zurückgeführt, und dann ließ man mich bis zum Schlusse der Verhandlungen in Ruhe.

Als die Untersuchungskommission dem Kaiser ihren Bericht unterbreitet hatte, wurde die ganze Sache an den oberen Gerichtshof weiter gegeben.

Während dieser Zeit wurde mir ein Wiedersehen mit N. N. Scheremetewa und dann mit meiner Frau und meinen Söhnen gestattet. Mit Eintritt des Sommers wurde allen im Ravelin Gefangenen erlaubt, nach der Reihe in dem kleinen dreieckigen Gärtchen spazieren zu gehen, das sich innerhalb des Ravelins befindet. In diesem Garten ist ein Grab. Nach Gefängnisüberlieferung soll hier die Fürstin Tarakanowa, die Tochter der Kaiserin Elisabeth Petrownas und Rasumowskis, die verräterischerweise von dem Grafen Alexei Grigorewitsch Orlow aus Italien fortgeführt wurde, begraben sein. Bei ihrer Anwesenheit in Rußland wurde die Fürstin Tarakanowa[14]) in den Ravelin eingekerkert; sie

---

[14]) Fürstin Tarakanowa, Tochter aus der morganatischen Ehe der Kaiserin Elisabeth Petrowna mit Rasumowski. Sie war 1744 geboren, empfing ihre Erziehung im Auslande, wurde 1785 mit Gewalt zurückgebracht und in ein Kloster gesteckt, in dem sie 1810 starb. Die in den Memoiren erwähnte Fürstin Tarakanowa ist eine Abenteurerin, die sich als Tochter Elisabeths ausgab; sie lebte im Auslande, wurde 1775 im Mai mit Gewalt zurückgebracht und starb im Dezember 1775 an der Schwindsucht. Da niemand
128   ᛁ

ertrank in der Kasematte bei der Überschwemmung der siebziger Jahre.[15])

Anfang Juli führte man mich in das Haus des Kommandanten. Ich wußte schon durch Myslowski, daß man uns zur Bezeugung aller unserer Aussagen vor das obere Kriminalgericht stellen würde. Man führte mich in ein kleines Zimmer, wo hinter dem Tisch auf dem Präsidentenplatz der ehemalige Minister des Innern, Fürst Al. Bor. Kurakin, saß; rechts und links von ihm saßen sechs Männer, Mitglieder des Gerichts. Benkendorff war als Deputierter des Komitees anwesend. Senator Baranow forderte mich sehr höflich auf, die vor ihm liegenden Papiere mit durchzusehen, und fragte mich, ob das mein Zeugnis wäre. Es war unmöglich, in so kurzer Zeit alle diese Schriftstücke durchzulesen, und ich begriff sehr gut, daß man mich deshalb nicht hergerufen hatte. In ein- oder höchstens zweimal 24 Stunden mußten 121 Verurteilte ihre Aussagen und Aktenstücke beglaubigen. Ich durchblätterte einige Schriftstücke, die Baranow nicht einmal aus der Hand gab, und erkannte auf einigen Seiten meine Handschrift, während andere mir völlig unbekannte Schriftzüge trugen. Baranow legte mir ein Papier zur Unterschrift vor, und ich unterschrieb, ohne es zu lesen. Das obere Kriminalgericht wollte bei dieser Gelegenheit nur die Form, oder wenigstens den Schatten der Form wahren, die die Gesetze vorschrieben.

Am 12. Juli um 1 Uhr führte man mich wieder in das Haus des Kommandanten. Ich war sehr erstaunt, daß Trussow, nachdem er mich in ein Durchgangszimmer geleitet hatte, fortging, und ich mich plötzlich Nikita und

bei ihrem Begräbnis zugegen war, hieß es, sie sei bei der Überschwemmung ertrunken, und es bildete sich ein ganzer Sagenkreis um ihre Person.

[15]) Überschwemmung in Petersburg im Jahre 1777.

Jakuschkin

Matwjei Murawiew und Wolkonski gegenübersah. Außerdem waren noch zwei mir unbekannte Personen anwesend. Der eine in Adjutantenuniform war Alexander Bestushew (Marlinski), der andere im lächerlichsten Anzug, den man sich denken kann, war Wilhelm Küchelbecker (der Herausgeber der Mnemosina). Er trug noch denselben Anzug, in dem man ihn bei seiner Ankunft in Warschau ergriffen hatte: einen ganz zerrissenen Schafpelz und abgenutzte Pelzstiefel. Das Wiedersehen mit den Murawiews — besonders die Unterhaltung mit Nikita — war ein großer Genuß für mich. Matwjei war der einzige von uns, der sehr niedergeschlagen war; er ahnte wohl, was seinem Bruder bevorstand. Ob ich selbst während der sechsmonatlichen Gefangenschaft sehr elend geworden war, konnte ich nicht beurteilen, aber ich war wahrhaft erschüttert von dem elenden Aussehen meiner Gefährten, ebenso wie von dem elenden Aussehen aller Gefangenen, die durch unser Zimmer geführt wurden. Bald darauf erschien Myslowski, nahm mich beiseite und sagte mir: „Sie werden Todesurteile hören, aber glauben Sie nicht, daß die Todesstrafe vollzogen werden wird."

Man ließ uns sechs einige Zeitlang in unserem Zimmer; dann kam Trussow und führte uns durch eine Reihe leerer Zimmer vor das obere Kriminalgericht.

Metropoliten, Erzbischöfe, Mitglieder des kaiserlichen Rates und Generale saßen am roten Tisch; hinter ihnen stand der Senat. Alle Gesichter waren den Angeklagten zugewandt. Uns sechs stellte man hintereinander auf. Der Justizminister, Fürst Lobanow, sorgte dafür, daß alles in der vorgeschriebenen Form vor sich ging.

Vor dem Tisch stand ein Pult, auf dem die Aktenstücke lagen.

Der Obersekretär, der ein sehr lächerliches Äußere hatte, rief zuerst unsere Namen auf, und als Küchelbecker
130

nicht gleich auf den Aufruf antwortete, schrie Lobanow
in befehlendem Tone: „Antworten Sie doch: ja! Antworten
Sie doch: ja!" Dann wurde das Urteil verlesen. Als in
der Zahl der zum Tode Verurteilten auch mein Name genannt wurde, erschien mir das ganze als eine lächerliche
Farce — und in der Tat wurde für uns sechs das Todesurteil in Verbannung und 20jährige Zwangsarbeit umgewandelt. Darauf führte man mich wieder in Nummer I
des Ravelins. Der Geistliche hatte mir seinen Besuch
versprochen, aber er kam nicht. Man hatte mich kaum ent-
kleidet, als schon der Festungsarzt erschien, um sich nach
meinem Befinden zu erkundigen. Ich sagte ihm, daß mir
ein Zahn etwas schmerzte; er wunderte sich sehr und ging
heraus. Man schickte ihn zu allen, die vor Gericht gewesen waren, damit er denen, die krank geworden wären,
als sie den Urteilsspruch vernommen hatten, Hilfe leisten
sollte.

Ich erhielt mein Abendessen früher als gewöhnlich
und schlief sofort fest ein. Um Mitternacht wurde ich
geweckt, angekleidet und auf die Brücke hinausgeführt, die
von dem Ravelin in die Festung führt. Hier traf ich wieder
mit Nikita Murawiew und einigen anderen Bekannten zusammen. Man führte die Verurteilten aus allen Kasematten
auf die Festung. Als wir alle versammelt waren, geleitete
uns eine Abteilung des Pawlowskischen Regimentes durch
die Festung zum Petrowskischen Tor. Beim Heraustreten
aus der Festung sahen wir links ein seltsames Gerüst
stehen. Es war eine Pritsche, über der sich zwei Pfähle
erhoben; über den Pfählen lag ein Querbrett, an dem
Stricke hingen. Ich erinnere mich noch, daß ein Mensch,
als wir vorbeigingen, einen Strick ergriff und sich daran
hing; aber ich glaubte den Worten Myslowskis, daß kein
Todesurteil vollzogen werden würde. Der größte Teil
der Verurteilten hatte dieselbe Zuversicht wie ich.

Jakuschkin

Im Kronwerk [16]) waren einige 20 Personen versammelt, die zum größten Teil den fremden Gesandtschaften angehörten. Man sagte, sie wären erstaunt gewesen, Menschen, denen in einer halben Stunde alles, woran man im Leben hängt, genommen werden sollte, so festen Schrittes und sich heiter unterhaltend, zur Richtstätte gehen zu sehen. Vor den Toren stellte man uns alle (mit Ausnahme derer, die Garde- und Marineuniformen trugen) mit dem Rücken gegen die Festung auf und verlas das allgemeine Urteil; die Soldaten sollten uns die Uniformen abnehmen und wir sollten niederknien. Ich stand am rechten Flügel, und die Exekution fing bei mir an. Der Degen, der über mir zerbrochen werden sollte, war schlecht angefeilt. Der Trainsoldat schlug ihn mir mit aller Macht auf den Kopf, aber er zerbrach nicht, und ich fiel hin. „Wenn du den Schlag noch einmal wiederholst, so wirst du mich tödlich treffen," sagte ich zu dem Trainsoldaten. In diesem Augenblick erblickte ich Kutusow, der einige Schritte von mir zu Pferde hielt, und ich sah, daß er lachte.

Alle Uniformen und Orden wurden auf hundert Schritte von uns entfernt stehende Scheiterhaufen geworfen.

Die Exekution war so früh beendigt, daß kein Mensch sie sah; vor der Festung war meistens kein Volk versammelt. Nach der Exekution führte man uns wieder in die Festung zurück, und mich wieder auf Nummer I des Ravelins. Der Gefreite, der mir das Essen brachte, sah ungewöhnlich blaß aus und flüsterte mir zu, daß in der Festung Entsetzen herrschte, weil man fünf von uns gehängt hätte. Ich lächelte dazu, weil ich ihm nicht glaubte, wartete aber mit Ungeduld auf Myslowski. Am Abend kam er endlich mit dem Abendmahlskelch in der Hand

---

[16]) K r o n w e r k nannte man ein Außenwerk alter Festungen wohl nach seiner Grundrißform. Bei mehr als zwei bastionierten Fronten hieß es „gekröntes Werk".

132

zu mir. Ich stürzte auf ihn zu und fragte ihn: „Ist es wahr,
daß Todesurteile vollstreckt worden sind?"

Er wollte mir mit einem Scherz antworten, aber ich
sagte ihm, daß dies kein Augenblick zum Scherzen wäre.
Er setzte sich auf einen Stuhl, preßte den Kelch krampfhaft
an die Lippen und schluchzte. Dann erzählte er mir den
ganzen traurigen Vorgang.

Nach der Verurteilung waren Pestel, Sergei Murawiew, Ryleieff, Michail Bestushew und Kakoffski in besondere Kasematten gebracht worden. Als die Schwester
Sergei Murawiews, Kat. Iw. Bibikowa, erfahren hatte, daß
ihr Bruder zum Tode verurteilt worden war, war sie nach
Zarskoje Sselo geeilt und hatte durch Diebitsch um die
Gnade eines Wiedersehens mit dem Bruder gebeten. Es
war ihr gestattet worden, ihn eine Stunde lang zu sehen.
Ihr Wiedersehen hatte im Hause des Kommandanten Sukin
und in seiner Gegenwart stattgefunden. Sergei Murawiew
war sehr ruhig gewesen und hatte die Schwester gebeten,
nicht in ihrer Sorge für den Bruder Matwjei nachzulassen.
Ihr Abschied für immer war nach den Worten Sukins
entsetzlich gewesen. Als Sergei Murawiew in die Kasematte zurückgekehrt war, war der Platzmajor Poduschkin
mit traurigem Gesicht zu ihm gekommen. Sergei Murawiew war ihm zuvorgekommen mit der Frage: „Sie wollen
mir natürlich Fesseln anlegen?" Poduschkin hatte Leute
gerufen, die ihm Fußketten angelegt hatten. Dasselbe hatte
man auch mit den vier Gefährten Sergei Murawiews gemacht. Alle, außer Michail Bestushew, der noch sehr
jung war und nicht sterben wollte, hatten vollständig ruhig
den Vorbereitungen für die Todesstrafe zugesehen. In der
Nacht war Myslowski mit den heiligen Sakramenten zu
ihnen gekommen. Außer Pestel, der Lutheraner war,
hatten alle das Abendmahl genommen. Als man uns nach
der Exekution in die Kasematten zurückgeführt hatte, hatte

133

man sie herausgeführt. Es war 2 Uhr nachts gewesen. Bestushew hatte nur mit äußerster Anstrengung gehen können, und Myslowski hatte ihn unter den Arm gefaßt. Als Sergei Murawiew Bestushew gesehen hatte, hatte er ihn um Verzeihung gebeten, daß er ihn mit in das Verderben gerissen hätte. Beim Galgen hatte Sergei Murawiew gebeten, noch einmal beten zu dürfen. Er war auf die Knie gefallen und hatte gebetet: „Gott rette Rußland und den Zaren." Vielen war dieses Gebet unbegreiflich erschienen, aber Sergei Murawiew war ein überzeugter Christ gewesen und hatte für den Zaren gebetet, so wie Christus am Kreuz für seine Feinde gebetet hatte. Dann war der Geistliche mit dem Kreuz zu jedem gegangen. Pestel hatte ihm gesagt: „Ich bitte Sie, mich für die weite Reise zu segnen, obgleich ich kein Rechtgläubiger bin." Als sie sich zum letztenmal verabschiedet hatten, hatten sie alle einander die Hände gereicht. Dann hatte man ihnen weiße Hemden angezogen, ihnen weiße Mützen über das Gesicht gestreift und ihnen die Hände zusammengebunden. Sergei Murawiew und Pestel hatten nachher noch einmal die Möglichkeit gefunden, sich die Hände zu reichen. Endlich hatte man sie auf die Pritsche gestellt und ihnen die Schlinge um den Hals gelegt. Der Geistliche, der die Stufen zum Gerüst herabgeschritten war, hatte sich in diesem Augenblick umgewandt und gesehen, wie Bestushew und Pestel am Strick gehangen hatten, indes die anderen drei heruntergefallen waren. Sergei Murawiew hatte sich sehr verletzt; er hatte den Fuß gebrochen und hatte nur noch ausrufen können: „Armes Rußland! Bei uns versteht man nicht einmal zu hängen!" Kakoffski hatte auf russisch geschimpft, Ryleieff hatte kein Wort gesagt. Das Unheil war geschehen, weil es eine halbe Stunde vor der Hinrichtung angefangen hatte zu regnen. Die Stricke waren durchnäßt worden, der Henker hatte die
134

9. Kapitel

Schlinge nicht genügend angezogen, und als man das
Brett, auf dem die Verurteilten standen, fortgezogen hatte,
hatten sich die Stricke an ihrem Halse gelockert. General
Tschernüscheff, der die Hinrichtung geleitet hatte, hatte
nicht den Kopf verloren; er hatte befohlen, die drei Gefangenen aufzuheben und sofort von neuem zu hängen.
Die Hingerichteten waren nicht lange am Galgen gelassen
worden, man hatte sie abgenommen und in irgend einen
Keller gebracht. Nur mit Mühe hatte sich Myslowski,
der gleich Gebete für sie lesen wollte, den Zugang verschaffen können.

Noch einige Worte über Myslowski. Für den 15. Juli
war auf dem Petrowskischen Platze eine Parade angesagt
worden, und außerdem sollte der Metropolit mit der ganzen
Geistlichkeit einen Versöhnungsgottesdienst auf dem Platze
halten. Der Oberpriester Myslowski schickte an dem festgesetzten Tage das Bild der Kasanskischen Mutter Gottes
mit anderen Geistlichen auf den Platz. Er selbst legte ein
schwarzes Meßgewand an und hielt zu der Zeit im Kasanskischen Dome eine Totenmesse für die fünf Abgeschiede-
nen. Die Bibikowa, die in den Kasanskischen Dom gegangen war, um zu beten, war sehr erstaunt gewesen, als
sie Myslowski im schwarzen Gewande gesehen und die
Namen Sergei, Pawel, Michail, Kondrati gehört hatte.

Jakuschkin

10. Kapitel
Überführung in die Newski-Kurtine, Gefangenschaft in Finnland und Transport nach Tschita

Zehn Tage nach Vollstreckung des Todesurteils wurden alle Gefangenen aus dem Ravelin auf die Festung gebracht — ich kam in die Newski-Kurtine.

Ich trennte mich ungern von meiner Nummer I. Ich hatte dort selbstverständlich sehr schwere Stunden verlebt, aber es hatte doch auch Stunden der Ruhe und der Harmonie für mich gegeben. In der ersten Zeit der Gefangenschaft fühlt man etwas Schweres, etwas dem Fatum der Alten Ähnliches auf sich lasten, man fühlt seine eigene Nichtigkeit gegenüber der Macht des Unabwendbaren; aber nach und nach heben sich die inneren Kräfte wieder, man atmet freier auf und vergißt zeitweise Riegel und Gefängnis. Die völlige und andauernde Einsamkeit, die den Gefangenen von allen äußeren Eindrücken abschneidet, macht ihn zu einer Konzentration der Gedanken fähig, wie sie in der Freiheit kaum denkbar ist. Wieviele Fragen, die mich vor meiner Gefangenschaft beschäftigt hatten, und die mir unlösbar erschienen waren, fanden während meines Aufenthaltes im Ravelin, oft ganz unerwartet, Antwort!

Meine Unterhaltung mit mir selbst wurde besonders in der letzten Zeit meiner Gefangenschaft im Ravelin selten in irgend einer Weise gestört. Ich hatte mich in meiner Nummer I eingelebt, und die von der Überschwemmung im Jahre 1824 an den Wänden zurückgebliebenen Flecken

136

waren für mich keine Flecken, sondern Bilder verschiedenster Art.

Die Zelle, in die ich jetzt kam, lag nach der Newa hinaus. Mein Dasein wurde hier ein völlig anderes: an Stelle der tiefen Stille, an die ich im Ravelin gewöhnt gewesen war, hörte ich jetzt fast unaufhörliche Bewegung in den Korridoren, Gespräche und Ausrufe in den Zellen, die nur durch eine Bretterwand voneinander getrennt waren. Beim Erscheinen des Platzmajors Poduschkin wurde alles für kurze Zeit still. Ich saß den ganzen Tag am geöffneten Fenster, atmete mit Genuß die reine Luft ein und freute mich an dem schönen Fluß, der mit kleinen, von einem Ufer zum anderen fahrenden Kähnen bedeckt war. Diese freundlichen äußeren Eindrücke nahmen meine Aufmerksamkeit so sehr in Anspruch, daß ich mich nie lange irgend einem Gedanken oder irgend einem Gefühle hingab. Mein Leben war in dieser Zeit ein bis zu solchem Grade tierisches, daß ich die schrecklichen Kohlsuppen mit dem harten Rindfleisch, die man mir zum Mittag- und zum Abendessen vorsetzte, stets bis auf den Rest verschlang. Dadurch nahm ich in wenigen Tagen so zu, daß sich die Meinen bei unserem ersten Wiedersehen nicht satt an mir sehen konnten.

Nach Vollziehung der Todesstrafe wurde uns in der Festung Verbliebenen einmal wöchentlich ein Wiedersehen mit den nahen Verwandten gestattet. Die Zusammenkunft dauerte jedesmal zwei Stunden. Sie fand in Gegenwart des Adjutanten vom Platze statt, und es war verboten, etwas anderes als russisch zu sprechen. In der ersten Zeit kamen Verwandte und Nichtverwandte unter dem Vorwande einer Zusammenkunft, und der Festungshof war jeden Tag mit Equipagen angefüllt.

Ich blieb nicht lange in der Zelle mit dem nach der Newaseite liegenden Fenster. Die Unvorsichtigkeit eines

137

Jakuschkin

meiner Nachbarn, der sich mit seiner Frau, die in einem
kleinen Boot an die Festung herangerudert war, in ein
lautes Gespräch eingelassen hatte, war der Grund, daß
man uns aus den Zellen, deren Fenster auf die Newa
herausgingen, in Zellen brachte, deren Fenster auf den
Dom sahen. Peter Nikolaiewitsch Myslowski, unser Beicht-
vater, besuchte mich fast täglich und nahm immer denselben Anteil an mir. Er gestand mir, daß er sich bei der
strengen Aufsicht im Ravelin nie ganz wohl gefühlt hätte,
hier in der Festung wäre er aber wie zu Hause. In der
neuen Zelle trat ich auf Anruf meines Nachbarn mit ihm
in Verkehr; das war um so bequemer, als die Mauern, die
uns trennten, eine mündliche Unterhaltung zuließen. Mein
Nachbar war Suthoff, einer der Hauptteilnehmer an den
Vorgängen des 14. Dezember. Ich kannte ihn nicht von
früher, aber die Lage, in der wir uns befanden, brachte
uns einander rasch näher. Er erzählte mir, wie es ihm
vor dem Komitee ergangen war und verlangte von mir
dieselbe Offenheit. Nach einigen Tagen wurde er nach
Finnland gebracht, und Alexander Murawiew, der Bruder
Nikitas, nahm seine Stelle ein. Dieser Jüngling war erst
20 Jahre alt, ich hatte ihn schon gekannt, als er noch
fast ein Kind war. Er war zu 12 Jahren Zwangsarbeit
verurteilt und tröstete sich nur damit, daß er das Schicksal
seines Bruders teilen und mit ihm zusammenbleiben
würde.

Am 5. August kam der Geistliche mit der Nachricht
zu mir, daß ich noch in derselben Nacht nach Finnland
gebracht werden würde, und daß er mit den Meinigen an
der ersten Station sein würde, um von mir Abschied zu
nehmen. Um die Dämmerstunde kam der Adjutant vom
Platze, Trussow, mit dem Befehl, mich zur Abreise bereit
zu halten, zu mir; als es dann ganz dunkel war, erschien
er wieder und nahm mich mit zum Kommandanten. Auf
138

dem Wege gab er mir verschiedene Lehren, unter anderm riet er mir, mich vor dem Feldjäger zu hüten und niemals vor ihm französisch zu sprechen; der Feldjäger hätte das Recht, mich für ein derartiges Vergehen ohne Mittagessen zu lassen. Ich mußte an meine Kindheit denken; da hatte man mich ohne Mittagessen gelassen, wenn ich mit meinen Schwestern russisch gesprochen hatte.[17])

Bei dem Kommandanten fand ich meine Gefährten: Matwjei Murawiew, Alexander Bestushew (Marlinski), Arbusow und Tjutschew vor. Mit Murawiew war ich sehr nah bekannt; wir hatten zusammen im Ssemenowskischen Regiment gestanden und waren während der Feldzüge 1812, 13 und 14 fast unzertrennlich gewesen; die übrigen kannte ich nicht. Bestushew prangte in einem ungarischen Rock. Arbusow und Tjutschew trugen Jacken und Beinkleider aus schwerem grauen Tuch. Arbusow hatte als Leutnant in der Garde-Equipage gedient, Tjutschew war im Jahre 1821 aus dem Ssemenowskischen Regiment in eines der Regimenter der 8. Division versetzt worden und hatte der Gesellschaft der Slawen angehört. Die beiden hatten keine Verwandten in Petersburg, und da man ihre Uniformen verbrannt hatte, so hatte man sie mit Sträflingskleidern ausgerüstet. Der Kommandant Sukin teilte uns den allerhöchsten Befehl, uns nach Finnland zu bringen, mit und riet uns, uns auf der Reise gut zu führen und uns in allem dem Feldjäger unterzuordnen. Beim Abschied hielt Bestushew dem Kommandanten eine Dankrede, für sein Benehmen gegen uns. Der Kommandant antwortete darauf sehr trocken, daß gar kein Grund zum Dank vor-

---

[17]) Die französische Sprache war zu damaliger Zeit in Rußland die Sprache der gebildeten Welt; in den Salons wurde fast ausschließlich französisch gesprochen. Auch heute noch wird in den ersten Gesellschaftskreisen viel französisch gesprochen — jedoch neben dem Russischen. —

139

Jakuschkin

läge, weil er bei allen Gelegenheiten nur seine Pflicht gegen uns erfüllt hätte.

Als wir aus dem Hause des Kommandanten herauskamen, standen die Gendarmen und die Fuhrwerke schon an der Auffahrt bereit. Wir fuhren noch ziemlich rasch durch die erleuchteten Straßen Petersburgs, aber als wir den Schlagbaum passiert hatten, ging es sehr langsam weiter. Um Petersburg herum standen damals Wälder in Flammen, und man sah die Sonne am Tage nur durch dichten Rauch, der die Stadt und die Umgegend verdeckte; in der Nacht konnte man nicht die Hand vor Augen sehen, unsere Fuhrleute irrten häufig vom Wege ab und mußten oft absteigen und die Pferde am Zügel führen. Bis Pargolow brauchten wir 3 Stunden.

Wir fanden das Stationshaus hell erleuchtet und mit Gästen angefüllt. Meine Frau mit den minderjährigen Söhnchen, ihre Mutter, der Oberpriester Myslowski und I. A. von Wisin waren gekommen, um Abschied von mir zu nehmen. Katerina Iwanowna Bibikowa war auch da; sie war zusammen mit ihrer Tante Katerina Feodorowna Murawiew gekommen, um ihrem Bruder Matwjei das Geleit zu geben. Wir verbrachten dort die ganze Nacht im Gespräch mit den Unserigen; es wurde festgesetzt, daß meine Frau mir mit den Kindern nach Sibirien folgen sollte, und ihre Mutter wollte sie begleiten. Nach all den von uns durchlebten Leiden erschien uns dieser Zukunftsplan sehr erfreulich. Viele glaubten damals, daß man uns anläßlich der Krönung die Zwangsarbeit erlassen und uns in Sibirien ansiedeln würde. Am Morgen verabschiedete ich mich von den Meinen mit der Zuversicht, daß wir uns bald wiedersehen würden. Beim Abschied wollten sie mir 500 Rubel geben, und der Feldjäger machte mir gar keine Schwierigkeiten, sie zu nehmen; ich widersetzte mich dem aber, weil ich fürchtete, daß er dafür zur Verantwortung
140

gezogen werden könnte. Bei unserer Abreise aus Petersburg hatte man uns gesagt, daß wir nicht das Recht hätten, mehr als 100 Rubel bei uns zu haben, und so nahm ich nur 100 Rubel von den Meinen und übergab sie dem Feldjäger.

Die Reise von Petersburg bis zu unserem neuen Gefängnisort war für uns eine angenehme Spazierfahrt. Nach der langen Einkerkerung war es für uns ein Genuß, den ganzen Tag reine Luft zu atmen und die wilde und großartige Natur Finnlands vor Augen zu haben. Bei der Ankunft auf den Stationen hatte die lebhafte Unterhaltung unter uns auch großen Reiz. Es gab dort keine Mauern und keine Riegel, die uns trennten, keine Adjutanten und keine Platzmajore, die uns zuhörten. Unser Feldjäger, Worobjew, war sehr freundlich gegen uns, und wenn wir zu laut russisch untereinander sprachen, sagte er mit einer gewissen Feierlichkeit: „Parlez français, Messieurs." Er fürchtete, daß man uns hören und unsere Gespräche nach Petersburg berichten könnte. Auf einer Station, als wir in einem besonderen Zimmer zu Mittag aßen, entspann sich zwischen mir und Bestushew ein lebhaftes Gespräch über unsere große Sache. Ich bemühte mich, ihm zu beweisen, daß unser Bankerott aus unserer Ungeduld hervorgegangen wäre; unsere Bestimmung wäre gewesen, den Grund zu einem großen Gebäude zu legen und unbemerkt unter der Erde daran zu bauen, wir hätten aber zu früh von allen gesehen sein, hervorragen wollen. „Und deshalb sind Sie gefallen," sagte unser Feldjäger, der hinter uns stand und dessen Anwesenheit wir völlig vergessen hatten. Aber seine Einmischung kam so im richtigen Augenblick, daß wir alle lachen mußten.

Bei unserer Ankunft in Rotschensalm übergab der Feldjäger uns dem Kommandanten, Oberst Kulmann. Nach einer halben Stunde wurden wir in Begleitung des Kom-

141

Jakuschkin

mandanten und einer kleinen Abteilung Soldaten an das
Meeresufer gebracht. Der Führer dieser Abteilung, Leutnant Chorushenko, war in voller Uniform; am Ufer erwartete uns ein sechsrudriges Boot. Unsere Fahrt dauerte
über eine Stunde, schließlich sahen wir einen großen,
runden Turm, scheinbar aus dem Wasser aufragen; das
war die vom Feldmarschall Suwarow erbaute Festung
„Fort Slawa", in der Kasematten für uns bereit standen.
Die Festung machte einen sehr düsteren Eindruck und
schien uns nichts Gutes zu weissagen. Man hielt uns
in Einzelhaft hinter Schloß und Riegel. In jeder Kasematte
befanden sich ein russischer Ofen und zwei Fensterchen,
vor die, von außen, auf Anordnung des Ingenieurs, General Oppermann, Schutzbretter aus Holz gestellt waren.
An der Wand stand ein Bett mit einem Strohsack; ein
Tisch und einige Stühle vervollständigten die Einrichtung
der dunklen und feuchten Kasematten. In der ersten Zeit
hielt man uns streng unter Verschluß und gestattete uns nur
für kurze Zeit und nur einzeln im Hofe spazieren zu gehen.
Wassili Gerassimowitsch Chorushenko, der Artillerieleutnant, der unsere Wachabteilung befehligte, war unser un-
mittelbarer Vorgesetzter. Er ließ uns das jedesmal fühlen,
wenn er uns besuchte; zuerst schien er uns zu fürchten, als
er dann aber sah, daß wir ein friedliches Völkchen waren,
wurde er umgänglicher. Manchmal versammelte er uns
alle um sich, trank Tee mit uns und erzählte uns verschiedenes aus seinem Leben. Sein Vater, ein Kosak,
war wegen Teilnahme an der Verschwörung Pugatschews
nach Archangelsk verbannt worden, er selbst war unter die
Kantonisten gesteckt und dort ausgebildet worden. Dann
war er bei der Artillerie eingetreten. Da er sehr gewandt
und hübsch war, hatte er es bald zum Feuerwerker gebracht; er versicherte, daß Graf Araktschejeff ihn persönlich kannte und ihn zum Offizier befördert hätte.
142

10. Kapitel

Er sagte uns, daß wir den Adel, den wir ohne unser Verdienst erlangt hätten, nicht zu schätzen wüßten, daß er ihn aber sehr hoch schätzte, weil er ihn durch seinen Rücken, auf dem viele Stöcke zerbrochen worden wären, erworben hätte. Er war sehr stolz darauf, und vielleicht hatte er mehr Recht dazu, als ein Adliger, der seine Stellung in der Welt nur seiner Geburt zu danken hat. Er behandelte uns ganz nach Willkür. Bald erlaubte er uns, gemeinsam auf dem Hof spazieren zu gehen, bald hielt er uns einen ganzen Tag hinter Schloß und Riegel mit der Erklärung, daß das Kommando über seine Nachsicht gegen uns murren könnte. Er ernährte uns sehr schlecht, weil er von den für unsere Kost ausgesetzten 50 Kopeken noch etwas in seine Tasche gleiten ließ. Zu unserem Unglück hatte ihm sein Schwiegervater, ein Schiffer, einen ungeheuern Vorrat verdorbenes Pökelfleisch gegeben, das zum Fortwerfen bestimmt gewesen war. Auf dieses Fleisch kochte man uns widerliche Kohlsuppen; das in Rotschensalm[18]) gekaufte Brot war nicht immer ausgebacken, und das Wasser aus dem Brunnen, der in der Festung angelegt worden war, als Westwind geweht hatte, war in so hohem Grade salzig, daß es fast unmöglich war, es zu trinken. Infolge davon bekamen Bestushew und Murawiew noch in Fort Slawa Bandwürmer, Arbusow erst später, nur Tjutschew und ich blieben gesund. Trotzdem Chorushenko sich auf unsere Kosten zu bereichern suchte und Freude daran hatte, uns nach seiner Pfeife tanzen zu lassen, war er kein schlechter Mensch. Wenn einer von uns krank war, so ließ er die übrigen sofort zu ihm und war selbst so liebenswürdig, wie es ihm möglich war. Wenn irgend ein gewissenhafter Deutscher an seiner Stelle gewesen wäre, selbst der gutmütige Schiller, der Gefangen-

---

18) Kleine Stadt am finnischen Meerbusen.

143

142

Jakuschkin

wärter Pellicos[19]), so würde er uns zweifellos besser er-
nährt haben, aber sich auch im übrigen genau an die Vorschriften der Obrigkeit gehalten haben. Er würde uns
um nichts in der Welt aus unserer Zelle herausgelassen
haben, und wir wären übel mit ihm daran gewesen.

Als es kälter wurde und man anfing, die Öfen zu
heizen, stellte es sich heraus, daß sie rauchten. Nachdem
das Rohr verschlossen worden war, war ein so unerträg-
licher Dunst im Zimmer, daß man uns nicht den ganzen
Tag hinter Schloß und Riegel lassen konnte. Eines Nachts
hörte die Schildwache ungewohnten Lärm in Bestushews
Zimmer; sie glaubte, daß Bestushew mit bösen Geistern
in Beziehung stünde, und lief voller Schrecken zum Unteroffizier, um zu melden, daß dort nicht alles in Ordnung
wäre. Der Unteroffizier machte dem Offizier Meldung
davon, und der Offizier ging mit der Wache in die Kasematte, aus der der Lärm gekommen war. Eine Zeitlang
wagte keiner, die Tür zu öffnen; als man öffnete, fand man
Bestushew, vom Kohlendunst betäubt, bewußtlos am
Boden liegen. Nach diesem Vorfall schloß man uns am
Tage fast nie mehr ein.

Wir hatten sehr wenige Bücher. Murawiew hatte eine
französische Bibel und Sallust in französischer Übersetzung
mitgenommen; ich hatte nur Montaigne mitnehmen können,
aber zum Glück hatte Bestushew zwei Bände alter eng-
lischer Journale, einen Band von Rambler und einen Band

[19]) Silvio Pellico, italienischer Dichter und Schriftsteller, geb.
24. Juni 1789 in Saluzzo, 1822 als des Karbonarismus verdächtig
von den Österreichern, die Italien damals noch beherrschten, zum
Tode verurteilt, dann zu 15 jährigem Gefängnis auf dem Spielberg
bei Brünn begnadigt, 1830 aber freigegeben, gest. 1. Februar 1854
in Turin. Er schrieb die Geschichte seiner schlimmen Gefängnis-
leiden, „Le mie prigioni", und schildert darin zugleich, wie streng
und gewissenhaft sein Gefängniswärter, der von tiefem Mitleid für
seinen Gefangenen erfüllte Schiller, ihn bewachte.

144

von Gärtner. Mit Hilfe Bestushews lernten Murawiew und ich englisch. Die Bibliothek unseres Offiziers bestand nur aus zwei Büchern, die er uns beide zu lesen gab; aber er konnte sich nicht entschließen, uns Bücher aus Rotschensalm zu verschaffen; statt dessen erhielten wir, völlig unerwartet, ein Heft, in das mit lateinischer Schrift der letzte Teil von „Childe Harold" [10]) eingetragen war. Zwei in Rotschensalm lebende Damen, Frau Tschebischewa und ihre Schwester, hatten das Heft gebracht. Wir waren sehr gerührt durch diese Freundlichkeit und schätzten die Gabe hoch. Nur Frauen — von wahrem Gefühl beseelte Frauen — konnten sich so in unsere Lage hineinversetzen und ihre Teilnahme auf eine so zarte Weise äußern.

Am Ende des Jahres gingen unsere Vorräte an Tee, Zucker und Tabak zu Ende; von meinen 100 Rubeln war nicht viel mehr übrig, und was noch da war, mußte ich für Waschen der Wäsche und andere notwendige Ausgaben aufheben. In dieser Zeit wurden wir wieder manchmal eingeschlossen; in der Festung machte sich eine besondere Bewegung bemerkbar; der Offizier ließ das Kommando täglich antreten und instruierte es. Wir erfuhren, daß der Generalgouverneur von Finnland, Sakrewski, bald erwartet würde. Mitte Dezember besuchte er uns. Er war gegen uns alle sehr liebenswürdig; Murawiew übergab er eine Sendung von seiner Schwester Bibikowa, Bestushew brachte er selbst Tee, Zucker und Tabak mit, — wohl als Zeichen der Dankbarkeit für den ihm von Bestushew und Ryleieff übersandten „Polarstern".[11]) Mir überbrachte er im Auftrage meiner Schwiegermutter ein Paar Pelzstiefel. Ich

---

[10]) Dichtung des berühmten englischen Dichters und Freiheitskämpfers Lord Byron.

[11]) Der „Polarstern" war eine von Ryleieff und Bestushew herausgegebene Zeitschrift.

Jakuschkin

erfuhr später, daß man mir durch Übersendung der Pelzstiefel einen Wink hatte geben wollen, daß wir nicht lange
mehr in Fort Slawa bleiben würden; wir blieben indes nach
dem ersten Besuch Sakrewskis noch 11 Monate dort. Sein
Besuch war uns in mehr als einer Hinsicht nützlich gewesen. Der Kommandant Kulmann und der Leutnant,
die seine Liebenswürdigkeit gegen uns gesehen hatten,
behandelten uns von der Zeit an auch etwas aufmerksamer.
Unser Kommandant war kein schlechter, aber ein ganz un-
bedeutender Mensch. Er besuchte uns ein- oder zweimal
im Monat, kümmerte sich aber gar nicht darum, wie wir
gehalten wurden, und da wir niemals über etwas klagten,
war er sehr zufrieden mit uns.

Bei der Murawiew von Sakrewski überbrachten Sendung befand sich auch ein mathematisches Lehrbuch von
Lacroix, und ich wandte mich nun mit Eifer der Mathematik zu. Aus Mangel an Beschäftigung hatte diese
Wissenschaft für mich den Reiz des Spieles: casse — tête
chinois. Ich beschäftigte mich leidenschaftlich mit ihr.
Ein großes Hindernis bei diesem Studium war, daß ich
keine Schiefertafel hatte; einen Bleistift besaß ich zwar,
aber es war sehr schwer, Papier zu bekommen. Bestushew
versuchte damals auf Fetzen Papier eine Novelle in Versen
aus der alten russischen Geschichte: „Andrei Perejas-
lawski" zu schreiben. Seine archäologischen Kenntnisse
waren nicht groß, sein Stil war schwerfällig und die
Novelle mißlang ihm vollständig. Er nahm eine Kritik
seines rasch gereiften Werkes nicht übel, aber er verteidigte es eifrig; er war übrigens ein seelensguter Mensch.
Als er bemerkte, daß Tjutschew sehr niedergeschlagen
war, versuchte er alles, um ihn aufzuheitern. Da er mit
Tjutschew fast nichts gemeinsam hatte, so saß er dem
Melancholischen tagelang still gegenüber und überredete
den Offizier, sie zusammen einzuschließen. Er verstand
146

10. Kapitel

es auch mit Arbusow, der einen etwas schwierigen Charakter hatte, umzugehen, und wir alle liebten ihn. In unserem Kreise gab er sich immer sehr einfach und angenehm, aber dem Offizier gegenüber, auf den er Eindruck zu machen wünschte, ging er manchmal auf Stelzen und machte die verschiedensten Mätzchen. Murawiew und ich sagten ihm, daß das „mauvais genre" wäre, aber er nahm uns auch das nicht übel. Manchmal hatte er auch düstere Stunden, in denen er überzeugt war, daß wir niemals Fort Slawa verlassen würden; und wenn wir die Freiheit wieder erlangen sollten, meinte er, würde unsere Lage auch nicht beneidenswert sein, weil die Welt uns für schlechter halten würde, als wir wären. Ich sagte ihm zum Trost, daß wir nicht lange in Fort Slawa bleiben würden, und daß wir, wenn wir einmal die Freiheit wieder erlangen sollten, eher zu fürchten hätten, daß man uns für besser halten würde, als wir wären. Ich weiß nicht, ob er sich später im Kaukasus, als seine literarischen Arbeiten so ungeheuren Erfolg hatten — den er zum Teil wohl seinem Schicksal zu verdanken hatte —, an meine Voraussagung erinnert hat.

11. Kapitel
Leben in Tschita

Im Sommer des Jahres 1827 besuchte Sakrewski uns wieder und beauftragte unseren Offizier, zu erkunden, ob wir nicht unsere ganze Strafzeit hier zu verbringen wünschten. Keiner von uns dachte daran, sich diesen Vorschlag zunutze zu machen. Wir wußten nicht, was uns in Sibirien erwartete, aber wir hatten die ganze Bitterkeit der Gefangenschaft gefühlt und fürchteten uns nicht vor dem, was uns die Zukunft bringen würde. Kurz nach dem Besuch Sakrewskis wurde Chorushenko versetzt. Unser neuer Vorgesetzter war ein guter, einfacher Mensch und versuchte nicht, uns zu meistern. Er kam mit seiner Familie, einer Frau und einer noch nicht ganz erwachsenen Tochter nach Fort Slawa. Bei dem Erscheinen dieses Mädchens zupften Bestushew und Arbusow sich ihre Bärte aus, da man uns dieselben nicht abschor. Bestushew benahm sich bei dieser Gelegenheit ganz ungewöhnlich und schmückte seinen Kopf mit einem roten Schal, wie mit einer Art Turban.

Nach dem 7. Oktober drang das Gerücht zu uns, daß man uns anläßlich der Geburt des Großfürsten Konstantin Nikolajewitsch von der Zwangsarbeit befreit hätte; das Gerücht war nur in bezug auf Bestushew und Murawiew richtig. Ende Oktober führte man sie beide fort, — zuerst Bestushew und eine Woche darauf Murawiew. Als Bestushew durch Petersburg kam, sah er den General
148

Diebitsch, der ihm sagte, daß er und sein Gefährte, mit dem er nach Sibirien ginge, von der Zwangsarbeit befreit wären. Ihm selbst wäre es sogar gestattet, zu schreiben und seine Arbeiten drucken zu lassen, unter der Bedingung, daß er keinen „Unsinn" schriebe.

Endlich kam auch die Reihe an uns. Anfang November brachte man uns eines schönen Tages von Fort Slawa nach Rotschensalm. Als wir dort ankamen, standen vor dem Hause des Kommandanten schon mit zwei Pferden bespannte Wagen, Gendarmen und ein Feldjäger bereit. Der Kommandant Kulmann empfing uns sehr höflich und verlas uns mit Tränen in den Augen den allerhöchsten Befehl, uns Fesseln anlegen und nach Sibirien transportieren zu lassen. Dann schmiedete man uns Ketten an die Füße, die aber lange nicht so schwer waren wie die, die ich im Ravelin getragen hatte. Unser Feldjäger, Miller, setzte sich zu mir in den Wagen und teilte mir die erfreuliche Nachricht mit, daß ich in Jaroslawl die Meinigen sehen würde. Als wir aus Rotschensalm herausfuhren, erblickten wir zwei schwarzgekleidete Damen, die uns von weitem für die lange Reise segneten; ich vermute, es waren die beiden guten Seelen, die uns ihre Teilnahme auf so zarte Weise gezeigt hatten, als wir in Fort Slawa saßen.

Petersburg passierten wir bei Nacht. In Schlüsselburg mußte der Feldjäger einige Stunden mit uns rasten, weil Arbusow vom Fahren so durchrüttelt war, daß er sich kaum auf den Füßen halten konnte. Eine Station vor Ladoga trafen wir im Stationshause zwei Herren; der Feldjäger, der den einen Herrn in Uniform für einen Kreisrichter hielt, führte uns in ein besonderes Zimmer und postierte einen Gendarmen vor unsere Tür; der andere Herr war der Bruder unseres Arbusow. Der gute Miller ließ sich durch unsere Bitten erweichen und gestattete den beiden Brüdern eine Zusammenkunft; es war rührend,

149

Jakuschkin

die Zärtlichkeit der Brüder bei ihrem Wiedersehen zu beobachten.

Der Gutsbesitzer Arbusow hatte Pirogen[22]), gebrate-
nes Wild und einige Flaschen Wein mitgebracht. Nach dem
Mittagessen war er wieder sehr liebevoll gegen den
Bruder. Da es nur bei Zärtlichkeiten blieb, so entschloß
ich mich, ihn beiseite zu nehmen und ihn zu fragen, ob er
seinem Bruder Geld mitgebracht hätte; er antwortete mir,
daß er nichts gebracht hätte, weil er kein Geld gehabt
hätte. Ich sagte ihm sehr entschieden, daß er, wenn er
seinen Bruder wirklich lieb hätte, mit uns nach Ladoga
fahren müßte, um dort 2000 Rubel aufzunehmen und seinen
Bruder damit auszurüsten. Er versicherte mir, daß er uns
nach Ladoga nachjagen wollte, daß er aber erst nach
Hause fahren müßte, um mit seiner Frau zu sprechen und
um zu sehen, ob sich dort nicht etwas Geld fände. Das
alles erschien mir widerwärtig. Dieser Mensch hatte das
Gut seines Bruders bekommen, nachdem das Gericht demselben alle Rechte und allen Besitz aberkannt hatte; er
hatte seit langer Zeit gewußt, daß sein Bruder nach Sibirien
gebracht werden würde, und jetzt kam er nur mit zärtlichen Umarmungen und lautem Weinen zu ihm! Er kam
natürlich nicht nach Ladoga, schrieb dem Bruder zehn
Jahre lang kein Wort und schickte ihm keinerlei Unterstützung. Nach zehn Jahren fing er an, zärtliche Briefe
zu schreiben und Geld zu schicken. In Ladoga blieben
wir zwei oder drei Stunden und warteten auf Arbusow; während dieser Zeit kam ein sehr anständig gekleideter Mensch in unser Zimmer. Der Feldjäger wollte
ihn nicht zu uns lassen, aber als er erfuhr, daß es der wirk-
liche Staatsrat Rimski Korsakow war, wurde er ganz de-
mütig. Unsere Unterhaltung mit Korsakow war sehr an-

***

**) Eine Art kleiner Pastete.

150

genehm und interessant. Er teilte uns verschiedene Neuigkeiten aus Petersburg mit und erzählte uns, daß er Bestushew und Murawiew auf der Durchreise gesehen und sie
mit Geld ausgerüstet hätte. Nachdem wir Ladoga verlassen hatten, fuhren wir die Nacht durch; unser Feldjäger
wollte so rasch wie möglich weiter von Petersburg fort-
kommen, weil er fürchtete, daß Spione seine Nachlässig-
keit dorthin melden könnten.

Am 11. November kamen wir in Jaroslawl an. Der
Feldjäger stellte mich dem Gouverneur vor, der mir sagte,
daß ich die Erlaubnis hätte, die Meinen wiederzusehen.
Vom Gouverneur aus begaben wir uns zum Zusammen-
kunftsort. Meine Frau, meine Schwiegermutter und alle
Anwesenden begrüßten mich mit Tränen, als sie meine
Ketten sahen, aber es gelang mir, ihre weinerliche Stimmung durch einen Scherz zu zerstreuen; das Weinen hörte
auf und wir umarmten uns freudig nach der langen und
schweren Trennung. Ich erfuhr dort, daß meine Frau mit
den Kindern und meiner Schwiegermutter schon vor einem
Jahr die Erlaubnis erhalten hatten, mich in Jaroslawl zu
sehen, daß man ihnen aber nicht gesagt hätte, wann man
mich herführen würde. General Potapow hatte es jedesmal erfahren, wenn man einen Feldjäger gefordert hatte,
der uns aus der Festung nach Sibirien bringen sollte; aber
wen von uns man gerade hinbringen wollte, hatte er selbst
nicht gewußt. Er hatte die Meinen jedesmal benachrichtigt,
und so war meine Familie schon mehrfach von Moskau
nach Jaroslawl gekommen; zuerst hatte sie dort einen
Monat in qualvoller Erwartung verbracht; dann war meine
Frau mit den Kindern in Begleitung einer bekannten Dame
und unseres intimen Freundes Michail Tschaadajew nach
Jaroslawl gefahren und hatte wieder einen Monat vergebens gewartet; dieses dritte und letzte Mal hatte sie
auch schon drei Wochen auf mich gewartet.

151

150

Jakuschkin

Als wir eben in das Zimmer hineingegangen waren
und uns hingesetzt hatten, kam der Gouverneur, um meiner
Frau zu sagen, daß ich sechs Stunden in Jaroslawl bleiben
würde. Dann war er so liebenswürdig, fortzugehen und
uns allein zu lassen. Als wir alle etwas ruhiger geworden
waren, wandte ich mich an meine Schwiegermutter mit der
Frage, ob sie beabsichtigte, meine Frau und meine Kinder
nach Sibirien zu begleiten. Sie brach in Tränen aus und
sagte mir, daß ihre Bitte, ihre Tochter nach Sibirien begleiten zu dürfen, abschlägig beschieden worden wäre.
Meine Frau sagte mir, auch unter Tränen, daß sie mir unverzüglich folgen würde, daß man ihr aber nicht erlaubte,
die Kinder mitzunehmen. Ich war so erschüttert von
diesen unerwarteten Nachrichten, daß ich einige Minuten
lang kein Wort hervorbringen konnte; aber die Zeit ver-
strich, und ich fühlte, daß ich einen Entschluß fassen
müßte. Ich wußte, daß meine Frau und ich immer und
überall sehr glücklich zusammen sein würden; ich wußte
auch, daß ihre Stellung eine schwierige sein würde, selbst
wenn sie bei liebevollen Verwandten leben würde;
aber auf der anderen Seite bedurften unsere unmündigen
Kinder dringend der mütterlichen Pflege und Fürsorge.
Ich war überzeugt, daß nur meine Frau, trotz ihrer Jugend,
imstande sein würde, die Erziehung unserer Kinder in
meinem Sinne zu leiten, und so entschloß ich mich, sie zu
bitten, sich auf keinen Fall von den Kindern zu trennen;
sie widersetzte sich meiner Bitte lange, aber schließlich
gab sie mir ihr Wort, meinen Wunsch erfüllen zu wollen.
Mir wurde leichter ums Herz. Die uns vergönnten Stunden des Beisammenseins flogen rasch dahin; der Feldjäger
erschien, um zu melden, daß alles zur Abfahrt bereit wäre.
Meine Frau und meine Schwiegermutter beschlossen, mich
mit den Kindern bis zur nächsten Station zu begleiten, der
Feldjäger erhob keinen Einspruch dagegen. Als wir uns
152

auf den Weg machten, war es schon vollständig dunkel, ein eisiger Wind heulte, und die Eisschollen trieben auf der Wolga, so daß wir nur mit den größten Schwierigkeiten den Fluß passieren konnten. Wir verbrachten die Nacht zusammen auf einer Station zwischen Jaroslawl und Kostroma. Dort erfuhr ich den Tod meiner Mutter; meine Frau gab mir einige Briefe von ihr, in denen sie mich bat, mich gar nicht um sie zu beunruhigen. Sie versicherte mir, daß es mit ihrer Gesundheit besser wäre, als früher und bat Gott, daß er mir Kraft geben möge, mein Kreuz zu tragen. Endlich schlug für uns die ewige Trennungsstunde; als ich von Frau und Kindern Abschied nahm, weinte ich wie ein Kind, dem man sein letztes, geliebtes Spielzeug fortnimmt.

In Kostroma wechselten wir nur die Pferde und setzten dann die Reise fort; wir legten in 24 Stunden mehr als 100 Werst zurück. In Wiatka ereignete sich etwas Ungewöhnliches. Um das Posthaus, in dem wir uns aufhielten, versammelte sich eine große Volksmenge, und alle Anstrengungen des Feldjägers, sie zu verjagen, blieben erfolglos. Schließlich befahl er die Türen zu schließen; sie wurden erst wieder geöffnet, als wir in den Wagen Platz nahmen; dann befahl der Feldjäger den Fuhrleuten, auf die Pferde loszuschlagen, die Menge wich zur Seite und wir jagten rasch an ihr vorbei. In Perm aßen wir nur zu Mittag. Bei der Überfahrt über den Silvas brach das Eis unter meinem Fuhrwerke; man zog mich heraus und rettete auch meinen Koffer, der im Wasser schwamm; wir mußten in Kungura Rast machen, um meine Sachen und meine Bücher, mit denen ich mich in Jaroslawl versehen hatte, zu trocknen. In Kungura blieben wir fast 24 Stunden und wurden dort von einem uns folgenden Transport eingeholt. Puschtschin, Poggio und Muchanow kamen in Begleitung ihres Feldjägers Sheldybina und einiger Gendarmen in

153

Jakuschkin

Kungura an, als wir unsere Sachen schon wieder einge-
packt hatten. Beide Feldjäger beschlossen, zusammen
weiter zu fahren. Ich kannte weder Puschtschin noch
Poggio von früher; wir hatten aber so viel Gemeinsames,
daß wir uns wie nahe Bekannte begrüßten und einander
viel zu erzählen hatten. Puschtschin war in Schlüsselburg
gewesen, Poggio in Keksholm und Muchanow in Wiborg.
In Schlüsselburg wurden die Gefangenen fast ebenso
streng gehalten wie im Alexejewskischen Ravelin. Sie
durften nicht miteinander verkehren und nie ihre Kasematten verlassen; die Behausungen waren hell und reinlich,
die Nahrung war nicht üppig, aber auch nicht zu dürftig,
und vor allem ging es dort genau nach Vorschrift her und
nicht nach der persönlichen Willkür des Kommandanten.
In Schlüsselburg waren zusammen mit Puschtschin Juschnewski, Nikolai und Michail Bestushew, Diwow und
Pestow inhaftiert. Da sie nicht miteinander verkehren
durften, so machte sich jeder mit seinem Nachbar durch
Schlagen an die Wand verständlich. Die Zahl der Schläge
in bestimmter Reihenfolge bezeichnete die Buchstaben, und
nach einiger Übung konnten sie auf diese Weise ganz bequem miteinander sprechen. Nikolai Bestushew hatte
diesen Gefängnistelegraphen ersonnen und eingeführt.[13])
Poggio war mit Wadkowski, Bariatinski, Gorbatschewski
und Wilhelm Küchelbecker in Keksholm zusammen gewesen; Muchanows Gefährten in Wiborg waren Lunin und
Mitkow gewesen. Die Gefängnisse in Finnland waren so
schnell für uns eingerichtet worden, daß die Gefängniswärter nicht die Möglichkeit gehabt hatten, alles nach den
Vorschriften der höchsten Obrigkeit auszuführen. Deshalb

---

[13]) Die Klopfsprache wird hier als eine Erfindung Nikolai
Bestushews hingestellt. Sie ist aber schon früher in allen europäischen Gefängnissen bekannt gewesen.

154

hatten wir in Finnland nicht so strenge Haft gehabt, wie die Gefangenen in Schlüsselburg, — aber statt dessen hatten wir in Finnland Gefangenen ganz von der Willkür unserer unmittelbaren Vorgesetzten abgehangen. Wir fuhren etwa zweimal 24 Stunden alle sechs zusammen; dann führte unser Feldjäger, der gute Miller, uns drei voraus. Es war ihm unerträglich, Sheldybinas grausames Benehmen gegen die Fuhrleute länger mit anzusehen. Sheldybina schlug unbarmherzig auf die Fuhrleute los und bezahlte ihnen fast niemals auch nur die Hälfte von ihrem Fuhrlohn. Die Feldjäger hatten alle die Möglichkeit, sich bei dem Transport der Staatsverbrecher nach Sibirien zu bereichern.

Bei unserer Ankunft in Tobolsk lieferte der Feldjäger uns an den Gouverneur Kamenski ab. Kamenski empfing uns in seinem Kabinett, war ziemlich höflich und fragte uns, ob wir mit unserem Feldjäger zufrieden gewesen wären; dann schickte er uns zur Stadtpolizei. Man führte uns in ein riesengroßes, kaltes Zimmer, wo wir vor Frost zitternd 48 Stunden zubrachten; wir verproviantierten uns hier, so gut es eben anging.

Aus Tobolsk fuhr statt des Feldjägers ein Beamter, ein Gefängnisaufseher, mit uns. Er war ein guter, kleiner Mensch, hielt es aber für absolut notwendig, sich auf jeder Station mit Branntwein zu erwärmen. Wir fuhren durch Tara und Baraba, wo wir stellenweise kein trinkbares Wasser fanden, so daß wir uns Schnee schmelzen mußten. In Tomsk blieben wir 24 Stunden. Dort besuchte uns der Senator Fürst Kurakin. Er hielt damals zusammen mit dem Senator Besrodny eine Revision in Sibirien ab. Man führte mich abends in ein besonderes, durch Kerzen erhelltes Zimmer; bald darauf trat ein etwa 40jähriger, stark parfümierter und pomadisierter Herr ein. Er ging vor den Spiegel, nahm seinen Hut ab und brachte seinen Scheitel

155

in Ordnung; dann wandte er sich um, machte dem ihn begleitenden Polizeibeamten ein Zeichen, und der Beamte verschwand. Dieser ganze Auftritt hatte viel Ähnlichkeit mit einer Szene aus einem französischen Vaudeville. Dann trat Fürst Kurakin auf mich zu, fragte nach dem Benehmen des Feldjägers gegen uns und fügte hinzu, daß er großes Mitleid mit uns hätte; er versicherte sehr überzeugungsvoll, daß die Vorgänge des 14. Dezember nur eine Folge der Neuformierung des Ssemenowskischen Regimentes gewesen wären. Ich ließ mich gar nicht auf eine Auseinandersetzung mit Seiner Erlaucht ein; er war einer unserer Richter gewesen, und darum mußte ich annehmen, daß er die Bedeutung des 14. Dezember und die Bedeutung unserer Sache voll verstanden hatte. Nachdem ich einige Minuten mit dem Senator zusammen gewesen war, ging ich heraus, und man führte Arbusow und Tjutschew nacheinander zu ihm. In Krassnojarsk verweilten wir nur einige Stunden. Die Stadt hatte damals noch nicht die Bedeutung, die sie später gewann, als man in ihrer Nähe so ungeheure Mengen Gold entdeckte. Von Krassnojarsk bis Irkutsk konnten wir, des bergigen Geländes wegen, nur streckenweise fahren und mußten teilweise zu Fuß gehen. Das war nicht gerade bequem mit dem Schmuck, den wir an den Füßen trugen.

Am 22. November kamen wir in Irkutsk an. Als wir in die Stadt einfuhren, sahen wir sie nur durch einen dichten Nebel, der sich über dem Fluß ausbreitete. Wir erfuhren, daß die Kälte bis auf 32 Grad gestiegen war, aber die Angara war trotzdem noch nicht zugefroren, und wir passierten sie im Fährschiff. Wir wurden direkt in das Gefängnis geführt, in dem uns der Distriktspolizeimeister Piroshkow, der den Polizeimeister vertrat, empfing. Ein großes Zimmer, in dem früher Frauen gefangen gehalten worden waren, wurde eiligst für uns hergerichtet. Dann

156

11. Kapitel

teilte uns Piroshkow mit, daß wir über den Baikal nach Tschita, unserem zukünftigen Bestimmungsorte, transportiert werden würden. Außerdem sagte er uns, daß man uns in Tschita alle unsere Sachen abnehmen würde, und daß es darum geraten wäre, in Irkutsk über dieselben zu verfügen. Wir glaubten ihm nicht und taten gut daran. Als wir noch im Korridor warteten, ging Juschnewski[14]) in Begleitung einer Schildwache an uns vorüber. Er war so abgemagert, daß ich ihn im ersten Augenblick nicht erkannte, dann umarmten wir uns zärtlich und Piroshkow erlaubte uns, am Abend zusammen Tee zu trinken. Spiridow, Pestow und Andrejewitsch waren die Gefährten Juschnewskis; sie hatten schon einige Zeit in Irkutsk verbracht und warteten auf Anordnungen der Obrigkeit hinsichtlich ihres Transportes über den See. Auch ihnen hatte man gesagt, daß ihnen in Tschita ihre Sachen abgenommen werden würden, und Juschnewski hatte daraufhin einen Teil seiner Sachen an den Feldjäger verschenkt. Matwjei Murawiew und Bestushew befanden sich auch noch in Irkutsk; sie waren beide in Freiheit und warteten nur auf den Befehl, sich über die Lena nach Jakutsk, ihrem Ansiedelungsort, zu begeben. Bestushew schickte mir Puschkins neues Werk: „Zigeuner", das ich mit großem Genuß las. An einem der ersten Abende führte man uns in das Bad. Wir wurden von schweren Verbrechern, die Brandmarken auf den Gesichtern und Ketten an Händen und Füßen trugen, sehr geschickt und sehr höflich bedient. Die Berührung mit diesen Leuten war für mich nicht ohne Nutzen. Anstatt des Ekels, den die Gesellschaft durch ihre Einrichtungen und durch ihre Vorurteile gegen diejenigen bekundet, die sie ausstößt, fühlte ich nur Mit-

---

¹⁴) General-Intendant der 2. Armee, gehörte der Gesellschaft des Südens an.

157

leid mit diesen armen Leuten. Zu meinem größten Erstaunen kam Alexander Bestushew in das Badezimmer herein; ich sprang auf und umarmte ihn voller Freude. Wir blieben nur einige Augenblicke zusammen, gerade lange genug, um über Puschkins „Zigeuner" ein paar Worte zu wechseln. Bestushew hatte die Erlaubnis bekommen, seine Brüder Nikolai und Michail, die am nächsten Tage nach Tschita transportiert werden sollten, zu besuchen. Einige Tage später wurde auch Juschnewski mit seinen Gefährten fortgebracht. Am Tage nach unserer Ankunft besuchte uns der Generalgouverneur Lawinski. Nachdem er sich erkundigt hatte, ob wir uns über den uns begleitenden Beamten zu beklagen hätten, wandte er sich an mich und sagte mir, daß er mit meiner Schwiegermutter Nadjeshda Nikolajewna Scheremetewa nah bekannt wäre. Dieselbe wünschte durch ihn Nachricht über mein Ergehen zu erhalten. Er vermied es, mich anzusehen, während er mit mir sprach, und fühlte sich sichtlich unbehaglich mir gegenüber. Kurze Zeit darauf erschien der Stadtgouverneur Zeidler bei uns. Er war sehr höflich gegen uns und versprach mir, meine Frau zu benachrichtigen, daß ich gesund in Irkutsk angekommen wäre. Am 24. November trafen Puschtschin, Poggio und Muchanow in Irkutsk ein. Man wollte uns zuerst nicht gestatten, sie zu sehen, aber dann vereinigte man uns alle in einem Zimmer, und wir blieben eine Woche lang zusammen. Vor unserer Tür standen bisweilen ehemalige Soldaten des alten Ssemenowskischen Regimentes Posten; Vorgesetzte und Kameraden waren ihres Lobes voll.

Es trat starkes Frostwetter ein, so daß wir hofften, im Schlitten über den Baikal transportiert werden zu können; aber das Wetter schlug plötzlich wieder um, und deshalb wurden Arbusow, Tjutschew und ich, in Begleitung eines Kasakenoffiziers und dreier Kasaken, rings

158

um den See herumgeschickt. Am ersten Tage übernachteten wir in Kultuk, einer kleinen Ansiedelung am Baikal. Die
Bewohner dieser Ansiedelung beschäftigen sich zum größten Teil mit Fischfang und mit der Jagd auf wilde
Tiere. Ich aß dort zum ersten Male einen gebratenen
Bisam. Die Lage Kultuks, mit der Aussicht auf den Baikal
und die ihn umrahmenden Berge, ist wunderhübsch. Ich
dachte es mir als das höchste Glück, hier in diesem entfernten Winkel angesiedelt zu werden und mit meiner Familie hier leben zu können. Am folgenden Tage nahm
uns der Offizier die Fesseln ab, und wir machten uns zu
Pferde auf den weiten Weg über die Berge. Der
Offizier und die Kasaken blieben zurück, um sich mit
Branntwein zu versorgen, und so waren wir für kurze Zeit
ganz frei. Es war ein herrliches Gefühl nach der langen
Gefangenschaft ein Pferd unter sich zu haben, und nicht
von Aufsehern beobachtet zu werden. Je höher wir auf
den Berg hinaufkamen, desto weiter schien sich der Baikal
vor unseren Augen auszubreiten. Vor Einbruch der Däm-
merung kamen wir an die erste Station hinter Kultuk.
Wir wollten dort übernachten, aber unser halbbetrunkener
Offizier geriet in Streit mit dem Hofknecht, dem ehemaligen
Aufseher in Nertschinsk, Burnaschow, und ohrfeigte ihn.
So mußten wir unsere Pferde wieder satteln und weiter
reiten. Es war schon Nacht, als wir die von Schnee entblößten Bergspitzen des Chamar-Daban[25]) erreichten und
todmüde an die nächste Station kamen. Arbusow mußte
in das Haus getragen werden; er war ganz zerschlagen
von dem langen Ritt und konnte sich nicht auf den Füßen
halten. Am anderen Tage machten wir uns nicht so früh
auf den Weg. Wir ritten etwa 200 Werst und kamen an

---

²⁵) Ausläufer des Sajanischen Gebirges am Südwestende des
Baikalsees mit dem gleichnamigen höchsten Gipfel, 2000 m hoch.

159

Jakuschkin

keiner einzigen Ansiedelung vorbei. Die Burjäten blieben nur so lange mit ihren Pferden auf den Stationen, als die Fahrt über den Baikal unmöglich war. Der Weg über den Chamar-Daban und durch dieses ganze menschenleere Land war sehr gut angelegt. An jedem Abhang waren Geländer errichtet; über alle Flüsse und Flüßchen waren Brücken geschlagen, einige steile Abhänge waren sogar abgetragen; dieser Weg war eines der Denkmäler der willkürlichen, aber zuweilen doch verständigen Administration Treksins. Nach dem Ritte legte man uns wieder Ketten an, und wir fuhren im Schlitten über fast schneefreie Wege. In Kljut-schack, einer Ansiedelung Altgläubiger, wurden wir sehr herzlich aufgenommen. Während wir zu Mittag aßen, kamen Männer und Frauen herbei, um uns anzusehen und um mit uns über das zu reden, was in Rußland vor sich ging. An demselben Tage fuhren wir weiter bis Tarba-gatai — auch einer Altgläubigen-Ansiedelung —, um dort zu übernachten. Nachts weckte mich der Offizier, nahm mir die Fesseln ab und führte mich leise aus dem Zimmer. Ich hatte ihm schon früher gesagt, daß ich gerne Alex. Murawiew bei der Durchreise in Werchneudinsk sehen möchte — jetzt teilte der Offizier mir mit, daß ich ihn treffen würde. Er führte mich in das Haus Saigrajews, eines Mannes, den viele Reisende in ihren Reisebeschreibungen über den Baikal erwähnt haben. Saigrajew war ein kluger, wohlhabender Bauer. Sein Gastzimmer war sehr hübsch mit Möbeln aus rotem Holz ausgestattet. In einer Ecke des Zimmers befand sich eine große, englische Standuhr und auf dem Tische lagen Moskauer Zeitungen. Zu meiner Überraschung fand ich nicht Murawiew, sondern die Fürstin Barbara Michailowna Schachowska dort vor. Sie war hierher gekommen, um eine Amme für ihre Schwester zu suchen, und hatte gehofft, bei dieser Gelegenheit Muchanow, mit dem sie verwandt und nahe be-
160

159

freundet war, zu treffen. Wir kannten uns nur oberfläch-
lich, fühlten uns aber sehr zueinander hingezogen. Durch
sie hörte ich vieles über die Unserigen. Sie erzählte mir,
daß Alexander Murawiew, der zu 12 Jahren Zwangsarbeit
verurteilt worden war, nicht auf Zwangsarbeit geschickt
worden war. Er war in Jakutsk angesiedelt worden und
hatte Rang und Titel behalten dürfen. Als er seine Frau,
die ihm mit den Kindern und mit ihren beiden Schwestern
nach Sibirien gefolgt war, in Irkutsk empfangen hatte,
hatte man ihm erlaubt, in Werchneudinsk statt in Jakutsk
zu leben. Dann hatte er ein Gesuch eingereicht und gebeten, ihn im Dienst anzustellen, und war daraufhin zum
Polizeimeister in Irkutsk ernannt worden. Durch die
Fürstin Schachowska hörte ich auch, daß Artamon Murawiew, Dawidow, Obolenski und Jakubowitsch gleich nach
Schluß.der Gerichtsverhandlungen nach Sibirien gebracht
worden waren; kurze Zeit darauf waren Trubetzkoi, Wolkonski und zwei Borissows ihnen gefolgt. Am Tage der
Abreise hatte Trubetzkoi einen Blutsturz gehabt, aber
trotzdem war er transportiert worden. Von Irkutsk aus
hatte man die Unserigen dann in naheliegende Fabriken
geschickt. Trubetzkoi war in die Branntweinbrennerei von
Nikolajewsk gekommen. Er hatte sich dort so gut als
möglich eingerichtet, in der Hoffnung, daß man seiner
Frau, die ihm gefolgt war, gestatten würde, mit ihm zusammen zu leben. Ihres Bleibens dort war nicht lange
gewesen. Zur Zeit der Kaiserkrönung hatte Lawinski die
8 Unserigen aus den verschiedenen Fabriken nach Irkutsk
holen lassen; von dort aus waren sie dann sofort über den
Baikal hinüber in die Minen von Nertschinsk gebracht
worden. Man hatte die Fürstin Trubetzkaja in Irkutsk
zurückgehalten und hatte versucht, sie zu einer Rückkehr
nach Rußland zu bewegen. Sie hatte mit beispielloser
Energie alle Hindernisse aus dem Wege zu räumen ge-

160

 Jakuschkin

wußt und war ihrem Manne in das Blagodatskische Bergwerk gefolgt. Man hatte den Gatten auch hier nicht gestattet, zusammen zu leben. Burnaschow, der Chef der
Minen von Nertschinsk, hatte die Unserigen ziemlich grob
behandelt, und hatte es beklagt, daß ihm die Sorge für
die Gesundheit der Staatsverbrecher besonders anemp-
fohlen worden war. Die Unserigen hatten im Bergwerk
mit den anderen Sträflingen zusammen arbeiten müssen.

Das Hausmädchen der Fürstin Schachowska kochte
Kaffee für uns und goß meinem Offizier Rum hinein.
Dieses Getränk wirkte so stark auf den Kasaken, daß er
vergebens versuchte, sich vom Stuhl zu erheben. Auf
diese Weise wurde es mir ermöglicht, die ganze Nacht mit
der Fürstin Schachowska zu verplaudern. Als wir durch
Werchneudinsk kamen, erwartete ich vergebens, Alexander Murawiew zu sehen. Von Werchneudinsk aus fuhren
wir teils zu Schlitten, teils zu Wagen weiter und kamen
endlich am 24. Dezember in Tschita an.

Wir wurden in ein kleines, von einem hohen Zaun
umgebenes Haus geführt, die sogenannte kleine Kasematte, die den Staatsverbrechern als Wohnung diente.
Man geleitete uns in ein abgesondertes Zimmer, brachte
unsere Sachen und legte sie auf der Schwelle nieder. Der
wachhabende Offizier kam, um ein Verzeichnis unserer
Sachen aufzunehmen. Uhren, Tischbestecke und sogar
Lichtscheren wurden konfisziert, Kleider und Wäsche durften
wir behalten, und unsere Bücher mußten dem Kommandanten erst zur Prüfung vorgelegt werden. Darauf
verließ uns der Offizier. Unsere Tür blieb unverschlossen,
und die Bewohner der kleinen Kasematte, Juschnewski, Nikolai und Michail Bestushew, Gorbatschewski, Artamon
Murawiew und andere kamen, um uns zu besuchen.

Als es dämmerte, führte der Adjutant vom Platze,
Kolomsin, heimlich von Wisin zu mir. Wir umarmten uns
162

161

zärtlich und waren glücklich, uns nach der langen Trennung wiederzusehen. von Wisin war sehr abgemagert und
sah sehr elend aus; er war im Jahre 1813 am Bein verwundet worden und litt deshalb sehr unter den Fesseln.
von Wisin war bis 1827 in der Peter-Paulsfestung interniert
gewesen und hatte dort täglich seine Frau sehen dürfen.
Jetzt hatte er die Nachricht erhalten, daß seine Frau sich
reisefertig machte, um ihm zu folgen. Anfang des Jahres
1827 hatte man alle Gefangenen aus der Peter-Paulsfestung
nach Tschita transportiert. Zunächst die zu Zwangsarbeit
Verurteilten, dann die zu Soldaten Degradierten und die
zu Ansiedlern Bestimmten. Die Lage der letzteren war
durchaus nicht beneidenswert, einige hatten es sogar entsetzlich schwer. Sie wurden alle im nördlichsten Teile
Sibiriens angesiedelt: Nikolai Bobrischtschew-Puschkin und
Schachowski wurden nach Jenisseisk geschickt, wo sie
beide Opfer des Wahnsinns wurden. Tschishow wurde
in Gishiga angesiedelt, Nasimow in Srednekolümsk, einem
aus einigen Kasakenjurten[26]) bestehenden Ort. Die Kasaken
hatten strengen Befehl erhalten, Nasimow scharf zu beaufsichtigen und Sorge für seine Gesundheit zu tragen.
Sie schlossen Nasimow in einer Jurte ein und schickten, als
er krank wurde, einen Eilboten nach Irkutsk, mit der Meldung, daß sie nicht wüßten, was sie tun und womit sie
Nasimow ernähren sollten; sie selbst lebten im Winter nur
von gedörrten Fischen. Bald darauf kam der Befehl,

---

[26]) Jurten sind Wohnungen sibirischer Völkerstämme. Die
Winterjurte aus stehenden, etwas geneigten Hölzern, äußerlich
mit Erde oder Dünger bedeckt, hat ein ebenes Dach und fast
immer Dielen. Auf dem Herd in der Mitte der Jurte wird beständig
Feuer unterhalten. Die Sommerjurte hat Kegelgestalt und besteht
aus einigen langen, oben verbundenen Pfählen, die mit Birken-
rinde und nochmals mit Pfählen bedeckt sind; oben bleibt ein Loch
zum Abzug des Rauches.

Jakuschkin

Nasimow in eine kleine Ansiedelung an der Lena zu bringen. Er hatte es dort etwas besser, aber seine Gesundheit war schwer geschädigt. Tschishow wurde auch aus Gishiga an einen anderen Ort gebracht. Alle übrigen Staatsverbrecher der 8. Klasse[27]) wurden ebenfalls unter den ungünstigsten Bedingungen angesiedelt.

[27]) Die Staatsverbrecher der 8. Klasse wurden mit Verlust des Ranges und des Adels in Sibirien angesiedelt.

12. Kapitel
Veränderungen und Erleichterungen im
Leben der Gefangenen

Nach der Krönung war ein Komitee zusammengetreten, das über unsere Gefangenschaft und über unseren Unterhalt beraten hatte. Die Generale Tschernüscheff, Diebitsch, Benkendorf und andere gehörten diesem Komitee an. Das Silberbergwerk Akatui, das in einer ganz öden Gegend weit entfernt von menschlichen Behausungen lag, wurde als Aufenthaltsort für uns bestimmt. Dort wurde das Fundament zu einem Gefängnis gelegt, das wir während der Zeit unserer Gefangenschaft nur verlassen sollten, wenn uns die tägliche Arbeit in die Schächte führte. Da das Gefängnis erst in 2—3 Jahren fertiggestellt werden konnte, so wurde uns Tschita zum zeitweiligen Aufenthaltsort bestimmt. Auf Anordnung des Komitees wurde der eben zum Generalmajor beförderte Leparsky nach Moskau berufen und zum Kommandanten der Minen von Nertschinsk ernannt. Vordem hatte er das Sjewerskische Regiment reitender Jäger, dessen Chef der Großfürst Nikolai Pawlowitsch war, kommandiert. Leparsky war schon sehr alt. Bei Kagul war er Ordonnanzoffizier Rumjanzows gewesen, den Konföderationskrieg hatte er als Major mitgemacht. Leparsky war Pole und war von Jesuiten erzogen worden. Trotz seines hohen Alters und trotz seines oft seltsamen Wesens war er doch ein sehr kluger Mensch. Sein Geist war vollständig frisch, und vor allem war sein Herz noch jung und saß auf dem rechten Fleck. Man
165

Jakuschkin

hatte ihn, mit sehr strengen Vorschriften ausgerüstet, nach
Tschita geschickt. Aus Irkutsk wurde auf Verlangen Le-
parskys ein Kommando mit einer stattlichen Anzahl Offizieren zur Bewachung der Gefangenen nach Tschita geschickt. Ebenso wurden auf sein Verlangen ein Arzt und
ein Geistlicher in Tschita angestellt. Bei der Ankunft des
Kommandanten in Nertschinsk wandte sich die Lage der
Gefangenen nicht zum Besseren. Sie wurden in Ketten
gelegt und nach Tschita überführt. Die ersten in Tschita
Ankommenden, Nikita Murawiew, Bassargin, Wolf, Abramow und andere wurden in einem dunklen und feuchten
Gebäude untergebracht und anfänglich sehr streng gehalten. Mit Eintritt des warmen Wetters wurden sie zu
Erdarbeiten herausgeführt. Zugleich wurde mit der Wie-
derherstellung der kleinen und mit dem Bau der großen
Kasematte begonnen.

Wir kamen am Tage vor Weihnachten in Tschita an.
Am Abend führte man alle Bewohner der kleinen Kasematte, in Begleitung von bewaffneten Soldaten, in die
große Kasematte. Dort hielt uns der Geistliche mit seinen
Chorknaben die Abendmesse. Ich hatte die Freude, hier
viele mir nahestehende Freunde wiederzusehen. In der
großen Kasematte waren etwa 60 Menschen untergebracht.
Wir trugen alle Ketten; sie klirrten bei jeder Bewegung,
und doch sah keiner niedergeschlagen aus. Man hätte
glauben können, nicht im Gefängnis, sondern bei einem
festlichen Gastmahl zu sein. Nur Nikita Murawiew war
krank an Leib und Seele und litt entsetzlich. Er hatte in
Moskau bei seiner Mutter drei kleine Kinder, einen Knaben
und zwei Mädchen, zurückgelassen; außerdem hatte er
kürzlich die Nachricht von dem Tode seines Sohnes erhalten und konnte jetzt nicht einmal den Kummer mit
seiner Frau teilen, die ihm sofort nach Sibirien gefolgt
war. Als ich nach Tschita kam, fand ich die Fürstinnen
166

165

12. Kapitel

Trubetzkoi und Wolkonski, Frau Murawiew, Frau Narüschkin, Frau Entalzew und Frau Dawidow vor. Sie hatten alle
Verwandte und nahe Freunde zurückgelassen; aber Frau
Murawiew und die Fürstin Wolkonski hatten sich, vielleicht auf immer, von ihren kleinen Kindern getrennt, und
sich von dem heißen Wunsch, das Schicksal ihrer Männer
zu teilen und mit ihnen zu leben, getrieben, nach Sibirien
begeben; diese bescheidene Hoffnung erfüllte sich nicht.
Bei meiner Ankunft in Tschita hatten sie nur die Erlaubnis, ihre Männer zweimal in der Woche einige Stunden
zu sprechen. Sie kamen aber jeden Tag heimlich an den
Zaun, um ihre Männer zu sehen und, wenn möglich, einige
Worte mit ihnen zu tauschen, doch glückte es ihnen nicht
immer. Die Schildwachen hatten strengsten Befehl, keinen
in das Gefängnis einzulassen, und jagten auf Befehl der
Vorgesetzten die Besucherinnen mit Kolbenstößen davon.

Am Tage nach unserer Ankunft in Tschita besuchte
uns der Kommandant Leparsky. Nach den bei solchen Gelegenheiten üblichen Fragen, ob wir keine Klage über den
uns begleitenden Offizier zu führen hätten, bestellte er
mir einen Gruß von Grabbe, mit dem er nahe bekannt war.
Nach seiner Verabschiedung und der einjährigen Verbannung nach Jaroslawl war Grabbe wieder angestellt worden
und als jüngster Oberst in das Sjewerskische Jägerregiment zu Pferde versetzt worden; man hatte Leparsky befohlen, Grabbe streng zu beaufsichtigen, aber ungeachtet
der erhaltenen Vorschriften hatte er Grabbes unangenehme
Lage soviel wie möglich zu erleichtern gesucht. Grabbe
war von dem obersten Gerichtshof freigesprochen worden;
aber auf allerhöchsten Befehl war er wegen seiner kühnen
Antworten vor dem Komitee eine Zeitlang in Dünaburg in
Arrest gehalten und dann wieder zum Regiment zurückgeschickt worden. Als Grabbe bei seinem Regiment angekommen war, war er im Gasthaus abgestiegen; Leparsky
167

166

Jakuschkin

war noch an demselben Tage bei Grabbe erschienen und hatte ihm einen strengen Verweis erteilt, daß er nicht direkt bei ihm abgestiegen wäre. Grabbe hatte sich mit seiner Befürchtung, Leparsky bei den vorliegenden Umständen dadurch schaden zu können, entschuldigt. Aber Leparsky hatte gar nichts davon hören wollen, er hatte Grabbe mit zu sich genommen und ihm gesagt: „Da selbst der Kaiser Sie nicht schuldig gefunden hat, so habe ich doch nichts zu fürchten."

Drei Tage nach uns kamen Puschtschin, Poggio und Muchanow in Tschita an, und nach zwei weiteren Tagen brachte der Feldjäger Wadkowski hierher. Alle vier wurden mit uns in einem Zimmer untergebracht, und wenn wir uns zum Schlafen auf unsere Pritschen legten, so hatte jeder kaum eine Arschin breit Raum für sich; aber das machte uns damals nichts. Wir wußten, daß der Feldjäger, der Wadkowski gebracht hatte, irgend jemand aus Tschita mit fortnehmen sollte, aber wen und wohin, konnten wir einige Tage lang nicht erfahren; schließlich führte er Kornilowitsch mit sich, um ihn auf die Peter-Paulsfestung zu bringen; von dort aus wurde er dann in den Kaukasus gesandt, wo er auch starb.

In der kleinen Kasematte aßen wir alle zusammen und hatten der Reihe nach Tagesdienst; die Pflichten des Diensthabenden bestanden darin, alles zum Mittag- und Abendessen vorzubereiten und dann alles abzuräumen. Zum Mittagessen brachte der Wächter eine große Schüssel mit Kohlsuppe und eine andere Schüssel mit zerschnittenem Rindfleisch; das Brot brachte er auch geschnitten. Wir bekamen keine Messer und Gabeln, nur Zinn-, Holz- oder Hornlöffel; an Stelle der Teller setzte man uns hölzerne chinesische Schalen hin. Nach jeder Mahlzeit kam der Diensthabende in die unangenehme Lage, das Geschirr waschen und alles wieder in Ordnung bringen zu müssen.

168

Dabei waren keine Handtücher und oft nicht einmal warmes Wasser dazu vorhanden. Tee tranken wir ebenfalls alle zusammen, und das Einschenken des Tees wurde auch abwechselnd übernommen. Wir lebten in solcher Enge, daß es ganz unmöglich war, sich zu beschäftigen; es gelang kaum, im Laufe einiger Tage ein Buch durchzulesen. Wir beschäftigten und zerstreuten uns hauptsächlich durch Schachspiel und durch gegenseitige Erzählungen. An Alltagen wurden aus allen Kasematten 16 Mann zur Arbeit beordert und in Begleitung bewaffneter Soldaten hingeführt. In einem kleinen Häuschen waren 4 Handmühlen aufgestellt, alle in einem Zimmer. Die Arbeit dauerte morgens drei und nachmittags drei Stunden. In dieser Zeit mußten wir alle zusammen 4 Pud Roggen mahlen, das machte 10 Pfund für jeden einzelnen; da an jeder Mühle nicht mehr als zwei Menschen mahlen konnten, so wechselten wir ab. Die Arbeit war natürlich nicht schwer; aber einige hatten doch nicht die Kraft, ihr bestimmtes Maß zu mahlen und mieteten sich den Wächter, der ihr Teil dann mahlte. Diejenigen, die nicht an der Mühle arbeiteten, hielten sich unterdessen in einem anderen Zimmer auf, rauchten, spielten Schach, lasen und unterhielten sich.

Im Februar kam Mademoiselle Pol an, die die Erlaubnis erhalten hatte, sich mit Annenkow zu verheiraten. Nach der Trauung wurde es Annenkow gestattet, drei Tage bei seiner jungen Gattin zu bleiben, und für diese Zeit wurden ihm die Fesseln abgenommen. Schließlich kam auch von Wisins Frau an. Verschiedene unangenehme Umstände hatten sie so lange in Moskau zurückgehalten. Ihre Gesundheit war sehr schwach, und in der Abwesenheit ihres Mannes war sie mehrfach schwer krank gewesen. Sie hatte zwei unmündige Kinder zurücklassen und sich für immer von ihren alten Eltern trennen müssen, die ihre

169

einzige Tochter so sehr liebten, daß sie alles versucht hatten, um sie von der Reise nach Sibirien zurückzuhalten. Aber sie hatte die zärtlichen Gefühle für Eltern und Kinder hintenangesetzt und war zu ihrem Mann gekommen. Sie brachte vielen von uns, auch mir, Briefe mit. Meine Frau bat mich inständig, ihr doch zu erlauben, mir zu folgen, und versicherte, daß sie sich gar nicht fähig fühlte, unseren Kindern von Nutzen zu sein; aber ich war von dem Gegenteil überzeugt.

Ich und einige andere wurden aus der kleinen Kasematte in die große gebracht. In dem Zimmer, in dem ich untergebracht wurde, waren wir 14 Personen. An allen Wänden standen Betten; in der Mitte des Zimmers stand ein Tisch, an dem wir aßen; an der einen Seite des Tisches stand eine Bank, an der anderen Seite war gerade so viel Platz, daß ein Mensch vorbeigehen konnte. Dieses Raummangels wegen waren wir gezwungen, den ganzen Tag zu sitzen, wenn wir nicht auf dem Hof spazieren gehen konnten. Die große Kasematte war unbeschreiblich schlecht gebaut. Die vergitterten Fenster waren direkt ohne Rahmen in die Mauern eingesetzt und waren im Winter immer mit einer dichten Eisschicht bedeckt. In unserem Zimmer war es immer dunkel und kalt. Ein jeder bemühte sich, sich auf seinem Bett so einzurichten, daß er lesen oder sich mit etwas anderem beschäftigen konnte. Alle, mit wenigen Ausnahmen, lernten selbst oder lehrten andere. Diese Art Beschäftigung hatte bei unserer Lage etwas Versöhnendes und war eine wahre Rettung für uns. Ein Faulenzerleben wäre bei der engen Berührung, in der wir miteinander lebten, sehr verderblich gewesen. Sehr wenige von den Slawen kannten fremde Sprachen, und fast alle fingen an, Französisch zu studieren; einige lernten auch mit Hilfe anderer Deutsch oder Englisch, noch andere beschäftigten sich sogar mit den alten Sprachen. Diejenigen, die
170

169

in Mathematik und den modernen Wissenschaften bewan-
dert waren, hatten auch Schüler. An Büchern war kein
Mangel, Journale waren genügend vorhanden, und jeder
hatte die Möglichkeit, die besten Werke aus allen Gebieten
menschlichen Wissens zu lesen. In der ersten Zeit wurde
es uns sehr schwer, fleißig zu arbeiten, weil uns immer
das ungewohnte Klirren der Ketten störte; manchmal,
wenn man sich in ein Buch vertieft hatte, oder wenn man mit
seinen Gedanken bei den Seinen und weit von Tschita entfernt
war, öffnete sich plötzlich die Tür, und die Jugend kam
geräuschvoll in das Zimmer hereingestürmt und tanzte, mit
den Ketten rasselnd, eine Mazurka. Einige beschäftigten
sich mit Musik, Zeichnen und Malen, andere übten zum
Nutzen aller ein Handwerk aus. Zuerst bildeten sich
einige zu Schneidern aus, die wir in der ersten Zeit unseres
Aufenthaltes in Tschita sehr dringend brauchten; später
hatten wir dann auch noch Tischler, Schlosser und Buch-
binder unter uns. Nikolai Bestushew, der in seiner Jugend
die Kunstakademie besucht hatte, war unser Porträtist;
er zeichnete unsere Damen und auch fast alle seiner Gefährten; außerdem wurde er unser Uhrmacher, als man
uns erlaubte, unsere Uhren zu tragen. Wenn gutes Wetter
war, spielten wir manchmal auf dem Hof Laufspiele, obgleich die Kettten an den Füßen uns dabei sehr hinderten.
In unseren Unterhaltungen war sehr oft von unserer allgemeinen Sache die Rede. Wir hörten die Erzählungen
jedes einzelnen und verglichen sie miteinander, und mit
jedem Tage wurde uns alles auf unsere Sache Bezügliche
verständlicher, mit jedem Tage wurde uns die Bedeutung
unserer Gesellschaft, die trotz aller Hindernisse 9 Jahre
bestanden und gewirkt hatte, klarer. Auch die Bedeutung
des 14. Dezember wurde uns klarer, und außerdem wurden
alle Handlungen des Komitees bei dem Verhöre der Angeklagten und alle bei den Berichten angewandten Kunst-

171

grine bekannt; die Berichte hatten nicht viele Lügen enthalten, waren aber doch in betrügerischer Art abgefaßt
worden. Es war nicht schwer gewesen, unter den Angeklagten eine bestimmte Anzahl Schuldiger zu Opfern aus-
zuersehen — jeder, der bezichtigt war, ungebührliche Worte
gegen die Regierung gebraucht zu haben, war schon der
ganzen Strenge der Gesetze unterworfen; die schwerste
Aufgabe des Komitees hatte darin bestanden, scheinbar
in voller Gewissenhaftigkeit die Ziele der Geheimen Gesellschaft zu verunglimpfen und damit zugleich die Handlungsweise jedes einzelnen zu entehren. Zur Erreichung
dieses Zieles hatten sich die Mitglieder des Komitees bei
Aufstellung des Berichtes auf die eigenen Zeugnisse und
Aussagen der Angeklagten gestützt. Sie hatten in ihrem
Bericht aber nur d i e Aussagen erwähnt, die einen Schatten
auf die Geheime Gesellschaft werfen und ihre Mitglieder
in einem lächerlichen oder ekelhaften Licht erscheinen
lassen konnten, und hatten alles, was Mitgefühl für sie
hätte erwecken können, verschwiegen. Das oberste Kriminalgericht, das im Einverständnis mit dem Komitee gehandelt hatte, hatte seinerseits die von den Gesetzen vorgeschriebene Ordnung im Gerichtsverfahren nicht inne-
gehalten. Man hatte die Angeklagten nicht vorgeladen,
um ihnen die Anschuldigungen des Komitees vorzulesen;
man hatte sie nicht gefragt, ob sie ihren früheren Aussagen noch etwas hinzuzusetzen oder noch etwas zu ihrer
Rechtfertigung zu sagen hätten. Man hatte sie nur einige
Tage vor Verkündung des Urteilsspruches gerufen, damit
sie, wie man ihnen sagte, ihre eigenen Aussagen, die sie
nicht lesen durften und die zum größten Teil nicht von
ihrer Hand geschrieben waren, unterzeichneten.

Natürlich verdienen weder die Mitglieder des Komitees noch die Mitglieder des obersten Gerichtshofes
besondere Vorwürfe. Bei ähnlichen Fällen handelt man
172

innerhalb und außerhalb Rußlands genau so mit Leuten, die der Regierung gefährlich erscheinen. Man kann den Mitgliedern des Komitees auch keine Ungerechtigkeit aus persönlichen Gründen nachsagen. Mir ist nur eine derartige Ungerechtigkeit bekannt geworden. Graf Tschernüscheff, der unter Anklage gestellt und in der Festung gefangen gehalten wurde, wurde ohne schriftliches oder mündliches Verhör zur Zwangsarbeit verurteilt. Er sollte später ein seinem Geschlecht gehörendes Majorat erben. Er war der einzige Sohn, und nachdem man ihm alle Standesrechte aberkannt hatte, konnte General Tschernüscheff, der so eifrig im Komitee gearbeitet hatte, seine eigenen Ansprüche auf das Majorat geltend machen. Der Senat, der diese Ansprüche prüfte, fand dieselben durch nichts begründet und entschied, daß das Majorat nicht dem General Tschernüscheff, sondern der ältesten Schwester des nach Sibirien verbannten Grafen Tschernüscheff zufallen sollte. Sie war an Kruglikow verheiratet, der sich, nachdem ihm das Majorat zugesprochen war, Tschernüscheff-Kruglikow nannte.

Wir alle, die wir zusammen in Tschita waren, hatten viel Gemeinsames in unseren Ansichten; aber unter uns waren Vierzigjährige und Zwanzigjährige! Bei unserem Leben in der Kasematte wurde keiner in den Beziehungen zu seinen Kameraden durch gesellschaftliche Rücksichten gestört. Die Persönlichkeit jedes einzelnen hob sich scharf heraus; die Meinungen der einen wichen von den Meinungen der anderen ab, und nach und nach bildeten sich Kreise von Leuten, die sich nach Neigung und Verstehen besonders nahe standen. Einer dieser Kreise, im Scherze Kongregation genannt, bestand aus Leuten, die durch die Umstände, die während der Zeit ihrer Gefangenschaft auf sie eingewirkt hatten, sehr fromm geworden waren; sie kamen häufig zum Lesen von Erbauungsbüchern und

173

Jakuschkin

zur Unterhaltung über die ihnen am meisten am Herzen liegenden Gegenstände zusammen. An der Spitze dieses Kreises stand Puschkin, ein ehemaliger Offizier von der Suite, der hervorragend geistig begabt war. Während seiner Gefangenschaft hatte er die Schönheiten des Evangeliums schätzen gelernt, war zum Glauben seiner Kindheit zurückgekehrt und bemühte sich eifrig, ihn zu verteidigen. Die Mitglieder dieser Kongregation waren liebenswürdige, sehr friedliche Leute, die jeden ungeschoren ließen und darum in den besten Beziehungen zu den übrigen Gefährten standen. Ein anderer vielbedeutender Kreis bestand aus Slawen[**]; sie hatten keine besonderen Versammlungen, aber da sie schon vor ihrer Verhaftung nah miteinander bekannt gewesen waren, so standen sie in engen Beziehungen zueinander. Sie alle hatten in der Armee gedient, da sie keine glänzende Stellung in der Gesellschaft gehabt hatten; viele von ihnen waren in den Kadettenkorps, die sich damals nicht durch besonders gute Einrichtungen auszeichneten, erzogen worden. Die Bildung der Slawen war keine sehr große, sie waren aber alle von dem ihrem Stamme eigenen Selbstgefühl erfüllt und zeigten fast niemals das geringste Schwanken in ihren Meinungen. Wenn man sie näher kennen lernte, kam man zu der Überzeugung, daß sie ihre Worte immer zu Taten machen würden, und daß keiner von ihnen im entscheidenden Augenblick zurücktreten würde. Die hervorragendste Persönlichkeit in diesem Kreise war Peter Borissow; die

---

[**] Die „Slawen", eine Gruppe heimlicher Politiker, hatten ehemals der „Geheimen Gesellschaft der vereinigten Slawen" angehört. Ihr Ziel war die Vereinigung der slawischen Stämme zu einer Föderativ-Republik. Auf dem achteckigen Siegel des Bundes waren die Namen der acht „Geschlechter" des slawischen Stammes eingeschliffen: Russen, Serben, Bulgaren, Tschechen, Slowaken, Luschitschanen, Slowenen und Polen.

174

Slawen brachten ihm fast unbegrenztes Vertrauen entgegen. Einige bezeichneten ihn als den Gründer der
„Gesellschaft vereinigter Slawen", aber er gab das nicht
zu. Wenn man ihn kannte, konnte man schwer daran
glauben, daß er der Begründer irgend einer „geheimen"
Gesellschaft hätte sein können. Er war zu Hause bei
seinem Vater erzogen worden und dann als Junker bei der
Artillerie eingetreten. Er hatte eine Zeitlang mit seiner
Kompagnie auf dem Gute eines reichen polnischen Gutsbesitzers, der eine Bibliothek besessen hatte, gestanden.
Borissow, der sehr lernbegierig gewesen war und etwas
französisch gekonnt hatte, hatte dort alle Bücher, die ihm
in die Hände gefallen waren, gelesen und sich vorzugs-
weise mit Voltaire, Helvtius, Goldbach und anderen
Schriftstellern derselben Färbung beschäftigt. Dadurch war
er Atheist geworden und predigte jetzt seinen Kameraden,
von denen ihm viele auf das Wort glaubten, seine Anschauungen. Er hatte einen sehr liebenswürdigen und bescheidenen Charakter; niemand hörte ihn jemals seine
Stimme erheben, niemand bemerkte auch nur einen
Schatten von Ruhmsucht an ihm. Sein Wohlwollen für alle
offenbarte sich in jedem Augenblick, und mit kindlichem
Gehorsam erfüllte er alle an ihn gestellten Forderungen. Er
liebte es leidenschaftlich, zu lesen und zeichnete auch
nicht schlecht, aber wenn jemand von ihm verlangte, daß
er helfen sollte, ein Beet umzugraben, so ließ er sofort
seine Arbeit liegen und kam, um zu helfen; wenn jemand
Wasser zum Begießen brauchte, so brachte er ohne
Zögern einen Eimer voll Wasser herbei. Als ich sein
ganzes Tun längere Zeit aufmerksam beobachtet hatte,
tauchte in meiner Seele der Gedanke auf, daß dieser Mann,
ihm selbst unbewußt, von dem wahren Geist des Christentums durchdrungen wäre.

Es gab noch mehrere Kreise, die aus verschiedenen

175

Jakuschkin

persönlichen Beziehungen heraus entstanden waren. Aber
trotzdem bildeten wir alle zusammen doch ein Ganzes.
Wir hatten oft heiße Wortgefechte, aber ohne Erbitterung
des einen Gegners gegen den anderen; die kleinen Streitigkeiten zwischen der Jugend wurden schnell durch Ver-
mittelung älterer Gefährten beigelegt. Fast alle Slawen
und auch viele andere hatten kein Geld mitgebracht und
bekamen auch weiter nichts von Hause geschickt; die
Kameraden, die Geld hatten, halfen den Bedürftigen mit
so einfachem und wahrem Wohlwollen, daß niemand sich
durch solche Unterstützung erniedrigt fühlen konnte.
Unsere Gelder, und sogar auch die Gelder der Damen,
wurden von dem Kommandanten verwahrt. Er gab nie
viel auf einmal heraus und forderte jedesmal schriftliche
Rechenschaft über unsere Ausgaben. In der Kasematte
waren verschiedene Kniffe üblich, denen gegenüber der
Kommandant ein Auge zudrückte. Er verlangte nur ausführlich Rechenschaft über die von ihm herausgegebenen
Gelder, kümmerte sich aber nicht darum, ob sie gerade
für den in dem Rechenschaftsbericht genannten Gegenstand ausgegeben worden waren. Jeder, der Geld besaß,
gab dasselbe entweder ganz oder doch zum Teil in die
Artelskasse²⁹), wo es allgemeines Eigentum wurde. Der
von uns erwählte Verwalter der Kasse gab das Geld für
unsere Beköstigung oder für andere uns allen notwendige
Dinge aus.

---

²⁹) Über den Artel siehe Anmerkung S. 28.

13. Kapitel
Marsch nach Petrowsk. Die Verhältnisse dort

Im März des Jahres 1828 kam der Befehl, alle Staatsverbrecher der 7. Klasse[30]), die ihre Zwangsarbeitszeit verbüßt hatten, anzusiedeln. Vor ihrer Abreise nahm man ihnen die Fesseln ab und gestattete ihnen, unsere Damen zu besuchen. Dieselben rüsteten sie, so gut sie konnten, mit Geld und allem Notwendigen aus. Den Gefangenen dieser Abteilung wurden ebenso nördlich gelegene und ebenso ungünstige Orte angewiesen, wie den Gefangenen der 8. Klasse. Tschernüscheff wurde etwas besser angesiedelt, als die übrigen: er kam nach Jakutsk. Kriwzow und Sagorjetzki wurden an der Lena angesiedelt, Iwan Abramow und Lesowski in Truchawsk. Wygodowski wurde nach Nara, Tiesenhausen nach Surgut geschickt. Entalzew, Licharew und Baron Tscherkassow kamen nach Beresa, wo sie Wranitzki und Vogt vorfanden. Briegen kam nach Pela. Poliwanow, der auch dieser Klasse angehört hatte, war schon auf der Festung gestorben. Tolstoi war kurze Zeit in Tschita gewesen und dann in den Kaukasus geschickt worden. Noch vor der Abreise der 7. Abteilung trafen Igelschtrom, Wigelin und Rukewitsch in Tschita ein. Die ersten beiden hatten als Sappeure im litauischen Korps gedient und waren verhaftet worden, weil sie sich geweigert hatten, dem neuen Kaiser den Treu-

---

[30]) Die Staatsverbrecher der 7. Klasse wurden zu 4 jähriger Zwangsarbeit und darauffolgender Ansiedlung in Sibirien verurteilt. Das Urteil wurde später gemildert und in 2 jährige Zwangsarbeit und darauffolgende Ansiedelung umgewandelt.

Dekabristen-Memoiren   12   **177**

Jakuschkin

eid zu schwören. Rukewitsch war Pole und hatte der in Wilna bestehenden Geheimen Gesellschaft angehört. Die übrigen Mitglieder der Gesellschaft waren mit Strafen verschiedener Art belegt worden; nur Rukewitsch und Wigelin waren vor ein Kriegsgericht gestellt und zur Zwangsarbeit verurteilt worden. Bis Tobolsk waren sie von Gendarmen geleitet worden; von dort aus hatten sie mit einer Abteilung gemeiner Verbrecher zu Fuß bis Irkutsk gehen müssen, — und waren ebenso wie die letzteren in Ketten gelegt worden.

Zu derselben Zeit, als man in Petersburg über uns abgeurteilt hatte, waren einige Offiziere des Tschernigows-kischen Regimentes: Baron Solowiew, Suchinow, Maso-lewski und Bystritski vor ein Kriegsgericht gestellt worden. Sie hatten an dem von Sergei Murawiew-Apostol erregten Aufstand teilgenommen und waren zu zwanzigjähriger Zwangsarbeit verurteilt worden. Sie waren zu Fuß in die Minen von Nertschinsk geschickt worden, und Suchinow hatte mit einigen Verbannten, zu denen er unterwegs in Beziehung getreten war, einen Aufstand geplant. Das eigentliche Ziel des Aufstandes war nicht ganz klar gewesen, jedenfalls war er nicht zur Ausführung gekommen, weil einige Sträflinge von der Verschwörung Anzeige gemacht hatten. Suchinow, Solowiew, Masolewski und alle an dem Komplott Beteiligten wurden unter strenger Bewachung eingeschlossen. Nachdem Kommandant Leparsky die Angelegenheit nach Petersburg berichtet hatte, erhielt er den Befehl, das über die Verbrecher gefällte Urteil zu vollstrecken und kein Milderung desselben von allerhöchster Stelle zu erwarten. Leparsky nahm seinen ganzen Mut zusammen und begab sich nach Nertschinsk. Suchinow, früher Unteroffizier im Moskowischen Regiment, und noch einige andere nach dem 14. Dezember Verbannte waren zum Tode verurteilt; sie wurden, mit
178

177

Ausnahme Suchinows, der sich der Strafe durch Selbstmord entzog, erschossen. Nach diesem Vorfall brachte man Solowiew und Masolewski, die sich in keiner Weise an dem Unternehmen beteiligt hatten, nach Tschita. Leparsky hatte den aus Petersburg erhaltenen Befehl ausführen müssen; trotzdem fühlte er sich nach seiner Rückkehr aus Nertschinsk sichtlich befangen, besonders unseren Damen gegenüber, die ihn lange als einen Henker ansahen. Bei meiner Ankunft in Tschita hörte ich, daß auch bei den Unserigen der Gedanke, sich zu befreien, aufgetaucht war; aber da sie eingesehen hatten, daß alle ihre Pläne unausführbar sein würden, hatten sie diese Absicht bald aufgegeben, und wir zuletzt Ankommenden hörten von diesen Plänen als von etwas bereits Abgetanem. Später, als wir die Einsicht gewannen, daß unsere Gefangenschaft auch Nutzen für uns hatte, hegte keiner mehr den Wunsch, sich zu befreien. Selbst diejenigen, die unter den schwierigsten Umständen angesiedelt wurden, dachten nicht daran, sich ihren Leiden durch die Flucht zu entziehen.

Wir erhielten die Briefe von den Unserigen durch den Kommandanten; er war verpflichtet, dieselben durchzulesen. Uns selbst war es nicht gestattet, zu schreiben, aber unsere Damen, die das Recht hatten, zu schreiben, an wen sie wollten, gaben unseren Verwandten Nachricht. Auf die Weise war ein ziemlich regelmäßiger Briefwechsel zwischen uns und unseren Angehörigen möglich. Jede Dame schrieb für eine bestimmte Anzahl Männer die Briefe und benutzte manchmal ein ihr gegebenes Brouillon, dem sie dann nur hinzufügte: der und der bat mich, Ihnen dies und das mitzuteilen. Unsere Damen hatten viel Mühe mit dem Briefschreiben. Ich weiß, daß die Fürstin Trubetzkoi allein jede Woche 10 Briefe an den Kommandanten ablieferte. Die Frauen hatten sich schriftlich verpflichten müssen, sich allen Anordnungen des Kommandanten zu

Jakuschkin

fügen und alle Briefe nur durch seine Hände gehen zu lassen. Alle Briefe aus Tschita gingen durch die dritte Sektion, und der Kommandant las sie vorher, für den Fall, daß eine Anfrage nach dem Inhalt dieser Briefe an ihn herantreten könnte. Die an uns gerichteten Briefe wurden in Irkutsk gelesen, und wenn der Gouverneur etwas darin fand, was Aufmerksamkeit zu verdienen schien, so machte er der dritten Sektion davon Mitteilung. Der Kommandant las aus Furcht vor Nachfragen auch diese Briefe. — Eines Tages, bald nach der Ankunft der Frau von Wisin, rief man mich an den Zaun, an dem die Fürstin Trubetzkoi, mit einem Brief in der Hand, stand. Sie steckte mir den Brief durch eine Lücke im Zaun zu und übermittelte mir die frohe Botschaft, daß meine Frau die Erlaubnis erhalten hätte, mir mit den Kindern zu folgen. Diese Nachricht kam mir so völlig unerwartet, daß ich mich — trotzdem ich den Worten der Fürstin Trubetzkoi Glauben schenkte — nicht gleich meines Glückes freuen konnte. Alle Bewohner der Kasematten beglückwünschten mich. Nikita Murawiew, von Wisin und Dawidow hatten ihre Kinder zurücklassen müssen und konnten jetzt auch hoffen, daß man denselben erlauben würde, zu ihren Eltern zu reisen. Rosens Frau war ebenfalls bei ihrem kleinen Kinde geblieben, und auch er durfte jetzt hoffen, seine Familie wiederzusehen. Am anderen Tage kam der Kommandant in die Kasematte, nahm mich beiseite und sagte mir, daß er mir nicht eher ein Wiedersehen mit meiner Familie gestatten würde, ehe er Befehl dazu erhalten hätte. Ich bemühte mich, ihn davon zu überzeugen, daß meine Frau sich nicht mit den Kindern nach Sibirien begeben würde, ohne die Erlaubnis dazu erhalten zu haben, und daß er sicher noch vor ihrer Ankunft von der Obrigkeit darüber benachrichtigt werden würde. Bald darauf schickte mir meine Frau einen von Diebitsch an sie ge-
180

179

richteten Brief, in dem gesagt war: Seine Majestät der Kaiser haben der Jakuschkina[31]) gestattet, zu ihrem Manne nach Sibirien zu reisen und ihre Kinder mit sich zu nehmen; zugleich haben Seine Majestät der Kaiser befohlen, die Jakuschkina auf die unzulänglichen Mittel, ihre Söhne in Sibirien zu erziehen, aufmerksam zu machen. Nach Empfang dieses Briefes konnte ich mit Recht auf eine baldige Wiedervereinigung mit meiner Familie hoffen. Aber meine Frau konnte wegen Krankheit des Kleinsten nicht gleich von der erhaltenen Erlaubnis Gebrauch machen und mußte ihre Reise bis zum Sommer verschieben. Unterdessen hatte sich Anna Wassiljewna Rosen, die erfahren hatte, daß man meiner Frau die Erlaubnis erteilt hatte, mir zu folgen, nach Petersburg begeben, um zu bitten, daß man auch ihr und ihrem Sohne gestatten möchte, nach Sibirien zu reisen. Der Chef der Gendarmerie, Graf Benkendorf, wies ihre Bitte sehr entschieden zurück und sagte ihr, daß Diebitsch sehr unbedacht gehandelt hätte mit seiner Fürsprache für die Jakuschkina. Dieselbe würde wahrscheinlich von der dritten Sektion nicht alles zu ihrer Reise Notwendige erhalten und darum nicht nach Sibirien gehen können. Auf die Frage A. W. Rosens, was dann gewesen wäre, wenn sich die Jakuschkina unverzüglich, nach erhaltener allerhöchster Erlaubnis mit ihren Kindern auf die Reise gemacht hätte, antwortete der Chef der Gendarmerie sehr offen, daß man sie dann natürlich nicht zurückgeschickt haben würde. Damals begann gerade der Krieg mit der Türkei, und deshalb waren weder der Kaiser, noch General Diebitsch in Petersburg anwesend. Meine Schwiegermutter fuhr mehrfach nach Petersburg, um sich für die Abreise ihrer Tochter und ihrer Enkel nach Sibirien zu

---

[31]) Das kleine a, das hier dem Namen Jakuschkin angehängt ist, ist die weibliche Namensendung, die für russische Namen gebräuchlich ist.

181

Jakuschkin

verwenden, aber alle ihre Bemühungen blieben erfolglos.
Der Chef der Gendarmerie lieh ihren Bitten kein Ohr,
und voll Kummer machte sie mir davon Mitteilung. Als
ich den Brief erhielt, stellte ich mir die Lage meiner Frau
lebhaft vor — zum zweitenmal sollte sie die Wünsche
ihres Herzens den Pflichten gegen die unmündigen Kinder
zum Opfer bringen! Bei diesem Gedanken verlor ich
vollständig den Kopf. Ich ließ den Kommandanten er-
suchen, zu mir zu kommen und bat ihn, sich in meine
Lage zu versetzen und doch alles mögliche für eine
Wiedervereinigung mit meiner Familie zu tun. Ich betonte
dabei besonders, daß meine Frau doch die allerhöchste
Erlaubnis zu dieser Reise erhalten hätte. Der Kommandant
suchte mich zu beruhigen und sagte mir, daß er in dieser
Angelegenheit gar nichts tun könnte. Um mich in meinem
Kummer zu trösten, erzählte er mir von all den Schwierigkeiten, die er in seinem Leben gehabt hätte und die er nur
durch Geduld hätte überwinden können; aber das tröstete
mich natürlich gar nicht. So hieß es auch dieses Mal
wieder, sich in das Unvermeidliche ergeben und sich so
gut wie möglich mit dem Stand der Dinge abfinden.

Schweikowski war längere Zeit unser Wirt gewesen,
aber er sorgte ziemlich schlecht für unsere Verpflegung
und hatte die Unzufriedenheit vieler erregt. Die Jugend
gab ihrer Unzufriedenheit Schweikowski gegenüber offen
Ausdruck, so daß letzterer bat, ihn seines Amtes zu ent-
binden. Alle waren mit diesem Vorschlage einverstanden
und wählten einen neuen Wirt. Jeder dem Artel Ange-
hörende konnte seine Stimme abgeben. Ich enthielt mich
der Wahl und bat, mich nicht als Kandidaten vorzuschlagen,
weil ich mich unfähig fühlte, die Pflichten des Wirtes zu
übernehmen. An Stelle Schweikowskis wurde Rosen erwählt; er führte die Wirtschaft mit denselben geringen
Mitteln viel besser als sein Vorgänger. Mit Eintritt des
182

13. Kapitel

Frühlings gab man uns ein eingezäuntes großes Stück Gartenland, und einige von uns arbeiteten dort täglich. In diesem ersten Jahre war die Ernte sehr schlecht; aber wir hatten doch im Herbst und Winter Kartoffeln, Rüben und Mohrrüben für unsere Suppen. Wenn es ganz warm war, führte man uns täglich — immer 15 Mann zurzeit — unter starker Bedeckung zweimal zum Baden. Der Kommandant hatte uns einen sehr seichten Nebenfluß des Tschita zum Baden bestimmt. Die Stelle, an der wir badeten, war ganz eingezäunt. Wenn wir zum Baden gingen, wurden uns die Ketten abgenommen, aber nach unserer Rückkehr wurden sie uns sofort wieder angelegt.

Im Juni kamen Lunin, Mitkow und Kirjeew nach Tschita, und bald nach ihnen trafen Taptykow, Drushinin und Koljesnikow aus Orenburg ein. (Auf Bitten seines Bruders wurde auch Ippolito Sawalischin aus Nertschinsk nach Tschita gebracht.) Sawalischin war erst 17 Jahre alt. Zur Zeit unseres Aufstandes war er auf der Ingenieurschule gewesen. Als sein Bruder zur Zwangsarbeit verurteilt worden war, hatte er ihn in einer so ekelhaften Weise denunziert und auch seine Schwester so hineinverwickelt, daß man ihn von der Schule ausgeschlossen und als Soldat nach Orenburg geschickt hatte. Der Wladimirskische Gouverneur Apraxin hatte Mitleid mit der Jugend Sawalischins gehabt und ihm große Nachsicht erzeigt. Sawalischin hatte das nach Petersburg berichtet und Apraxin war seiner Stelle verlustig gegangen. Während seiner Anwesenheit in Orenburg hatte Sawalischin sich mit einigen Junkern und einigen jungen Offizieren seines Bataillons angefreundet; da er nicht dumm war und eine gewisse Bildung besaß, hatte er sich bald eine Stellung unter den jungen Leuten geschaffen und es verstanden, ihr Vertrauen zu gewinnen. In freundschaftlichen Gesprächen beim Glase Tee hatte er die jungen Leute über-

183

redet, einer geheimen Gesellschaft, deren Begründer er
war, beizutreten; als er unzweifelhafte Beweise ihrer Zustimmung, der Geheimen Gesellschaft angehören zu wollen,
in Händen hatte, hatte er dem Generalgouverneur Essen
von dem Bestehen einer Geheimen Gesellschaft in Orenburg Mitteilung gemacht; die Sache war sofort untersucht
worden und es hatte sich herausgestellt, daß alle Mitglieder dieser Gesellschaft von Sawalischin in dieselbe
aufgenommen worden waren. Er, Taptykow, Drushinin
und Koljesnikow waren zu Zwangsarbeit von verschiedener Dauer verurteilt und nach Tschita verschickt worden.

Am 30. August versammelte der Kommandant uns
alle und verlas ein Schriftstück, in dem gesagt war, daß
Seine Majestät der Kaiser, auf Fürsprache des Kommandanten der Minen von Nertschinsk, Leparsky, gestattete,
daß derselbe allen Staatsverbrechern, die er dessen für
würdig hielte, die Ketten abnähme. Leparsky sagte uns,
daß er uns alle der kaiserlichen Gnade für würdig hielte.
Auf seine Worte folgte tiefes Schweigen; dann hörte man
die Stimmen einiger Slawen, die baten, ihnen die Fesseln
nicht abzunehmen. Der Kommandant achtete nicht auf
sie, er befahl dem wachthabenden Offizier, uns allen die
Ketten abzunehmen, sie zu zählen und ihm dann abzu-
liefern. Dann wurden die Ketten einem Bergwerksbe-
amten, Smoljaninow, zur Aufbewahrung übergeben. Smoljaninow war mit einer unehelichen Tochter des ehemaligen
Generalgouverneurs von Irkutsk, Jakobi, verheiratet. Annenkow war ein Enkel Jakobis, und die Frau Smoljaninows,
die also mit ihm verwandt war, verschaffte uns Teile dieser
Ketten, aus denen wir uns zum Andenken Ringe an-
fertigten. Aus Nertschinsk wurde jedes Jahr durch einen
Expreßboten eine Silbersteuer nach Petersburg gebracht.
Annenkow schickte durch die Smoljaninowa mit der Silbersteuer einen Brief an seine Mutter. Der Offizier, der die
184

13. Kapitel

Silbersteuer überbrachte, gab Annenkows Brief direkt an die dritte Sektion ab; dort wurde er gelesen und an Annenkow zurückgeschickt. Der Kommandant, Leparsky, erhielt den Befehl, die Smoljaninowa für ihr Vergehen eine Woche gefangen zu halten.

Nachdem man uns die Ketten abgenommen hatte, wurden wir auch nicht mehr in so strenger Haft gehalten. Die Männer besuchten ihre Frauen jeden Tag, und wenn eine von den Frauen krank war, durften die Männer auch über Nacht bei ihnen bleiben. Später lebten dann die Männer gar nicht mehr in der Kasematte, sie kamen nur zur Arbeit, wenn sie an der Reihe waren. Der Arzt, den man uns aus Irkutsk geschickt hatte, erwies sich als sehr untauglich, und darum sah sich der alte Leparsky, der von verschiedenen Leiden geplagt war, veranlaßt, sich an unseren Gefährten Wolf zu wenden, der Stabsarzt im Hauptquartier des zweiten Armeekorps gewesen war. Anfänglich ging Wolf ungern aus der Kasematte heraus und schickte Artamon Murawiew, der leidenschaftlich zu doktorn liebte, mit Verordnungen zu Leparsky; aber es traten doch Umstände ein, unter denen Wolfs Anwesenheit notwendig war. Es war dem Kommandanten, nachdem er Wolf zu sich gerufen hatte, sehr schwer, ihm abzuschlagen, die Damen zu besuchen, wenn sie krank waren. Schließlich erhielt Wolf die Erlaubnis, in Begleitung einer Schildwache zu den Kranken außerhalb der Kasematten zu gehen und ihnen die notwendige Hilfe zu leisten. Später wurde uns auch gestattet, die Verheirateten zu besuchen; aber es durfte täglich nur einer in jedes Haus gehen, und auch nie anders, als auf eine schriftliche Anfrage der Hausherrin hin, die den Kommandanten unter irgend einem Vorwande bitten mußte, daß dieser oder jener sie besuchen dürfte.

Im Jahre 1829 wurde Puschkin an Stelle von Rosen

185

184

Jakuschkin

zu unserem Wirt erwählt und Küchelbecker zu unserem
Gärtner. Beide arbeiteten, mit Hilfe von Tagelöhnern,
fleißig in unserem Garten, und die Ernte fiel so gut aus,
daß Puschkin, nachdem alle für die Kasematte nötigen
Vorräte eingebracht worden waren, noch die Möglichkeit
hatte, vielen armen Einwohnern Vorräte an Kartoffeln,
roten Rüben u. dgl. zu schenken. Als wir nach Tschita
gekommen waren, hatte es dort sehr wenige Gemüsegärten
gegeben, und die wenigen waren in ziemlich trauriger
Verfassung gewesen. Jetzt hatte sich das geändert; unsere
Anwesenheit hatte überhaupt einen günstigen Einfluß auf
die Lage der meist sehr armen Einwohner Tschitas. Die
Ausgaben unserer Damen und die Ausgaben für uns be-
liefen sich jährlich auf Tausende, und der größte Teil
dieser Summe wurde in Tschita selbst verausgabt. Im
Laufe von zwei Jahren war das Leben der Bewohner von
Tschita ein vollständig anderes geworden. Neue Häuser
waren erstanden, alte Häuser waren ausgebessert, Gärten
waren angelegt worden, und die Bewohner waren auf
diese Weise mit allem zum Leben Notwendigen versehen.

Mit Eintritt der warmen Jahreszeit führte man uns
alle, mit Ausnahme derer, die Obliegenheiten in der Kaserne hatten, ins Freie. Wir mußten Erdarbeiten machen:
Erde ausgraben, auf Karren laden und die Karren an eine
Schlucht führen, wo die Erde abgeladen wurde. Die Arbeit
war nicht angreifend, jeder tat, was in seinen Kräften
stand; wenn man nicht wollte, brauchte man auch nichts
zu tun. Diese Arbeit sollte nur zum Beweise dienen, daß
die Staatsverbrecher schonungslos zur Zwangsarbeit heran-
gezogen würden. In dieser Zeit gingen wir auch dreimal
täglich zum Baden. Wir badeten nicht mehr in dem
kleinen Nebenfluß des Tschita, sondern im Tschita selbst,
und wenn der zu flach war, so führte man uns zum Ingoda,
der zwei Werst von der Kasematte entfernt dahinfloß.
186

13. Kapitel

Dieser Spaziergang war für uns sehr angenehm, weniger für die uns begleitenden Soldaten, die mit der Flinte auf der Schulter an einzelnen Tagen den Weg von der Kasematte zum Ingoda, vom Ingoda zur Kasematte sechsmal zurücklegen mußten. Das Tschitaer Landwehrkommando war ein Lumpenpack. Die meisten ihm angehörenden Soldaten suchten immer irgend etwas von uns zu erlangen. Da wir in der Lage waren, ihre Wünsche zu befriedigen, so waren sie uns nicht feindlich gesinnt. Nach und nach wurden uns immer mehr Erleichterungen verschafft. Zu den Verheirateten durften jetzt täglich mehrere Besucher kommen, und wenn die Damen krank waren und Pflege brauchten, so erlaubte man auch einigen von uns, außerhalb der Kasematte zu nächtigen.

14. Kapitel
Verbesserung der Lage in Petrowsk.
Verschickung in die Ansiedelung

Zu Anfang des Jahres 1830 wurden Taptykow, Koljesnikow und Drushinin, nach Ablauf ihrer Zwangsarbeitszeit, in die Ansiedelungen geschickt; da sie von Hause nichts erhielten, so rüsteten wir sie mit Geld und mit allem Notwendigen aus. Wir gaben Drushinin einen Kasten mit Tabak, den er in Irkutsk an die Fürstin Schachowska abgeben sollte; der Kasten hatte einen doppelten Boden und enthielt viele Briefe, die die Fürstin Schachowska bei günstiger Gelegenheit an ihre Adressen befördern sollte. Die Fürstin schrieb uns, daß sie den Tabak erhalten hätte, erwähnte aber kein Wort von den Briefen. Das erschien uns sehr merkwürdig; wir fragten bei ihr an und erfuhren, daß sie den Tabak nicht in einem Kasten, sondern in Papier eingewickelt erhalten hätte. Das regte viele sehr auf. Später erwies es sich, daß Drushinin den Tabak in ein Papier geschüttet und den Kasten für sich behalten hatte; als er dann an seinem Bestimmungsort mit dem Geistlichen des Dorfes bekannt geworden war, hatte er den Kasten als Sammelbüchse für die Kirche gestiftet. Als er seinen Irrtum erfahren hatte, war es ihm gelungen, den Kasten zurück zu erhalten und ihn an die Adresse der Fürstin Schachowska gelangen zu lassen.

Leparsky hatte nach Petersburg berichtet, daß es unmöglich wäre, uns in Akatui einzukerkern. Daraufhin
188

hatte er den Befehl erhalten, einen für die Errichtung einer Kaserne passenden Ort ausfindig zu machen. Er war nach Petrowsk gefahren und hatte den Ort für diesen Zweck geeignet gefunden.

Das Gebäude wurde im Jahre 1830 beendet; es wurde hin und her geschrieben, ob man uns zu Fuß oder zu Wagen aus Tschita dorthin überführen lassen sollte. Schließlich kam der Befehl, daß wir zu Fuß hingeführt werden sollten. Da auf dem ganzen Wege keine Ansiedelungen waren und nur Burjäten in der Gegend nomadisierten, mußten die Behörden für Nachtquartiere für uns und das uns begleitende Kommando Sorge tragen. Ende August machten wir uns in zwei Abteilungen auf den Marsch; die erste Abteilung war der zweiten um einen Tagesmarsch voraus. Auf zwei Marschtage folgte immer ein Ruhetag. General Leparsky und ein Teil seines Stabes marschierten mit der ersten Abteilung. Puschkin hatte für die Verpflegung dieser Abteilung zu sorgen. Mit der zweiten Abteilung marschierten der Platzmajor Leparsky, ein Neffe des Kommandanten, und ein Adjutant vom Platze; hier sorgte Rosen für die Verpflegung.

Der alte Leparsky hatte lange über unsere Marschordnung nachgedacht und hatte uns schließlich in Erinnerung an vergangene Zeiten so aufgestellt, wie es mit den gefangenen Polen im Konföderationskriege geschehen war. Die Vorhut, bestehend aus vollständig feldmarschmäßig gerüsteten Soldaten, schritt voraus, ihr folgten die Staatsverbrecher. Dann kamen die Gepäckwagen, und die Nachhut machte den Schluß. Zu beiden Seiten des Weges gingen mit Bogen und Pfeilen bewaffnete Burjäten. Die Offiziere hielten die Ordnung auf der ganzen Linie aufrecht. Der Kommandant selbst blieb manchmal zurück, um auch bei der zweiten Abteilung nach dem Rechten zu sehen.

Die Narüschkina, von Wisina und die Fürstin Wol-
189

Jakuschkin

konskaja, die keine Kinder bei sich hatten, folgten uns in
eigenen Wagen und trafen abends, wenn wir die Nachtquartiere bezogen, mit ihren Männern zusammen; die Ruhetage durften sie ganz mit uns verbringen. Die anderen
Damen, die Fürstin Trubetzkaja, die Murawiewa, Dawidowa und Annenkowa begaben sich, um ihre Kinder nicht
den Gefahren einer so langen Reise auszusetzen, direkt
mit der Post nach Petrowsk. Das Wetter war ziemlich
gut, und so war uns die Reise im allgemeinen ein sehr an-
genehmer Spaziergang. Während der ganzen Zeit —
anderthalb Monat — hatten wir nur drei Tagemärsche
von 35 Werst, die übrigen Märsche waren viel kürzer und
gar nicht anstrengend. Wer nicht gehen konnte oder
wollte, durfte sich auch auf den Wagen setzen. Wagen
für uns und unser Gepäck standen bei jedem Nachtlager
in Massen bereit. Morgens, wenn die Trommel gerührt
wurde, begaben wir uns auf den Sammelplatz, und um
7 Uhr setzten wir uns in der vorgeschriebenen Marschordnung wieder in Bewegung. Die Burjäten standen stets
zu unseren Diensten und trugen unsere Mäntel, Pfeifen
usw. Nach einem Marsche von 10 Werst wurde immer
zweistündige Rast gehalten. Die Frauen hatten dann
immer ein Frühstück für ihre Männer bereit, an dem auch
wir übrigen teilnehmen durften. Wir trafen gewöhnlich
ziemlich früh bei den Nachtquartieren ein; die Quartier-
macher erwarteten uns dort und wiesen uns die für uns
bestimmten Hütten an. Dann sorgte der Wirtschaftsführende
der Abteilung gemeinsam mit den Quartiermachern für
ein reichliches Mittagessen. Unsere Verpflegung war
während des Marsches bedeutend besser, als sie es in
Tschita gewesen war. Es war für uns ein Genuß, den
ganzen Tag in reiner Luft zu verbringen und nachts nicht
in der dumpfen, verschlossenen Kasematte zu schlafen.
Auf dem Marsch ging jeder, wie er gerade wollte; die
190

guten Fußgänger waren der Vorhut manchmal um zwei Werst voraus, dann erst kam der Offizier zu ihnen und bat sie, auf die anderen zu warten. Bei den Flußübergängen war General Leparsky immer selbst anwesend. Er war gegen jeden, der zu ihm kam, besonders liebenswürdig, und schien sich in die Zeit zurückversetzt zu glauben, in der er das Sjewerskische Regiment kommandiert hatte. In der Bratskischen Steppe, in der es nicht genügend Ansiedelungen gab, um uns unterzubringen, wurden zur Nacht Burjätenjurten aufgestellt. Sie wurden stets in einer Reihe, in gleichmäßiger Entfernung voneinander errichtet — in der äußersten Jurte nächtigte das Kommando, und die übrigen nahmen wir ein. Diese Jurten sind rund, sie bestehen aus dicht zusammengeflochtenem und mit Filzdecken umwickeltem Zaunwerk; oben ist eine Öffnung für den Rauchabzug gelassen.

Zum Wärmen des Teekessels machten wir in der Mitte der Jurten Feuer an; wenn es still war, zog der Rauch durch die Öffnung ab, aber wenn es windig war, ballte er sich zusammen und kroch schließlich am Fußboden hin. Bei jeder Jurte war ein Burjät zu unserer Bedienung. Diese Burjäten gaben gewöhnlich zuerst vor, kein Russisch zu verstehen; aber wenn wir ihnen dann zu essen und zu trinken gaben und ihnen Tabak schenkten, wurden sie gesprächig. Der Kreisrichter, der ihnen Anweisungen gegeben hatte, hatte ihnen gesagt, daß wir ein gefährliches Volk wären, jeder von uns sollte ein Zauberer sein, der die seltsamsten Dinge tun könnte. Die für uns aufgestellten Jurten der nomadisierenden Burjäten — die sich oft 100 Werst von den Landstraßen entfernt hatten — waren infolgedessen schon seit einem Monat für uns bereit. Viele Burjäten hatten sich aber diesen Anordnungen nicht fügen wollen und waren ganz aus dieser Gegend fortgezogen.

191

Jakuschkin

Auf dem Wege von Tschita nach Werchneudinsk
kamen M. K. Juschnewskaja und A. W. Rosen[33]) ihren
Männern entgegen. Sie brachten viele Briefe und Sen-
dungen aus Rußland mit.

Ende September trat Regenwetter ein. Der Jelenga
war so angeschwollen, daß wir die Straße nach Werchneudinsk, der wir folgen mußten, nicht passieren konnten.
Wir mußten einen anderen Weg einschlagen, aber trotzdem
man stellenweise Bäume fällen mußte, um uns den Durch-
gang zu ermöglichen, war der Weg so bequem, daß die
Narüschkina ihn mit ihrem Wagen befahren konnte. Die
bewaldeten Berge, über die unser Weg uns führte, boten
keine besonderen Schönheiten. Als wir uns Tarbagatai
näherten, eröffnete sich uns eine wunderbare Aussicht;
alle nach Süden liegenden Abhänge der Berge waren mit
so großer Sorgfalt bearbeitet, daß wir uns gar nicht satt
an ihnen sehen konnten. Aus ganz unwirtlichen Gegenden
kamen wir wieder in von Menschen bewohntes Land!
Die beständige Arbeit des Menschen hatte alle Hindernisse, die ihm die Natur hier entgegenstellte, besiegt.
Jeder Schritt legte von der Macht des Menschen Zeugnis
ab! Die altgläubigen Bewohner dieser Ansiedelung kamen
in ihren Feiertagskleidern, um uns zu begrüßen. Die
Männer trugen blaue Kaftane, die Frauen seidene Sarafane
und mit Gold benähten Kopfputz. Ihrem Äußeren und
ihren Sitten nach hätte man sie eher für Bewohner des
Gouvernements Moskau und Jaroslaw, als für Sibirer halten
können.

Am Baikal gab es etwa 2000 Altgläubige, die von
den Einheimischen als Polen bezeichnet wurden. Bei der
ersten Teilung Polens hatte Graf Tschernüscheff im Mogi-

---

*) Fremdländische Namen, wie hier der deutsche Name
Rosen, erhalten im Russischen nicht die weibliche Namensendung.

14. Kapitel

lewskischen Gouvernement Raskolniken aufgegriffen, die
in das Ausland wollten, und hatte sie nach Rußland zurückgeschickt; man hatte ihnen hier die Wahl gestellt, sich entweder der rechtgläubigen Lehre anzuschließen oder nach
Sibirien zu gehen. Einige waren zur rechtgläubigen Lehre
zurückgekehrt, aber die meisten hatten an ihrem Glauben
festgehalten und waren im östlichen Sibirien, am Baikal,
angesiedelt worden. Als wir Tarbagatai passierten, lebte
dort noch ein hochbetagter Greis, der sich genau auf alle
diese Vorgänge besinnen konnte. Er war sechzehn Jahre
alt gewesen, als er mit seiner Mutter und einem kleinen
Bruder nach Irkutsk gekommen war. Dann waren sie
mit einer Anzahl anderer nach Tarbagatai — das damals
eine unzugängliche Schlucht gewesen war — gebracht
worden, um sich dort anzusiedeln. Kurze Zeit darauf
waren er und alle unverheirateten Burschen, die zum
Dienst tauglich gewesen waren, zu Soldaten gemacht
worden. Er selbst war Bursche bei einem deutschen
Doktor gewesen. Der Doktor hatte Mitleid mit seiner
unglücklichen Lage gehabt und hatte es durchgesetzt, daß
er nach zwei Jahren freigelassen worden war. Im Jahre
1830, als wir Tarbagatai passierten, zählte der Ort mehr
als 270 Seelen. Die am Baikal wohnenden Altgläubigen
konnten fast alle lesen und schreiben; sie waren nüchtern
und arbeitsam und hatten ihr reichliches Auskommen.
20 Werst von Tarbagatai entfernt kamen wir durch eine
kleinrussische Ansiedelung; die Bewohner dieser Ansiedelung lebten lange nicht so behaglich, wie ihre altgläubigen
Nachbarn. Einige Tagemärsche vor Petrowsk fiel schon
Schnee, und wir nächtigten zum letzten Male in den Jurten.

Als wir uns Petrowsk näherten, kamen unsere Damen,
die schon angelangt waren, ihren Männern entgegen. Ihre
Erzählungen von den für uns bereitstehenden Kasematten
klangen nicht sehr verheißungsvoll: jeder von uns sollte

ein besonderes Zimmer, ohne Fenster, aber mit einem
starken, außen angebrachten Riegel, erhalten.

Anfang Oktober rückten wir feierlich in Petrowsk,
einer Ansiedelung von 3000 Einwohnern, ein. Diese Einwohner waren zum größten Teil Verbannte, die sehr arm
waren und sich mit Bergwerksarbeiten beschäftigten. In
den Kasematten herrschte Totenstille; die offenen Seiten
der Kaserne waren von einem hohen Zaun umschlossen,
und der große Hof war durch Zäune in drei Teile geteilt.
In dem mittleren Teil des Hofes, der Kasernentür gegenüber, stand ein Gebäude, in dem sich die Küche, verschiedene Diensträume und ein großer Raum für gemeinsame Beschäftigungen und für Abhaltung des Gottes-
dienstes befanden. Beim Eingang in die Kaserne war die
Hauptwache; in einer Reihe mit ihr befanden sich verschlossene Türen — ihr gegenüber führte eine Treppe zu
den Wachtstuben hinauf; die eine Stube wurde von den
Soldaten, die andere von dem wachthabenden Offizier be-
wohnt. Neben den Wachtstubentüren befand sich eine
Tür, die in den mittleren Hof führte. Der sich an den
Hof anschließende große, umzäunte Platz war zum Garten
bestimmt, wurde aber niemals bepflanzt. An den Kasematten zog sich ein langer Korridor entlang, der nur von
den Wachtstuben und von einigen Türen durchschnitten
wurde. Dieser Korridor, dessen Fenster nach dem Hof
hinauslagen, war drei Arschin breit; er war durch Quer-
wände abgeteilt — in diesen Querwänden befanden sich
verschlossene Türen, die nur bei ganz besonderen Gelegenheiten geöffnet wurden. In jeder dieser Korridorabteilun-
gen befanden sich 5 oder 6 Zellen; in der Mitte war eine
nach außen führende Tür, vor der sich, statt einer Treppe,
ein abgeschrägter, mit Steinen belegter Damm befand.
Die Kasematten hatten keine Außenfenster und wurden
nur schwach durch ein kleines vergittertes Fenster, das

194

sich über der Korridortür befand, erhellt. Jede Kasematte war sieben Arschin lang und sechs Arschin breit; in der einen Ecke stand ein Ofen, der vom Korridor aus geheizt wurde, in der andern Ecke stand eine Schlafbank. Nach unserer Ankunft in Petrowsk wurde ich in Nummer 11 geführt. Meine neue Behausung war sehr dunkel, aber trotzdem betrat ich sie mit freudigem Gefühl: ich hatte hier doch die Möglichkeit, mit mir allein zu sein; im Laufe der drei letzten Jahre war ich niemals allein gewesen.

Am Tage nach unserer Ankunft besuchte der Kommandant alle Kasematten; als er in meine Zelle kam, schloß er die Türe hinter sich, zog eine Zeitung aus der Tasche, hielt sie vor die Augen und sagte: „Es ist hier sehr dunkel." Ich versicherte ihm, daß ich mich hier sehr wohl fühlte; aber er erwiderte nur: „Es ist hier sehr dunkel" und ging hinaus. Dasselbe hatte sich in allen übrigen Zellen wiederholt. Der Kommandant hatte genau gewußt, daß für uns fensterlose Kasematten eingerichtet wurden. Aber während die Kaserne im Bau gewesen war, hatte er kein Recht dazu gehabt, sich den Anordnungen der höchsten Obrigkeit zu widersetzen. Jetzt hatte er aber, seiner Ansicht nach, das Recht und die Pflicht, für uns einzutreten, und so entschloß er sich, zu unseren Gunsten zu handeln. Er berichtete nach Petersburg, daß er bemerkt hätte, daß wir im allgemeinen zur Geisteskrankheit neigten. Er fürchtete, daß wir den Verstand verlieren könnten, wenn wir im Dunkeln leben müßten und bäte darum, zu gestatten, Fenster in den Kasematten anzubringen. Unsere Damen hielten in ihren Briefen, teils auf Zureden des Kommandanten hin, auch nicht mit Schilderung der schrecklichen Lage, in der sich ihre Männer in den Kasematten befänden, zurück. Der Kommandant hatte den Damen bei ihrer Ankunft in Petrowsk erklärt, daß ihre Männer

nicht zu ihnen gelassen werden würden, daß sie aber mit ihren Männern in den Kasematten leben dürften. Die Frauen, die damals keine Kinder bei sich hatten: die Fürstin Wolkonskaja, die Juschnewskaja, von Wisina, Narüschkina und Rosen lebten mit ihren Gatten in den Kasematten; die übrigen, die Kinder hatten: die Fürstin Trubetzkaja, die Murawiewa, Annenkowa und Dawidowa, übernachteten zu Hause und besuchten am Tage ihre Männer in der Kaserne. Da es streng verboten war, irgend jemanden zu den Damen zuzulassen, so hatten die bei ihren Männern lebenden Frauen keinerlei weibliche Bedienung. Jeden Morgen mußten sie sich auch bei dem schlechtesten Wetter in ihre Häuser begeben, um sich zu erfrischen und um alles Notwendige in Ordnung zu bringen. Das Herz tat einem weh, wenn man sah, wie sie bei entsetzlichem Wetter oder starrem Frost nach Hause gingen oder in die Kasematten zurückkehrten. Ohne fremde Hilfe konnten sie gar nicht an den mit Eis überzogenen Steinen des steilen Walles heraufklimmen; später wurde ihnen gestattet, auf eigene Kosten Holzstufen legen zu lassen. Bei der komplizierten Lage der Dinge konnten die strengen Petersburger Vorschriften nicht immer mit der größten Genauigkeit eingehalten werden. Die bei ihrem Manne in der Kasematte lebende Narüschkina erkrankte an einem Erkältungsfieber. Wolf begab sich zum Kommandanten und erklärte ihm, daß die Narüschkina unbedingt weibliche Bedienung haben müßte. Der Kommandant schwankte lange; schließlich gestattete er, daß das Hausmädchen der Narüschkina sie während ihrer Krankheit pflegte. Bald darauf erkrankte Nikita Murawiew am Faulfieber[33]); seine arme Frau wich Tag und Nacht nicht von

---

[33]) Faulfieber (putrides Fieber) entsteht durch Aufnahme fauliger Stoffe in das Blut.

196

seinem Lager und überließ ihre kleine, leidenschaftlich geliebte Tochter Nanuschka, für deren Leben sie beständig
zittern mußte, ihrem Schicksal. Auch in diesem Falle begab sich Wolf wieder zum Kommandanten und erklärte
ihm, daß Murawiew nicht in der Kasematte bleiben dürfte.
Er könnte dort nicht gesund werden, meinte er, und könnte
die anderen mit seiner Krankheit anstecken. Der Kommandant entschloß sich auch dieses Mal nach einigem
Widerstreben zu erlauben, daß Murawiew für die Dauer
seiner Krankheit in das Haus seiner Frau übersiedelte.

Unsere Kasematten waren so schnell und so schlecht
gebaut worden, daß es ständig etwas auszubessern gab.
Mehr als einmal fingen die Wände an zu brennen, weil
die Öfen so schlecht angelegt worden waren. Die Außen-
wände des Korridors barsten und mußten mit Eisen-
klammern gestützt werden. In den Zellen war es nicht
sehr warm, und im Korridor war es bisweilen so kalt, daß
wir unmöglich die Tür zum Korridor, durch den wir Licht
erhielten, öffnen konnten. Dann mußten wir den ganzen
Tag bei Kerzenlicht sitzen. Wegen Baufälligkeit von
Nummer 11 wurde ich nach Nummer 16 gebracht, wo ich
mit Obolenski, Schteingel, Puschtschin und Lorer zusam-
menlebte. Mittags und abends speisten wir alle gemeinsam
im Korridor und wurden bei den Mahlzeiten von unseren
Wächtern bedient. Am Tage durften wir frei aus einer
Abteilung in die andere gehen, aber am Abend um 10 Uhr
wurden alle Zellen und alle Abteilungen des Korridors
verschlossen; außerdem wurden die verschiedenen Hof-
türen und die große Kasernentür abgeschlossen, so daß
jeder von uns nachts hinter 4 Schlössern saß. Wir mußten
hier, ebenso wie in Tschita, an der Mühle arbeiten. Das
Mehl, das wir mahlten, konnte nur zur Viehfütterung verwendet werden. Den ganzen Sonnabend bis zum Sonntag
Mittag führte man uns der Reihe nach in das Bad. Für
197

Jakuschkin

unsere Spaziergänge war uns ein großer, mit einem hohen
Zaun umgebener Hof angewiesen worden, der sich an
den Kasernenhof anschloß. Auf dem Hof befanden sich
nur einige kleine Bäume, und wir legten uns Wege an, auf
denen wir spazieren gehen konnten. Die Tierliebhaber
hielten sich hier Rehe, Hasen, Kraniche und Tummler; im
Winter errichteten wir Schneeberge, die von den Freunden
des Schlittensports eifrig benutzt wurden. Die mit uns
lebenden Damen sahen oft unseren Vergnügungen zu und
nahmen manchmal selbst an ihnen teil. Auf den abge-
teilten Höfen hatten viele von uns Beete mit Blumen,
Melonen und Gurken; andere beschäftigten sich fleißig
mit dem Bau von Erdfrüchten — diese Gartenarbeiten
waren wegen des ungünstigen Klimas in Petrowsk mit den
größten Schwierigkeiten verbunden.

Einige, die keine eigenen Mittel besaßen, um ihr
Leben zu fristen und die alles Notwendige von ihren
Kameraden erhielten, fühlten sich durch diese Abhängigkeit schwer bedrückt. Daraus entstanden die verschiedensten Mißhelligkeiten. Schließlich bildete sich ein ganzer
Kreis Unzufriedener. Sie begaben sich zum Kommandanten von Petrowsk und baten ihn, ihnen eine Geld-
unterstützung von der Regierung zu verschaffen. Dieser
Schritt betrübte den alten Leparsky sehr. Er hielt uns für
anständige Menschen und hatte unsere Eintracht und
unsere Einrichtungen immer besonders gelobt. Als Kommandant mußte er der Bitte der Gefangenen Gehör schenken, und darum schickte er den Platzmajor zu uns, um zu
erkunden, wer von den Staatsverbrechern eine Unterstützung von der Regierung zu erhalten wünschte.

Dieser Vorfall verursachte in den Kasematten große
Aufregung. Alle waren entrüstet über die Bittsteller, wir
verhandelten mit ihnen, und es gelang uns, ihnen ihre Absicht, aus dem Artel auszuscheiden, auszureden. Als der
198

14. Kapitel

Platzmajor kam, um ein Verhör anzustellen, war alles wieder geschlichtet, und wir beauftragten ihn, den Kommandanten zu bitten, keine weiteren Schritte in dieser Angelegenheit zu tun. Poggio, Wadkowski und Puschtschin machten sich sofort an die Aufstellung einer schriftlichen Verfassung für das Artel. Kraft dieser Verfassung wurden drei Hauptbeamte für alle Angelegenheiten des Artels erwählt: der Wirt, der Einkäufer und der Kassierer. Dann wurden noch ein Gärtner und Mitglieder der Artelkommission gewählt. Alle dem Artel Angehörenden hatten eine Stimme bei den Wahlen. Zuerst wurden Kandidaten für die verschiedenen Ämter aufgestellt, und zwischen ihnen wurde dann durch Ballotieren entschieden. Der Wirt hatte alle Wirtschaftsangelegenheiten unter sich, er hatte für den Einkauf aller Vorräte, für die Küche u. dgl. zu sorgen; der Einkäufer verließ einige Male in der Woche die Kasematten, um Einkäufe für die persönlichen Bedürfnisse jedes einzelnen zu machen. Der Kassierer führte alle Rechnungen und schrieb alle privaten Ausgaben an; alle drei Beamte beratschlagten häufig gemeinsam über die Verwendung der dem Artel gehörigen Summen. Der Gärtner hatte unseren Küchengarten unter sich; unsere Ernte fiel niemals sehr gut aus, weil das Klima von Petrowsk zu ungünstig war; fast in jedem Jahre waren sogar die Kartoffeln von den Morgenfrösten beschädigt. Wir erhielten aber meistens im Überfluß Gemüse aus den umliegenden Ansiedelungen. 25 Werst von Petrowsk entfernt gedieh alles Getreide und alles Gemüse sehr gut. Die Mitglieder der Kommission, auch drei an der Zahl, hatten die Rechnungen des Wirtes, des Einkäufers und des Kassierers zu prüfen. Außer diesen ständigen Beamten hatte abwechselnd einer von uns Tagesdienst und mußte für Ordnung in der Küche beim Zubereiten der Speisen Sorge tragen. In Petrowsk hatte sich der Gesellschaftsfonds sehr ver-

199

größert; alles, was früher zur Unterstützung einzelner ausgegeben worden war, kam jetzt in die Artelkasse, und aus
dieser allgemeinen Summe kamen jährlich auf jedes einzelne Mitglied mehr als 500 Rubel auf Assignation. Der
Wirt, der Einkäufer und der Kassierer bestimmten, wieviel
jeder einzelne monatlich von dem allgemeinen Geld für
Tee, Zucker und Mittagessen gebrauchen durfte. Diese
Summe wurde dann jedem einzelnen zur Verfügung gestellt. Durch diese Maßnahme hörte die Abhängigkeit der
einen von den anderen auf. Infolgedessen gab es keinen
Grund mehr zur Unzufriedenheit und zu den früher unver-
meidlichen Reibungen. Damit jeder aus dem Artel möglichst viel Geld zur Verfügung hätte, wurden die Ausgaben für Zucker, Tee und Mittagessen sehr beschränkt:
Jeder bekam monatlich ¹/₈ Pfund Tee, 2 Pfund Zucker
und täglich zwei kleine Weizensemmeln; das Mittagessen
bestand aus einem Teller Kohlsuppe und einem sehr
kleinen Stück gebratenen Rindfleisch; der eine oder der
andere mußte dann auch noch mit dem Wächter, der sich
von unseren Brosamen nährte, teilen. Das Abendessen
war noch dürftiger als das Mittagessen, und sehr oft
standen wir halbgesättigt vom Tische auf. Diese Mäßig-
keit war bei dem Leben, das wir führten, nicht ohne Vorteil für uns. Einige erhielten für Tee, Zucker und Mittagessen Geld aus dem Artel und sorgten selbst für ihre Beköstigung. Übrigens konnte niemand aus der Kasematte
eigenes Geld in Händen haben, und alle privaten Ausgaben wurden bei der allgemeinen Abrechnung durch den
Kassierer beglichen. Zu diesem Zwecke erschien einige
Male in der Woche ein Schreiber mit einem besonderen
Buch, in das er nach Angaben des Kassierers eintrug,
was er außerhalb der Kasematte zu bezahlen hatte. Außerdem gab der Kassierer an, aus wessen in das Artel einge-
schriebenen Geldern die Zahlung zu leisten war. Während
200

unseres Aufenthaltes in Petrowsk blieb diese Artelsordnung unverändert.

Außer dem allgemeinen Artel gab es noch ein kleines Artel, in das jeder einzahlte, was er konnte und wollte. Die in das kleine Artel eingezahlten Summen waren zur Unterstützung der Armen bestimmt, die in die Ansiedelungen gingen. Zur Vergrößerung der Summe im kleinen Artel verschrieben die Vorsitzenden einige Journale, die jeder für Zahlung eines geringen Beitrages lesen konnte. Es gab schließlich 22 Zeitschriften in Petrowsk — die Bibliothek vergrößerte sich auch —, wir besaßen 6000 Bände, darunter viele geographische Bücher und Karten. Auf diese Weise standen jedem Bewohner von Petrowsk bei wissenschaftlichen Studien sehr viele Hilfsmittel zu Gebote.

Im April des Jahres 1831 kam aus Petersburg die Entscheidung, daß Fenster in den Kasematten angebracht werden dürften. In dem Schriftstück des Generals Tschernüscheff, von dem wir unmittelbar abhingen, wurden alle Gnaden aufgezählt, die uns Se. Majestät der Kaiser schon erwiesen hätte. Unter anderem war darin gesagt, daß der Kaiser noch während unserer Anwesenheit in Tschita angeordnet hätte, uns die Fesseln abzunehmen, und daß er jetzt aus freiem Antriebe befohlen hätte, in den Kasematten der Staatsverbrecher Fenster anzubringen!! In jeder Kasematte wurde, $2^{1}/_{2}$ Arschin vom Boden, ein kleines Fenster angebracht, durch das ein Mensch von mittlerer Größe nur den Himmel sehen konnte. Nach Einsetzen der Fenster fanden im ganzen Jahre Reparaturen und Umbauten statt; viele Stufen wurden abgerissen und andere an ihre Stelle gesetzt, die Kasematten und der Korridor wurden von innen geweißt u. dgl. mehr. Während dieser Verbesserungen lebten wir etwas unbequem und eng; aber nachdem alles in Ordnung war, hatten wir es unvergleich-

201

Jakuschkin

lich viel besser. In den Kasematten war es so hell, daß man nicht mehr die Türen nach dem Korridor zu öffnen brauchte, wenn man etwas tun wollte.

Im Sommer 1831 wurden Küchelbecker und Rjepin nach vollendeter Zwangsarbeit in die Ansiedelung geschickt. Küchelbecker wurde in Bargusin angesiedelt, Rjepin in einem kleinen Dorf an der Lena. Küchelbecker hatte in der Garde gedient und sich eifrig an den Vorgängen des 14. Dezember beteiligt. Er hatte im Korps eine sehr gute Erziehung genossen und hatte Lasarew auf seiner Reise nach Nowoje Semlja und später auf seiner Reise um die Welt begleitet. Er war ein vortrefflicher, kleiner Mensch und hatte sich in Tschita und Petrowsk jedem gern gefällig gezeigt. Da er den ganzen Tag tätig war, hatte er verhältnismäßig wenig unter der Gefangenschaft gelitten. In Bargusin fand er keinerlei Gesellschaft, und da es ihm an äußerer Anregung zu geistiger Tätigkeit fehlte, fing er an für seinen Unterhalt zu arbeiten. In den ersten Jahren machte er ein einige Dessjatinen großes Stück Rodeland urbar und bebaute es mit Getreide — aber diese Beschäftigung schützte ihn nicht vor Versuchungen. Er wurde mit einer Bargusinskischen Bürgerin bekannt, hob erst bei ihr ein Kind aus der Taufe und heiratete sie dann. Sein Patenkind starb, ehe es in das Kirchenbuch eingetragen worden war. Der Küster machte Anzeige von diesem Versäumnis, und die Synode erklärte die Ehe für ungültig. Küchelbecker wurde von seiner Familie getrennt und in den 500 Werst von Bargusin entfernten Elatskischen Bezirk gebracht. Von dort schrieb er einen verzweifelten Brief an seine Schwester, in dem er sich über die Grausamkeit, ihn von seiner Frau und seiner kleinen Tochter zu trennen, beklagte. Auf diesen Brief hin wurde Küchelbecker nach Bargusin zurückgebracht. Er mußte sich aber verpflichten, nicht mit seiner „illegitimen" Gattin zusam-
202

men zu leben. Das alles brachte ihn in eine so schwierige Lage, daß er moralisch zugrunde ging.

Rjepin war unter der Leitung seines Onkels, des Admirals Karzew, erzogen worden. Karzew war ein erklärter Voltairianer, und so war Rjepin schon in jungen Jahren mit den französischen Schriftstellern des 18. Jahrhunderts bekannt gemacht worden und hatte ihre Anschauungen zu den seinen gemacht. Er hatte ein vorzügliches Gedächtnis und war hervorragend begabt, so daß es immer interessant und anregend war, sich mit ihm zu unterhalten. In Tschita las er mir die Geschichte der Philosophie von Buhle[34]) vor, und dabei unterhielten wir uns eifrig über die verschiedenen geistigen Anschauungen. Er hatte vor jeder Anschauung große Achtung, nur nicht vor dem Christentum. Die Bibel war ihm ganz unbekannt, und ich überredete ihn, das Neue Testament zu lesen. Zu meinem größten Erstaunen interessierte ihn der mystische Teil des Christentums besonders — durch diese Mystik hielt er eine Annäherung zwischen Christen und Neoplatonikern für möglich. Er war eine sehr empfängliche Natur, ertrug die Gefangenschaft sehr schwer und sehnte sich heiß nach Freiheit. Sein Leben in der Verbannung war nur von kurzer Dauer. Einige der angesiedelten Staatsverbrecher, darunter Bestushew, Tschernüscheff, Kriwzow und Galizin wurden als gemeine Soldaten in den Kaukasus versetzt. Andrejew, der bei seiner Reise in den Kaukasus die Ansiedelung passierte, in der Rjepin wohnte, übernachtete bei ihm — und sie beide verbrannten in dieser Nacht. Es wurde eine Untersuchung eingeleitet, aber die Ursache des Brandes war nicht festzustellen. Einige Sachen Rjepins, die sich außerhalb des Hauses befunden hatten, wurden an seine Schwester geschickt.

---

[34]) Johann Gottlieb Buhle lebte in der zweiten Hälfte des 18. Jahrhunderts.

203

Jakuschkin

Der Generalgouverneur des östlichen Sibiriens, Sulima, war der erste Fremde, der uns besuchte. Sein Vorgänger, Lawinski, wurde dieser Ehre nicht für würdig befunden, weil er kein Militär war und weil deshalb General Leparsky nicht unter ihm stand. General Sulima, der den Dienstjahren nach älter war, als Leparsky, war zugleich auch sein direkter Vorgesetzter. Leparsky begleitete ihn in voller Uniform und entfernte sich, als Sulima uns in einen Kreis zusammentreten ließ und uns fragte, ob wir Klage zu führen hätten. Als er die Antwort erhielt, daß wir mit allem zufrieden wären, dankte er uns und sagte, daß es ihm eine Ehre sein würde, Seiner Majestät dem Kaiser zu berichten, daß wir unser Schicksal gehorsam und geduldig trügen. Übrigens war er sehr liebenswürdig gegen uns.

Im Jahre 1832 erhielt ich die Nachricht, daß meine Frau sich nach Petersburg begeben hätte, um sich um die Erlaubnis, mir nach Sibirien folgen zu dürfen, zu bemühen; bald darauf erfuhr ich, daß man ihr die Bitte abgeschlagen hatte. In dem Schreiben des Gendarmeriechefs war gesagt, daß der Kaiser, da die Jakuschkina die ihr seinerzeit gegebene Erlaubnis, ihrem Manne nach Sibirien zu folgen, nicht benutzt hätte, ihr jetzt nicht mehr gestatten könnte, nach Sibirien zu reisen. Außerdem wäre ihre Anwesenheit bei ihren Kindern viel notwendiger, als ihre Anwesenheit bei ihrem Manne. Bald darauf schrieb man mir, daß meine Söhne in dem Korps für Minderjährige Aufnahme finden und später in das Lyceum in Zarskoje Selo eintreten könnten. Ich wies diese Gnade, auf die sie nur ein Recht hatten, weil ihr Vater in Sibirien war, zurück. Mich dieses Umstandes zum Vorteil meiner Söhne zu bedienen, wäre mir unverzeihlich erschienen, und ich bat meine Frau dringend, sich unter keinem Vorwande von den Kindern zu trennen.

204

14. Kapitel

Ganz unerwartet führte man den Polen Ssossinowitsch zu uns, nach Petrowsk. Er war in Grodno in der Sache des Wodowitsch und anderer Emissäre vor Gericht gestellt worden. Von allen Angeklagten war er allein zu Zwangsarbeit verurteilt worden, aber weil er schon sehr alt und fast blind war, hatte man ihm die Zwangsarbeit erlassen und ihn nur zur Haft in eine Festung des östlichen Sibiriens geschickt. Im östlichen Sibirien g a b es gar keine Festung. Der Generalgouverneur Sulima wußte infolgedessen gar nicht, was er mit Ssossinowitsch machen sollte; endlich entschloß er sich, ihn zu uns nach Petrowsk zu schicken. Ssossinowitsch war ein echter Pole. Er war ein kluger Mensch, und aus seinen Worten konnte man schließen, daß er es verstanden hatte, seinen strengen Richtern ihre Sache durch geschickte Antworten zu erschweren. Natürlich hatte er sich dadurch die Richter nicht geneigter gemacht. Gleichzeitig mit ihm war sein 15jähriger Sohn angeklagt worden: man hatte ihn mit Ruten geschlagen, um ihn zu Aussagen über seinen Vater zu zwingen. Bei einer Konfrontierung von Vater und Sohn bekannte der alte Ssossinowitsch, daß er einen der Emissäre durch einen Führer an die Grenze hatte bringen lassen. Der Sohn des Ssossinowitsch wurde als gemeiner Soldat in den Kaukasus geschickt; seine Frau und seine Tochter blieben ohne einen Bissen Brot zurück. Trotzdem verlor Ssossinowitsch nicht den Mut. Er trat bei uns ohne die geringste Einzahlung in das Artel ein und genoß dieselben Vorrechte wie wir.

Man hielt uns damals nicht mehr so streng, wie zur Zeit unserer Ankunft in Petrowsk, und aus Furcht vor Feuersgefahr wurden unsere Türen nachts nicht mehr abgeschlossen. Wenn die Frauen krank waren, ließ man die Männer nach Hause gehen, aber für gewöhnlich lebten sie mit ihren Frauen in den Kasematten.

205

Jakuschkin

An einem warmen Septembertage kam Alexandra Grigoriewna Murawiewa zu ihrem Gatten in die Kaserne.
Sie war sehr leicht gekleidet und erkältete sich abends
auf dem Heimwege sehr stark. Nach dreimonatlichem
Krankenlager starb sie. Ihr Tod machte nicht nur bei
uns, sondern in ganz Petrowsk und sogar in der Sträflings-
kaserne, starken Eindruck. Nachdem der Tod der Murawiewa in Petersburg bekannt geworden war, kam von
dort der Befehl, daß die Frauen nicht mehr in den Kasematten leben sollten, aber daß statt dessen die Männer
täglich zu ihnen gehen dürften. Daraufhin wurde uns
allen erlaubt, täglich die Kasematten zu verlassen und
die Verheirateten zu besuchen. Trotz aller dieser Vergünstigungen machte sich die Schwierigkeit unserer Lage
nach wie vor geltend, besonders für die Verheirateten.
Kurze Zeit nach dem Tode seiner Frau erhielt Nikita Murawiew vom Kommandanten den Befehl, in die Kaserne
zurückzukehren. Er mußte sein Töchterchen Nanuschka
der Sorge einer nicht einmal völlig zuverlässigen Wärterin
überlassen — das war um so schwerer für ihn, als der
Gesundheitszustand der Kleinen häufig zu ernsten Befürchtungen Anlaß gab. Ich wußte, daß Murawiew selbst
sich nicht entschließen würde, mit dem Kommandanten
zu unterhandeln, und deshalb bat ich den wachthabenden
Offizier, dem General zu melden, daß ich ihn durchaus
sprechen müßte. Nach einer Stunde rief man mich auf
die Hauptwache; als ich mit dem Kommandanten allein
war, bat ich ihn, doch die auf Nikita Murawiew bezügliche
Anordnung zurückzunehmen und den Vater nicht von
seiner kleinen Tochter zu trennen. Leparsky antwortete
mir ziemlich mürrisch mit seinem gewöhnlichen: „Ich kann
nicht." Er berief sich auf die strengen Vorschriften, durch
deren Übertretung er sich einen scharfen Verweis zuziehen
würde. Ich sagte ihm, daß er sehr inkonsequent handelte,
206

wenn er sich gerade in diesem Falle an die strengen Vorschriften hielte; er hätte dieselben doch früher oft über-
treten, wenn sie ihm zu grausam erschienen wären.
Schließlich willigte er ein, Nikita Murawiew bei seinem
Kinde zu lassen. Er sagte mir: „Wenn mir irgendwelche
Unannehmlichkeiten daraus erwachsen, so werde ich mich
bei Ihrem Freunde Grabbe über Sie beklagen." Leparsky
hatte beständig Grund zu fürchten, daß man seine Nachsicht mit uns nach Petersburg berichten würde; er wußte,
daß man sein Tun von Irkutsk aus scharf beobachtete und
außerdem erschienen in Petrowsk die verschiedensten Besucher, darunter viele Spione. Einmal erhielt der Kommandant die Anfrage, wie er es hätte wagen können, die
Fürstinnen Trubetzkaja und Wolkonskaja in ein Bad reisen
zu lassen; aber weder die eine noch die andere hatte
Petrowsk verlassen, und so war es ihm dieses Mal ein
Leichtes, sich zu rechtfertigen. Aber es kamen auch andere
Fälle vor, in denen er seine Zuflucht zur List nehmen
mußte. Unter den Besuchern von Petrowsk war auch
General Tschewkin, derselbe, der das erste Bataillon des
Preobrashenskischen Regimentes am Vorabend des 14. De-
zember so unglücklich geführt hatte. Er besichtigte die
Minen, suchte aber keinen seiner früheren Bekannten auf.
Er ging nur zur Fürstin Trubetzkaja, um deren Peters-
burger Verwandten Nachricht von ihr zu bringen. Dann
kam der Oberst Wochin, der Adjutant des Kriegsministers
Tschernüscheff. Er hatte immer versucht, durch seine
Spione von allem, was sich in den Kasematten zutrug,
Nachricht zu erhalten. Der Kommandant, dem das bekannt war, gab mit größter Genauigkeit Auskunft über
uns und die Frauen und schnitt damit seine geheimen Nach-
forschungen ab. Er erzählte ihm unter anderem von unserem Artel und allen unseren Einrichtungen. Er liebte es,
uns vor den Besuchern zu loben und führte sie gewöhn-
207

lich auf einen Berg, von dem aus sie die Kasematten über-
sehen konnten.

Noch vor dem Besuch Wochins kam Mademoiselle Ledantu nach Petrowsk. Sie hatte die Erlaubnis
erhalten, sich mit Iwaschew, der sie als Kind gekannt hatte, zu verheiraten. Seine Verwandten hatten
diese Verlobung zustande gebracht. Iwaschew verheiratete
sich mit der zu ihm geschickten Braut und wurde sehr
glücklich mit ihr. Während unserer Anwesenheit in Petrowsk wurden uns einige Manifeste vorgelesen, denen
zufolge die Zeit unserer Zwangsarbeit verkürzt werden
sollte; eines dieser Manifeste war am 14. Dezember unterschrieben worden. Kraft dieser Abkürzung mußte die
ganze fünfte Abteilung, zu der auch Alexander Murawiew
gehörte, im Jahre 1833 in die Ansiedelungen gehen.
Alexander Murawiew bat um die Gnade, mit seinem Bruder
zusammen in Petrowsk bleiben zu dürfen; aus Petersburg
kam daraufhin der Befehl, Alexander Murawiew eben-
solange wie Nikita Murawiew bei Zwangsarbeit in Petrowsk zu belassen. Bald darauf kam noch ein Schriftstück aus Petersburg, in dem geschrieben stand, daß der
Kaiser auf Bitten der Staatsdame, Fürstin Wolkonskaja,
und ihres Sohnes, Wolkonski von der Zwangsarbeit be-
freite und befehle, ihn in die Ansiedelung zu schicken.
Wolkonski erbat es sich auch als Gnade, in Petrowsk
bleiben zu dürfen, weil seine sehr kränkliche Frau und
seine Kinder hier im Notfalle ärztliche Hilfe haben konnten, während es in seinem Bestimmungsort Bargusin weder
Doktor und Apotheke, noch irgendwelche Bequemlich-
keiten gab. Auch ihm wurde auf allerhöchsten Befehl gestattet, in Petrowsk zu bleiben.

Während der ganzen Zeit unserer Gefangenschaft in
Tschita und in Petrowsk starb nur Pestow, der der slawischen Gesellschaft angehörte; er war nur 48 Stunden lang
208

krank, und alle Bemühungen Wolfs, das Leben unseres Gefährten zu retten, waren vergeblich. Der Grund der geringen Sterblichkeit war wohl in unserer ganzen Lebensführung zu suchen. Wir waren weniger all den Zufälligkeiten ausgesetzt, denen die in der Freiheit lebenden Männer unseres Alters unterworfen sind; und im Krankheitsfalle hatten wir sofort ärztliche Hilfe und waren außerdem von der aufmerksamen Fürsorge unserer Gefährten umgeben. So günstig unsere Lebensweise auf die Erhaltung der Gesundheit wirkte, so wenig günstig wirkte sie auf die Erhaltung unserer Geisteskräfte. In Petrowsk wurden von 50 Männern zwei geisteskrank: Andrejewitsch und Andrei Borissow. Übrigens war das Leben in den Ansiedelungen in dieser Beziehung noch schädlicher, als das Leben in der Gefangenschaft. Von 30 in den Ansiedelungen lebenden Männern verloren 5 den Verstand: Schachowski und Nikolai Bobrischtschew, Puschtschin in Jenisseisk, Wranitzki und Entalzew in Jalutorowsk, und Fuhrmann in Surgut. Auch auf die Damen hatte die durch die Verhältnisse bedingte Lebensweise einen nachteiligen Einfluß. Sie hatten fast täglich Aufregungen durchzumachen und waren während der Zeit der Schwangerschaft unangenehmen Zufälligkeiten ausgesetzt. Deshalb kamen viele Fehlgeburten vor. Unter 25 Geburten in Tschita und Petrowsk waren 7 Fehlgeburten; von den 18 lebenden Säuglingen starben nur 4, die anderen wurden alle groß. Die Kinder hätten auch nirgends mit größerer Sorge umgeben werden können, als in Tschita und Petrowsk. Die Eltern wurden hier weder durch gesellschaftliche Rücksichten, noch durch Vergnügungen abgelenkt und konnten ihre ganze Aufmerksamkeit, ihre unermüdliche Sorge ihren Kindern zuwenden.

Infolge der Verkürzung der Zwangsarbeit gingen in den Jahren 1833 und 1834 15 Mann in die Ansiedelungen;

Jakuschkin

nur drei von ihnen, Rosen, Narüschkin und Lorer, wurden im westlichen Sibirien, in Kurgan, angesiedelt. Von Wisin wurde zuerst in Jenisseisk angesiedelt und dann in Krasnojarsk. Die übrigen zwölf wurden in verschiedenen Dörfern des östlichen Sibiriens angesiedelt. Später brachte man auch Pawel Bobrischtschew-Puschkin nach Krasnojarsk und vereinte ihn dort mit seinem geisteskranken Bruder.

Im Jahre 1835 besuchte uns der an Stelle von Sulima nach Petrowsk versetzte Generalgouverneur Bronewski. Da er an Dienstjahren jünger war als General Leparsky, so begleitete ihn der Platzmajor zu uns. Als General Bronewski mit uns allein geblieben war, richtete er die übliche Frage, ob wir über irgend etwas Klage zu führen hätten, an uns; als er dann die ebenso übliche Antwort erhalten hatte, daß wir mit allem zufrieden wären, war er sehr liebenswürdig. Dann wurden alle Korridortüren aufgeschlossen, alle Kasemattentüren weit geöffnet, und zugleich mußte jeder von uns sich in seine Zelle begeben. Generalgouverneur Bronewski ging dann in Begleitung des Platzmajors die Korridore ab und trat in einige Kasematten ein; in andere sah er nur so neugierig hinein, wie man in einen Käfig hineinblickt, in dem ein seltenes wildes Tier gefangen sitzt.

Im Jahre 1836 war für viele von uns die Zeit der Zwangsarbeit abgelaufen. Im Juni kam der Befehl, 18 Mann in die Ansiedelungen zu schicken — aber an welche Orte war uns unbekannt. Die Brüder Murawiew, Wolf und ich kamen dahin überein, wenn irgend möglich zusammen in die Ansiedelung zu gehen, und aus Briefen der Unserigen konnten wir ersehen, daß Aussicht auf die Erfüllung unseres Wunsches vorhanden war. Nikita Murawiew, Wolkonski, Iwaschew und Annenkow mußten als Familienväter Vorbereitungen für die weite Reise treffen
210

14. Kapitel

und konnten deshalb nicht gleich fortgeschickt werden. Alexander Murawiew blieb bei seinem Bruder, und Wolf, als Arzt, mußte auf allerhöchsten Befehl die Murawiews begleiten. Mitkow und Bassargin blieben unter dem Vorwande von Krankheit auch noch einige Zeit in Petrowsk. Zehn Personen: Tjutschew, Gromnitzki, Kirilew, zwei Brüder Krjukow, Lunin, Swistunow, Frolow, Torson und ich wurden zu Wagen von einem Offizier und einigen Unteroffizieren nach Irkutsk gebracht.

Wir trennten uns nicht ohne Kummer von den zurückbleibenden Gefährten, mit denen wir 9 Jahre die Gefangenschaft geteilt hatten. Zweiundzwanzig Personen aus der ersten Abteilung; zwei Bestushews aus der zweiten; drei Tschernigowzews, Hyppolit Sawalischin, der Pole Ssossinowitsch und Kutschewski, der, Gott weiß warum, nach Tschita gekommen war, mußten noch 3 Jahre in Petrowsk bleiben. Die Brüder Bestushew gehörten nach dem Urteil des Gerichtshofes der zweiten Klasse an.[35])

---

[35]) Die Staatsverbrecher wurden je nach der Schwere ihres Vergehens verschiedenen Klassen oder Kategorien zugeteilt. Nur die fünf am schuldigsten Befundenen (Pestel, Ryleieff, Sergei Murawiew-Apostol, Bestushew-Rjumin und Kahoffski) standen außerhalb dieser Klassen. Ihr Urteil lautete auf Vierteilung. Es wurde in die Strafe des Erhängens abgemildert.

Für die 1. Klasse lautete das Urteil: Die ganze Kategorie dieser Verbrecher zu enthaupten. Dann gemildert: Das Leben geschenkt mit Verbannung auf ewige Zwangsarbeit. Einigen Staatsverbrechern dieser Klasse, unter ihnen auch Fürst Wolkonski und Jakuschkin, wurde anstatt ewiger nur 20 jährige Zwangsarbeit diktiert. — Diese Milderungen geschahen aus verschiedenen Gründen: Verwendung des Großfürsten Michail, Offenheit der Geständnisse, an den Tag gelegte Reue usw.

Für die 2. Klasse lautete das Urteil: Das Haupt auf das Schaffot zu legen, zum bürgerlichen Tode und zu ewiger Zwangsarbeit zu verurteilen. — Die Milderung: Zu 20 jähriger Zwangsarbeit zu verurteilen.

Jakuschkin

Warum sie die gleiche Strafe tragen mußten, wie die Staatsverbrecher der ersten Klasse, war schwer zu ergründen. Der jüngere Bestushew, Michail, der im Moskowskischen Regiment gedient hatte, hatte am 14. Dezember seine Kompagnie auf den Platz herausgeführt; das Gericht hatte ihn weniger schuldig befunden, als Schtschepin-Rostowski, der seine Kompagnie auch auf den Platz herausgeführt hatte und außerdem noch zwei Generale und einen Obersten niedergeschlagen hatte. Der älteste Bestushew, Nikolai, hatte sich, ebenso wie Torson, am 14. Dezember bei der Gardeequipage befunden. Das Gericht hatte sie

3. Klasse. Urteil: Zu ewiger Zwangsarbeit. Milderung: Zu 20 Jahren Zwangsarbeit.

4. Klasse. Urteil: Zu 15jähriger Zwangsarbeit und darauffolgender Ansiedlung in Sibirien. Milderung: Zu 12jähriger Zwangsarbeit und darauffolgender Ansiedlung in Sibirien.

5. Klasse. Urteil: Zur Zwangsarbeit auf 10 Jahre und darauffolgender Ansiedlung in Sibirien. Milderung: Zu 8jähriger Zwangsarbeit für Rjepin und Küchelbecker — für Glebow und Baron Rosen wurde das Urteil nicht gemildert.

6. Klasse. Urteile: Zu Zwangsarbeit auf 6 Jahre, dann Ansiedlung in Sibiren. Milderung: 5jährige Zwangsarbeit und Ansiedlung für Liublinsky. Oberst Alexander Murawiew ohne Verlust seines Ranges und Adels zu verbannen.

7. Klasse. Urteile: Zu Zwangsarbeit auf 4 Jahre und darauffolgender Ansiedlung in Sibirien. Milderung: Zu 2jähriger Zwangsarbeit und darauffolgender Ansiedlung.

8. Klasse. Urteil: Mit Verlust des Ranges und des Adels in Sibirien anzusiedeln. Keine Milderung.

9. Klasse. Urteil: Mit Verlust des Ranges und des Adels nach Sibirien zu verschicken. Milderung: Als Soldaten in die entferntesten Garnisonen zu verschicken.

10. Klasse. Urteil: Mit Verlust des Ranges und des Adels zum Soldaten zu degradieren, jedoch mit Aussicht auf Avancement. Milderung: Als Soldat zur Kaukasischen Armee zu schicken.

11. Klasse. Urteil: Mit Verlust des Ranges und Aussicht auf Avancement zu Soldaten zu degradieren. Milderung: In entfernte Garnisonen zu senden.

212

beide für weniger schuldig erklärt, als Sawalischin, Arbusow und Diwow. Die Hauptschuld Nikolai Bestushews bestand in den Augen der höchsten Obrigkeit scheinbar darin, daß er sehr kühn vor den Mitgliedern der Kommission gesprochen und ebenso kühn gehandelt hatte, als er in das Schloß geführt worden war. Drei Tage nach dem 14. Dezember hatte man ihn in Kronstadt gefangen genommen. Während dieser drei Tage war er unaufhörlich zu Fuß gewandert und hatte die verschiedensten Abenteuer erlebt. Als man ihn zum Verhör in das Schloß geführt hatte, hatte er dem General Lewaschew erklärt, daß er nicht auf die Fragen antworten würde, bevor man ihm die Fesseln von den Händen lösen würde. In den ersten Tagen nach dem 14. Dezember hatte man fast allen an dem Aufstande Beteiligten auf der Hauptwache die Hände mit Stricken auf den Rücken gebunden und sie dann vor den Kaiser geführt. General Lewaschew hatte es nicht gewagt, Bestushews Fesseln zu lösen, ehe er die Erlaubnis vom Kaiser, der sich gewöhnlich in den an den Verhörssaal der Eremitage angrenzenden Zimmern befand, dazu eingeholt hatte. Nachdem Lewaschew Bestushew die Fesseln abgenommen hatte, hatte dieser erklärt, daß er seit dreimal 24 Stunden nichts gegessen hätte und daß er nicht eher antworten könnte, bis man ihn gesättigt hätte. General Lewaschew hatte geschellt und befohlen, Abendbrot zu bringen. Beim Abendessen hatten der Richter und der Angeklagte mit champagnergefüllten Pokalen angestoßen! Nach der Mahlzeit hatte das Verhör begonnen. Bestushew hatte vieles nicht zugestanden, und Lewaschew hatte dem Kaiser darüber Bericht erstattet. Infolgedessen war der Kaiser selbst mit seinem Portefeuille in der Hand zu Bestushew gekommen. Er hatte zwei Spiele Karten aus seinem Portefeuille genommen und sie Bestushew gereicht als corpus delicti, das

213

seine verbrecherischen Beziehungen zur Geheimen Gesellschaft bewiesen hätte. Bestushew hatte Seiner Majestät erklärt, daß diese Karten nur zum Vergnügen seiner
alten Mutter, die gern Patiencen legte, gedient hätten.
Dann hatte der Kaiser Bestushew einen Brief gezeigt, in
dem von der Übersendung von zwei Spielen Karten die
Rede war, und hatte verlangt, daß er den Schreiber dieses
Briefes nennen sollte. Bestushew hatte geantwortet, daß
eine Dame ihm diesen Brief geschrieben hätte, und daß
er sich nicht für verpflichtet hielte, im Verhör ihren Namen
zu nennen. Als man ihn dann vor das Komitee geführt
hatte, hatte er sehr kühn über alle Mängel der staatlichen
Einrichtungen in Rußland gesprochen. Wahrscheinlich war
das der Grund für die Versetzung Nikolai Bestushews aus
der zweiten in die erste Abteilung gewesen.

Am Tage unserer Abreise regnete es in Strömen.
Fürst und Fürstin Trubetzkoi mit ihrer kleinen Tochter
Sascha begleiteten mich. Bei der Kapelle, in der Alexandra
Grigorewitscha Murawiew begraben liegt, verabschiedeten
wir uns voneinander.

☙☙☙☙☙

Die Memoiren Jakuschkins schließen hier ganz un-
vermittelt ab. Bei der Persönlichkeit des Verfassers erscheint das Abbrechen in einem Augenblick, in dem seine
eigene Person Mittelpunkt werden müßte, wohl verständlich. Nichtsdestoweniger ist es zu bedauern, daß gerade
dieser Mann, dessen Wirken in Jalutorowsk von so großer
Bedeutung gewesen ist, die Schilderung seines Lebens
nicht weiter fortgeführt hat.

A. G.

☙☙☙☙☙☙☙☙☙☙☙☙☙☙☙☙☙☙☙☙☙☙☙☙☙☙☙☙☙☙☙

Meine Verbannung nach Sibirien
von
E. Obolenski

1. Kapitel
Vorbereitendes Wirken der Wohlfahrts-Gesellschaft

Ich war mit Conrad Ryleieff durch eine heiße und aufrichtige Freundschaft verbunden. Ich weiß nicht mehr genau, wann ich ihn zum ersten Male sah; aber ich glaube, es war im Jahre 1822, als die Garde nach dem mißlungenen Feldzug gegen die revolutionäre Bewegung in Italien zurückkehrte. Ryleieff hatte gerade seinen „Voinarowski" beendigt und ließ seine „dumy" (Gedanken) drucken. Sein Name war in Literatenkreisen bekannt, und durch seinen Liberalismus hatte er die Aufmerksamkeit der geheimen Gesellschaft auf sich gelenkt. Wenn ich nicht irre, war es Iwan Iwanowitsch Puschtschin, der zuerst Ryleieffs Bekanntschaft machte, und ihn, nachdem er die Erlaubnis der „Werchownaja duma" (des dirigierenden Komitees) dazu eingeholt hatte, in die Gesellschaft aufnahm. Ich vertraute Ryleieff rückhaltlos, und er erwiderte mein Vertrauen in derselben Weise. Es kann nichts Schöneres geben als ein derartiges, gegenseitiges Vertrauen! Es ist für jedes Alter, besonders aber für die Jugend, wenn die Seele frei sein will, wenn sie ein weites Tätigkeitsfeld sucht, von unschätzbarer Bedeutung. Die Aufnahme in die Gesellschaft wies unserer jugendlichen Begeisterung neue Wege.

Die Wohlfahrts-Gesellschaft — so hieß sie — mußte alle diejenigen anziehen, die im Leben nicht nur Vergnügen suchten, sondern sich selbst weiterbilden und ihrem

217

Nächsten nützlich sein wollten. Die Gesellschaft hatte sich die moralische Vervollkommnung jedes einzelnen zum Ziel gesetzt, und ihre Mitglieder hatten sich gegenseitige Hilfe zur Erreichung dieses Zieles gelobt. Sie strebte nach intellektueller Entwicklung ihrer Mitglieder, weil sie dieselbe als einziges Mittel, die sozialen und moralischen Bedürfnisse der menschlichen Gesellschaft verstehen zu lernen, erkannte. Jedes Mitglied mußte schließlich in seinem Kreise durch sein persönliches Handeln seine Zeitgenossen zu veranlassen suchen, Stellung zu ernsten Augenblicksfragen und den Fragen allgemeiner Politik zu nehmen und den Einfluß, den ihm Erziehung und hohe Moral — die man bei ihm voraussetzte — gaben, nicht ungenützt lassen. Das eigentliche Ziel der Gesellschaft — eine politische Wiedergeburt unseres Vaterlandes, nachdem unsere Saat Früchte getragen und die Erziehung des Volkes die Massen für eine Autonomie befähigt gemacht haben würde — schwebte in nebelhafter, fast unerreichbarer Ferne. Ryleieffs edles Herz, seine stürmische Dichterseele fühlten sich von unseren Prinzipien angezogen, und nach dem ersten Schritt ging er unentwegt auf dem betretenen Wege weiter und widmete sich mit Leib und Seele dem erhabenen Gedanken, der sein ganzes Sein beherrschte.

Ich will einige Worte über sein Äußeres und über seine erste Erziehung sagen. Er war mittelgroß. Sein Gesicht hatte sehr harmonische Züge und war von ziemlich regelmäßiger, ovaler Form. Er hatte schwarzes, etwas gelocktes Haar; seine dunklen Augen waren gedankenvoll und strahlten auf, wenn er angeregt sprach; sein leicht geneigter Kopf und seine gemessenen Schritte zeigten an, daß seine Gedanken innerlich beständig stark arbeiteten. In der Stunde der Begeisterung gab er ihnen durch Dichtung Ausdruck, und in der übrigen Zeit suchte er den Ge-

218

danken, der die Triebfeder alles seines Handelns war, zu verwirklichen.

Er war im ersten Kadettenkorps erzogen worden und hatte seine militärische Laufbahn bei der Artillerie begonnen. Er erzählte mir, daß er eine stürmische Jugend hinter sich hätte — aber über Einzelheiten aus dieser Zeit seines Lebens sprach er nie, und ich habe auch nie Gelegenheit gehabt, einen seiner Waffengefährten kennen zu lernen. Er hatte jung geheiratet, eine Neigungsheirat geschlossen — wenn ich nicht irre, gegen den Wunsch seiner Mutter Anastasia Feodorowna Ryleieff, die 60 Werst von Petersburg entfernt in einem kleinen Dorfe wohnte. Seine Frau, Natalie Michailowna, betete ihn an, und seine Tochter Nastinka, damals ein Kind von vier oder fünf Jahren, machte sein Haus lebendig. Von seiner Stellung ist wenig zu sagen. Er war Mitglied des Gerichtshofes in Petersburg gewesen, zur selben Zeit wie Iwan Iwanowitsch Puschtschin. Letzterer hatte die glänzende Uniform des Garde-Feldartilleristen mit einem bescheidenen Rock vertauscht und sich ein Feld der Tätigkeit gesucht, auf dem er hoffte, sich nützlich machen zu können. Es war sein Wunsch, seine Kameraden anzuspornen, seinem Beispiel zu folgen, ihre glänzenden Epauletten aufzugeben und wie er zu versuchen, die hohen Ideen, die reinen Motive, die das private und das öffentliche Leben des Menschen veredeln, in den niederen Beamtenklassen zu verbreiten, diese edlen Ideen, diese reinen Motive, die der Majorität der Schwachen und Unglücklichen, deren Leiden selten bis zu der Minorität der Starken und Reichen dringen, Rückhalt und Stütze sind.

Später wurde Ryleieff Bureauchef einer amerikanischen Gesellschaft und hatte im Hause dieser Gesellschaft eine bescheidene Wohnung inne. Die ganze literarische Gesellschaft versammelte sich damals einmal

219

Obolenski

wöchentlich bei Nikolai Iwanowitsch Gretsch. Ryleieff gehörte zu den ständigen Besuchern dieser Abende. Er war besonders mit Alexander Alexandrowitsch Bestushew liiert, und ich glaube, er führte den letzteren in die Gesellschaft ein. Zu gleicher Zeit wie Alexander Bestushew traten sein Bruder Nikolai und sein jüngster Bruder Peter, der früh starb, in die Gesellschaft ein. Alexander Bestushew stand gerade am Anfang seiner schriftstellerischen Laufbahn, und seine brillant geschriebenen Novellen versprachen ihm eine glänzende Zukunft. Ich muß hier einige Worte über Alexander Ossipowitsch Kornilowitsch, der beim Generalstab der Garde stand, sagen. Er beschäftigte sich mit großer Hingabe mit dem Studium der Zeit Peters des Großen und legte die Früchte seiner Arbeit später in einer einfachen Erzählung nieder, die ihm die Sympathien des Publikums gewann. Ryleieff versammelte oft seine Freunde und Bekannten bei sich. Außer den schon Genannten sah man noch Wilhelm Küchelbecker, einen Schulgefährten von Puschtschin, Thaddäus Bulgarin, Theodor Glinka, Orestes Samoff, Nikita Murawiew, den Fürsten Sergei Trubetzkoi, den Fürsten Alexander Odoieffsky und viele andere, deren Namen ich vergessen habe, bei ihm. Man sprach nicht nur von Literatur; oft wurden soziale Fragen besprochen und in einer der Majorität dieser Gesellschaft sympathischen Weise diskutiert. Die Hausherrin, Natalie Michailowna, war liebenswürdig gegen jeden und wurde von allen um ihrer großen Bescheidenheit willen geschätzt.

Am Ende des Jahres 1823 oder zu Anfang des Jahres 1824 kam Paul Pestel nach Petersburg. Die Gesellschaft des Südens[1]) hatte ihn geschickt, damit er sich mit der

---

[1]) Der in Tultschin residierende Zweig des „Wohlfahrtsbundes" erweiterte sich allmählich zu der geheimen Gesellschaft des Südens.

Gesellschaft des Nordens in Verbindung setzen und über ein gemeinsames Vorgehen mit ihr beraten sollte. Dieser Besuch hatte einen entscheidenden Einfluß auf das fernere Schicksal Ryleieffs. Ich muß einige Augenblicke bei der hervorragenden Persönlichkeit Pestels verweilen. Ich habe ihn nicht näher kennen gelernt und kann daher nur den Eindruck schildern, den er auf mich gemacht hat. Pestel war damals Oberst und Kommandeur des Infanterieregiments in Wiatka. Er war nicht groß, hatte ein sehr angenehmes Gesicht und zeichnete sich durch hervorragende Klugheit und erstaunlichen Scharfsinn aus. Er durchschaute die abstraktesten Dinge und wußte mit hinreißender Beredsamkeit jeden, dem er seine geheimsten Gedanken anvertraute, für seine Ansicht zu gewinnen. Er erfreute sich des besonderen Vertrauens der Gesellschaft des Südens und wurde zum Mitglied des oberen Rates (werchownaja Duma) erwählt. Das von ihm verfaßte russische Gesetzbuch (russkaja prawda) sollte das Programm der zukünftigen Konstitution werden. Der Zweck seiner Reise nach Petersburg war — im Einverständnis mit der Gesellschaft des Nordens —, Maßnahmen zur Erreichung des beiderseits erstrebten Zieles zu treffen. Die Mitglieder des oberen Rates in Petersburg waren damals Trubetzkoi, Nikita Murawiew und ich. Paul Pestel erklärte uns mit seiner hinreißenden Beredsamkeit, daß die Unentschiedenheit, die über das eigentliche Ziel der Gesellschaft und über die Mittel, dieses Ziel zu erreichen, herrschte, derselben einen durchaus schwankenden Charakter gäbe. Er erklärte, daß die Handlungen der einzelnen Mitglieder auf diese Weise immer im Sande verlaufen würden, und daß nur ein Zusammenschließen aller die Erreichung eines bestimmten Zieles ermöglichen würde. Dieser Gedanke war uns nicht neu, wir hatten oft darüber diskutiert, und er beschäftigte uns alle; aber keiner hatte diesen Gedanken

221

Obolenski

jemals so deutlich formuliert. Paul Pestels Vorschlag war
die Frucht langer Überlegung, und er wußte ihn mit der
ihm eigenen Beredsamkeit zu vertreten. Es war schwer,
dem Zauber einer Persönlichkeit, wie der Pestels, zu
widerstehen. Aber jeder von uns fühlte, daß wir durch
Annahme seiner Vorschläge auf jede eigene Initiative
verzichten und auf dem von Pestel bezeichneten Wege
weiterschreiten müßten. Wir konnten ihm keine bestimmte Antwort geben, ehe wir nicht mit anderen maß-
gebenden Mitgliedern der Gesellschaft gesprochen hatten.
Da viele von ihnen zur Zeit abwesend waren, so ver-
schoben wir unsere Antwort bis zu deren Rückkehr. Paul
Pestel war durch uns mit Ryleieff bekannt geworden und
hatte sich mit ihm angefreundet. Er hatte ihm seine geheimsten Gedanken offenbart, und Ryleieff sah jetzt das
Ziel der Gesellschaft und die Mittel, dasselbe zu erreichen,
mit Pestels Augen an. Diese Freundschaft hatte einen entscheidenden Einfluß auf das fernere politische Leben Ryleieffs. Bald nach der Abreise Pestels wurde Trubetzkoi
zu dem Stabe des 5. Armeekorps nach Kiew versetzt. An
seine Stelle wurde Conrad Ryleieff zum Mitglied des
oberen Rates erwählt.

*　*　*

In der zweiten Hälfte des Jahres 1824 hatte Ryleieff
den Gedanken, einen Almanach herauszugeben. Er hatte
die Absicht, ein literarisches und kaufmännisches Unternehmen zu vereinen. Er und sein Mitarbeiter Alexander
Bestushew wollten die literarischen Arbeiten besser bezahlen, wie es bisher geschehen war. Oft hatten die
Männer, die sich mit literarischen Arbeiten beschäftigten,
als einzige Bezahlung nur das Vergnügen, ihren Namen
in irgend einem Journal gedruckt zu sehen, und selbst die
222

1. Kapitel

Berühmteren und Bekannteren hungerten und froren oder lebten von kleinen Beamtengehältern, oder von den Zinsen ihres Kapitals. Das Unternehmen glückte. Alle Literaten jener Zeit willigten ein, Bezahlung für ihre literarischen Arbeiten zu empfangen, unter ihnen auch Sergei Alexandrowitsch Puschkin.

„Der Polarstern" hatte einen großen Erfolg. Die Gründer kamen nicht nur auf ihre Kosten, sie hatten noch einen Reingewinn von 1500—2000 Rubeln.

Da fing das Jahr 1825 an, das wir mit Freuden und voller Hoffnungen begrüßten. Ich war damals zu Hause, in meiner Familie. Ich hatte 28 Tage Urlaub und benützte denselben, um alte Beziehungen mit den in Moskau lebenden Mitgliedern der geheimen Gesellschaft wieder aufzufrischen. Dann kehrte ich, nachdem ich von meiner alten Mutter und meinen lieben Schwestern Abschied genommen hatte, Ende Januar nach Petersburg zurück. Ich fand Ryleieff stark mit seinem Almanach beschäftigt; die Angelegenheiten der Gesellschaft schienen in einem Stadium der Ruhe zu stehen. Viele der Mitglieder waren fern von Petersburg. Nikolai Turgenjeff war im Auslande, Iwan Puschtschin war in Moskau, Fürst Sergei Trubetzkoi in Kiew und Michail Narüschkin war in Moskau. Die Zahl der in Petersburg anwesenden Mitglieder war somit sehr beschränkt. Die neuaufgenommenen Mitglieder waren zu jung und unerfahren, um für das Ziel und die Pläne der Gesellschaft zu arbeiten. Sie konnten sich nur durch freundschaftlichen Verkehr und gegenseitigen Gedankenaustausch bei Zusammenkünften der Gesellschaft für späteres Handeln vorbereiten. So verging das Jahr 1825. Ich erinnere mich, daß sich uns zu jener Zeit Kahoffski, ein Offizier im Garde-Grenadierregiment, der wegen Unannehmlichkeiten mit seinem Vorgesetzten den Abschied genommen hatte, anschloß. Er war in Familienangelegen-

223

Obolenski

heiten nach Petersburg gekommen. Ryleieff kannte ihn schon von früher; sie schlossen sich beide eng aneinander an, und Ryleieff nahm ihn in die Gesellschaft auf. Ich kannte ihn wenig, aber Ryleieff sagte mir oft, daß er eine hohe Meinung von ihm hätte! Er sah einen zukünftigen Sand[2]) in ihm. Ich weiß auch, daß Ryleieff ihm hilfreich zur Seite stand und daß sein Geldbeutel zu seiner Verfügung war.

In dieser Zeit, d. h. im Anfange des Jahres 1825, wurde mein Gewissen von ernsten Zweifeln beunruhigt. Ich weiß nicht, wie ich zu diesen Zweifeln kam, vielleicht waren sie die Folge einer dunklen Vorahnung, deren ich mich nicht erwehren konnte, vielleicht rührten sie auch von meinen eigenen Gedanken her, die immer um ein und denselben Punkt kreisten. Ich teilte Ryleieff meine Zweifel mit. Ich fragte mich: haben wir, wir Privatpersonen, die wir eine fast verschwindende Einheit in der ungeheuren Masse der Bevölkerung unseres Vaterlandes bilden, das Recht, eine Revolution hervorzurufen? Haben wir das Recht, unsere Meinung über die nützlichste Regierungsform denen aufzudrängen, die zufrieden sind und nichts Besseres wünschen, denen, die langsam auf dem Wege historischer Entwicklung fortschreiten? Dieser Gedanke ließ mir in den Stunden der Selbstprüfung keine Ruhe. Vielleicht war dieser Gedanke die Folge von unserem Pestel gegebenen Versprechen. Wir hatten beschlossen, uns einen Thronwechsel oder irgend ein anderes ernstes

²) Karl Ludwig Sand, geboren 5. Oktober 1795 in Wunsiedel, war seit 1817 Student der Theologie in Jena und Mitglied der Burschenschaft. Er war ein begeisterter Schwärmer für Religion und Vaterland. Am 23. März 1819 erstach er den Dichter A. von Kotzebue als russischen Spion und Feind der akademischen Freiheit. Er wurde deshalb in Mannheim am 20. Mai 1820 hingerichtet.

224

politisches Ereignis zunutze zu machen, um das Ziel der Gesellschaft zu erreichen, d. h. wir wollten mit allen uns zu Gebote stehenden Mitteln eine Revolution hervorrufen.

Als ich Ryleieff meine Gedanken mitteilte, fand ich in ihm einen heftigen Gegner meiner Auffassung. Seine Einwände waren zutreffend. Er sagte, daß die Gedanken nicht den Gesetzen der Majorität oder der Minorität unterworfen wären, daß sie frei entstünden und sich bei jedem denkenden Menschen frei entwickelten; ferner sagte er, daß Gedanken, die nach dem allgemeinen Wohle strebten, sich sicher verbreiteten, daß sie, wenn sie nicht vom Egoismus diktiert wären, nicht der Ausdruck persönlicher Empfindungen, sondern der Ausdruck der Gedanken der zu eigenem Gedankenausdruck unfähigen Majorität wären. Darum hielt er sich für berechtigt, für das Ziel der Gesellschaft zu wirken, in der Überzeugung, einen allgemeinen Gedanken zu vertreten, den die Majorität noch nicht hätte ausdrücken lernen. Er wäre sicher, daß die Majorität diese Idee dankbar auffassen würde, wenn sie ihr mitgeteilt werden würde.

Als Beweis für die Sympathie der Majorität führte er Beispiele allgemeiner und besonderer Unzufriedenheit gegen die Ungerechtigkeiten und den Mißbrauch der autokratischen Macht an. Dann erzählte er, wie sich die liberalen Ideen spontan bei einigen seiner Bekannten, die den Kaufmannskreisen und der Bourgeoisie angehörten, entwickelt hätten. Ich empfand die Richtigkeit seiner Einwände und mußte ihm zugeben, daß die Ideen über Wahrheit, Freiheit, Gerechtigkeit — das unveräußerliche Gut jedes denkenden Menschen — jedem einzelnen zugänglich wären. Aber trotzdem blieb ich bei meiner Ansicht, daß das Verwirklichen dieser Ideen bestimmten, allgemeinen Gesetzen unterworfen wäre, und daß sie der Ausdruck einer allgemeinen Auffassung wären. Ein Armer kann aus einem

Gefühl der Gerechtigkeit heraus zum Reichen sagen: gib mir einen Teil deines Reichtums. Aber, wenn er sich, auf eine abschlägige Antwort hin, entschließt, aus demselben Gefühl der Gerechtigkeit heraus, dem Reichen den begehrten Teil mit Gewalt zu nehmen, so sündigt er durch diese Handlung gegen den Gedanken der Gerechtigkeit, der aus dem Bewußtsein seiner Armut in ihm entstanden ist. Ich erkannte ferner, daß die Regierung diese Ideen über Gerechtigkeit, Wahrheit und Freiheit zum Ausdruck bringen, verwirklichen müßte; aber ich erkannte auch, daß die Regierungsform nicht durch einen theoretischen Gedanken, sondern durch die historische Weiterentwicklung eines Volkes bestimmt werden müßte. Ich begriff auch, daß die Regierung nicht nur in bürgerlichen, sozialen und Strafgesetzen die Ideen über Freiheit, Wahrheit, Gerechtigkeit verwirklichen müßte, sondern daß sie das ganze Volk in reiner Liebe zu einer einzigen Familie zusammenschließen müßte. Die Verwirklicherin dieser Liebe müßte die Kirche sein. Wir stritten oft über diese Fragen, oder vielmehr, wir tauschten unsere Gedanken und Ansichten darüber aus. Während eines Monats kam Ryleieff täglich zu mir, oder ich ging zu ihm, und dann trennten wir uns nicht eher, bis wir beide von dem Gedankenaustausch ganz müde waren. Wir besprachen philosophische und religiöse Fragen, aber Ryleieff kam immer wieder auf die Fragen zurück, die ich ihm zuerst gestellt hatte. Er sah sie als die Quelle meiner Entfremdung von der Gesellschaft an und gab sich die größte Mühe, mich für seine Überzeugung zu gewinnen.

Indes bereitete das Schicksal ein trauriges Ereignis vor, an dessen Möglichkeit niemand gedacht hatte. Es traf uns wie ein Blitz aus heiterem Himmel. Der Kaiser Alexander reiste nach dem Süden ab. Über die Beweggründe zu dieser Reise hörte man die verschiedensten Ge-
226

1. Kapitel

rüchte. Man sagte unter anderem, daß der Kaiser sich in Taganrog von den Regierungssorgen ausruhen wollte, und daß er dort, nachdem er auf den Thron verzichtet hätte, mit seiner tugendhaften Gemahlin Elisabeth Alexejewna den Rest seines Lebens in Ruhe und Einsamkeit verbringen wollte. Alle Welt, nicht nur die Personen, die in seiner Nähe lebten, sondern auch wir, die wir die unteren Ämter der Hierarchie[3]) bekleideten, sahen, daß der Kaiser von den Regierungssorgen ermüdet war, und daß die besten Kräfte seiner Seele zerbrochen waren.

Die Revolte des Ssemenowskischen Regiments[4]) — des Regiments, das er am meisten liebte — hatte seinen Glauben an die Zuverlässigkeit seiner Garderegimenter erschüttert. Er war überzeugt, daß die niedrigen Machenschaften des Obersten Schwarz[5]), der den Geist des Offizierkorps und den Geist der Truppe zu vergiften gewußt hatte, nicht allein die Ursache der Rebellion gewesen wäre. Er glaubte, daß die eigentliche Ursache der Revolte in den Hetzereien der geheimen Gesellschaften, denen, wie er glaubte, viele Offiziere des alten Regimentes angehörten, zu suchen wäre; aber er irrte sich.

Soviel ich weiß, war Sergei Murawiew-Apostol der einzige Offizier des alten Ssemenowskischen Regimentes, der Mitglied und einer der Begründer der Gesellschaft war. Ich kannte wenigstens nur ihn. Die Untersuchung

---

[3]) Hierarchie wird nicht nur in der ursprünglichen Bedeutung der Rangstufen der Priesterschaft gebraucht, sondern bezeichnet häufig auch Rangordnungen anderer Stände.

[4]) Während der Abwesenheit Alexanders, der sich auf dem Wege zu dem Kongreß von Troppau befand (1820), empörte sich das Ssemenowskische Regiment: Die Soldaten ließen sich, durch die Härte und Grausamkeiten ihres Obersten zur Verzweiflung gebracht, zur Empörung gegen diesen verleiten.

[5]) Oberst Schwarz war 1820 Kommandeur des Ssemenowskischen Regiments.

Obolenski

deckte nur die Schuld des Obersten Schwarz gegen Offiziere und Soldaten auf und zugleich den passiven Widerstand der Offiziere gegen den Obersten —, ein Widerstand, der an sich nichts Aufrührerisches hatte und der den
Soldaten den Obersten nur in einem wenig günstigen
Lichte zeigte. Aber seitdem zweifelte der Kaiser an seiner
von ihm vergötterten Armee.

Viele dachten und sagten, daß er eine Leiden-
schaft, eine Manie für Paraden hätte. Ich teile diese
Ansicht nicht rückhaltlos. Ich verstehe das Gefühl von
Stolz, das das Herz jedes Militärs beim Anblick eines
schönen Heeres, das sich in größter Ordnung bewegt und
der Stimme seines Befehlshabers gehorcht, höher schlagen
läßt. Man sieht in den Bewegungen einer Truppe die
schönste Harmonie, die Ruhe und das Vertrauen jedes
einzelnen zu sich selbst vereinigt. Dieses Vertrauen jedes
einzelnen legt Zeugnis ab für die unbesiegbare, unbeugsame Macht des Heeres und für die Tapferkeit, die jeden
Mann ziert.

Der Kaiser Alexander war sicher von diesen Gefühlen
erfüllt, wenn er seine Truppen sah. Er wohnte jeden Tag
den Paraden bei, er besuchte die Reitschulen, aber es kam
ihm nicht so sehr auf tadellose, militärische Haltung, als
auf den Geist der Armee an. Wenn er sich den Truppen
näherte und ihnen von Herzen seinen gewöhnlichen Gruß:
„Guten Tag, Kinder" zurief, so hörte sein feines Ohr aus
der Antwort: „Guten Tag, Kaiserliche Hoheit" den Klang
aufrichtiger Liebe oder auch den der Kälte heraus, die
seinem liebevollen Herzen wehtat. Solange er den Klang
der Liebe zu hören glaubte, war er mit allen und allem
zufrieden. Er nahm dann die Berichte seiner Minister
entgegen und billigte alles; wenn bei der Parade Schnitzer
gemacht wurden, so übersah er dieselben einfach. In
den letzten Jahren seines Lebens wurde diese Empfänglich-
228

226

keit für den Gruß seiner Truppen immer größer. Ich erinnere mich deutlich des letzten Festes in Peterhof im Jahre 1825. Der Kaiser begegnete, als er durch den Park ging, einem Soldaten des Finnländischen Garderegiments. Der Soldat, der von dem plötzlichen Hervortreten des Kaisers hinter den Bäumen überrascht war, grüßte und rief, ohne den Gruß des Kaisers abzuwarten, so laut er konnte: „Guten Tag, Kaiserliche Hoheit". Der Kaiser erkundigte sich nach seinem Namen und befahl, ihn zum Unteroffizier zu machen. Das ganze Verdienst des Soldaten bestand darin, daß er seinem Empfinden Ausdruck zu geben gewußt hatte. Aus diesem Beispiel sieht man, wie großen Wert der Kaiser auf das Gefühl legte.

Jeder, der selbst Soldat gewesen und in enge Berührung mit den Soldaten gekommen ist, wird verstehen, wieviel Aufrichtigkeit in den durch keine weltliche Erziehung verdorbenen Charakteren zu finden ist. Wenn man den einzelnen Soldaten nimmt, so wird man bei ihm häufig Arglist finden, die bei ihm, der in dem Vorgesetzten nicht den Freund, sondern häufiger den Richter sieht, natürlich erscheint. Aber in den Reihen, wo nichts die reinen Regungen seiner Seele beeinflußt, ist seine Stimme die Stimme der Wahrheit; sie drückt immer aufrichtige Ergebenheit für den aus, der es verstanden hat, sein Vertrauen zu gewinnen. Die Stimme des Volkes drückt sich sehr einfach aus, aber ihre zarteste Abstufung ist für das Ohr desjenigen, der sie oft hört, verständlich. So fasse ich die engen Beziehungen des Kaisers Alexander zu seiner geliebten Armee auf.

Aber ich will zur Reise des Kaisers nach Taganrog und zu der ersten Nachricht von seiner Erkrankung zurückkehren. Wer hätte glauben können, daß die leichten Fieberanfälle, die der Kaiser in der Krim hatte, zu einem baldigen Ende führen würden? Der Telegraph existierte

229

damals noch nicht, und so warteten wir vollständig ruhig weitere Nachrichten ab; sie kamen auch bald und trugen schon einen ernsteren Charakter. In den Kirchen wurde für die Gesundheit des Kaisers gebetet, und die Nachricht von seinem Tode traf gerade ein, als eine Messe in der Kapelle des Winter-Palais für seine Gesundheit gelesen wurde. Dieses Molebstwié (Te Deum) verwandelte sich in eine Totenmesse. Dann wurde der Großfürst Konstantin zum Kaiser ausgerufen, und am drauffolgenden Tage leisteten ihm die Garde und die hohen Beamten den Treueschwur.

Am Abend der Eidesleistung versammelten sich alle in Petersburg anwesenden Mitglieder der Gesellschaft bei Ryleieff. Alle waren einstimmig der Ansicht, daß es ebenso unmöglich sei, die Thronbesteigung des Großfürsten Konstantin zu verhindern, wie einen entscheidenden Schlag zu versuchen. Man beschloß, die Arbeiten der Gesellschaft so lange zu unterbrechen, bis der Kaiser den Thron bestiegen haben würde. Wir trennten uns sehr traurig, weil wir fühlten, daß die Verwirklichung unseres schönsten Traumes in weite Ferne gerückt war, daß er sich vielleicht niemals erfüllen würde! Am folgenden Tage traf die Nachricht ein, daß der Kaiser Konstantin wahrscheinlich auf den Thron verzichten würde. Man kannte das Testament des Kaisers, und die Thronbesteigung des Großfürsten Nikolai erschien nicht unwahrscheinlich. Wir waren alle sehr erregt über diese Nachricht und faßten neue Hoffnung, unseren Traum in Erfüllung gehen zu sehen.

Ich will hier weder unsere täglichen Zusammenkünfte, noch Ryleieffs Tätigkeit näher beschreiben. Ryleieff strengte alle Geisteskräfte an (obwohl er damals an Bräune litt), um den Plan, die Thronbesteigung des Kaisers zur Hervorrufung einer Revolution zu benutzen, zur Aus-
230

228

1. Kapitel

führung zu bringen. Die Akten der Gesellschaft und jedes einzelnen Mitgliedes der Gesellschaft sind in dem Bericht des Gerichtshofes erwähnt und durch den Urteilsspruch bekannt geworden. Man kann die Wahrheit der Tatsachen nicht fortleugnen, man muß aber doch einräumen, daß ein Mann nicht weiß, was er im Fieberdelirium tut.

So war es mit uns gewesen. Man hätte das, was wir in Augenblicken fieberhaft erregter Einbildungskraft gesagt und getan hatten, nicht für Wahrheit nehmen dürfen. Aber der oberste Gerichtshof war nicht Zeuge dessen gewesen, was sich bei unseren Zusammenkünften zugetragen hatte, er konnte die moralische Verfassung jedes einzelnen von uns nicht prüfen. Er urteilte einfach über das Geschehene, und das Geschehene war nicht zu leugnen! Lassen wir das Geschehene ruhen!

2. Kapitel
Der 14. Dezember und seine Opfer

Der 14. Dezember war angebrochen. Ich ging frühmorgens zu Ryleieff und fand ihn schon auf. Nachdem ich mit ihm besprochen hatte, was zu tun wäre, kehrte
ich in meine Wohnung zurück, in der mich Dienstpflichten
erwarteten und fortriefen. Als ich zu gleicher Zeit mit
dem Moskauischen Regiment auf dem Senatsplatz ankam,
fand ich Ryleieff dort. Er trug eine Patronentasche und
einen Säbel am Bandelier und wollte in die Reihen eintreten. Aber bald mußte er in die Garde-Grenadierkaserne
gehen, um die Ankunft des Regimentes zu beschleunigen.
Er ging dorthin, um den erhaltenen Befehl auszuführen;
dann habe ich ihn nicht wieder gesehen.

An diesem Tage zogen viele Gefühle und Gedanken
durch meine Seele und gruben sich unauslöschlich in mein
Gedächtnis ein. Ich und viele andere hatten sich den für
diesen Tag von der Gesellschaft getroffenen Maßnahmen
widersetzt, aber ein Zögern war nicht mehr möglich und
so halfen wir der Gesellschaft bei ihrem jahrelang vorbe-
reiteten Unternehmen, gegen unsere bessere Überzeugung.
Ich spreche nicht von der Möglichkeit eines günstigen Aus-
gangs, ich glaube, daß kein einziger an einen solchen
glaubte! Jeder hoffte auf einen günstigen Zufall, eine
unerwartete Hilfe, mit einem Wort, wir hofften auf unseren
guten Stern! Jeder fühlte aber, daß er, trotz der schwachen
Aussicht auf Gelingen des Plans, sein der Gesellschaft
gegebenes Wort halten und den Anordnungen der Be-
232

fehlshaber folgen müßte, und so traten wir in die Reihen ein.

Die Handlungen jedes einzelnen sind bekannt *). Am 15. Dezember war ich schon im Alexejewskoi-Ravelin eingekerkert. Nach einer langen, anstrengenden Fahrt war ich endlich allein. Ryleieff war in demselben Ravelin eingekerkert, aber ich wußte es nicht. Meine Zelle war von

---

*) Am 14. Dezember morgens sollte die Eidesleistung für Kaiser Nikolaus stattfinden. Die Verschworenen verweigerten dieselbe und suchten die Soldaten zum Aufruhr aufzuwiegeln. Es gelang ihnen, über 2000 Mann zu gewinnen und auf den Senatsplatz hinauszuführen. Der erwählte Diktator, Fürst Trubetzkoi, war nicht zu finden und so fehlte es den Aufständischen an einer wirklichen Leitung. Man bot dem Obersten Bulatow das Kommando an, er schlug es aus. Man bot es Bestushew I. an, er schlug es ebenfalls aus. Schließlich drängte man dem Fürsten E. Obolenski, der selbst wußte, daß er dieser Stellung nicht gewachsen war, den Oberbefehl auf. Es herrschte vollständige Anarchie.

Zuerst wurden die feindlichen Angriffe abgeschlagen, die Übergabe und die versprochene Gnade stolz verweigert. Der Großfürst Michail Pawlowitsch näherte sich den Aufrührern mutig und suchte die Soldaten zum Gehorsam zu überreden. W. Küchelbecker schoß als Antwort sein Pistol auf ihn ab — es versagte zufällig, sonst wäre der Großfürst zweifellos ein Opfer seines Mutes geworden. Graf M. A. Miloradowitsch, der beliebteste Anführer der Soldaten, ritt heran, um die Soldaten mit sich fortzuführen. Fürst E. Obolenski griff dem Pferde in die Zügel und stieß ihm ein Bajonett in die Weichen, um den Reiter zu retten. In diesem Augenblick trafen die Kugeln Kahoffskis und zweier Soldaten den tapferen Miloradowitsch, so daß er sterbend niedersank. Ebenso fiel der Oberst Stürler, der Kommandeur des Leibgarde-Grenadierregiments, der versuchte, die von dem Regiment abgefallenen Kompagnien zum Gehorsam zurückzuführen, von der Hand Kahoffskis. Schließlich erschien der Metropolit Seraphim und flehte die Soldaten mit erhobenem Kreuz an, in die Kasernen zurückzukehren — vergebens!

Dann donnerten die Kanonen, und in kurzer Zeit war der Platz von den Aufständischen gesäubert, waren die Anführer gefangen genommen.

233

den anderen Zellen entfernt, man nannte sie die Offizierszelle. Eine Schildwache war vor meiner Tür postiert; die Diener sowohl als meine Wächter waren stumm; alles war in das Dunkel der Ungewißheit gehüllt. Aus den mir durch die Untersuchungskommission vorgelegten Fragen erriet ich, daß Ryleieff auch gefangen war.

Am 21. Januar erhielt ich den ersten Brief von ihm; meine Freude war groß, als ich die wenigen Zeilen las. — Die feurige Seele Ryleieffs hatte nicht aufgehört zu lieben — darin lag für mich ein großer Trost. Ich konnte ihm nicht antworten; ich hatte nicht verstanden, mir Papier, Feder und Tinte zu verschaffen; man gab uns nur gezeichnetes Papier, eine einzige Feder und ein Tintenfaß, das man uns sofort nach Gebrauch wieder fortnahm; und ich hatte gar kein Gefäß, in das ich Tinte hineingießen konnte, keinen Platz, um etwas zu verstecken.

Was soll ich von den unter der Last der jungen Erinnerungen im Gefängnis verbrachten Tagen sagen? Die Leidenschaften hatten sich noch nicht beruhigt, die Verhöre wiederholten sich täglich und ich schwebte in steter Angst, durch meine Antworten, durch ein Wort die Pein derer, die ich liebte, zu verschärfen. Das war in der ersten Periode meiner Gefangenschaft. Nach und nach wurden die Verhöre seltener, ich wurde nicht so oft mehr vor die Untersuchungskommission gerufen, und meine Seele wurde ruhiger; ein bis dahin unbekanntes Licht strahlte in meine Seele hinein und erleuchtete die dunkelsten Winkel, die Winkel, in denen die Last der von der Jugend her angesammelten Gedanken und Empfindungen aufgespeichert lag. Ich weiß nicht, wie ich dieses Licht nennen, wie ich es preisen soll. Ein schwaches Bild dieses Lichtes ist der Sonnenaufgang. Die Sonne steigt aus unsichtbaren Gründen am Himmel auf, sie erhellt die Gipfel der Berge und wirft fast unmerkliche Strahlen in die Täler;
234

sie steigt höher und höher herauf, ihre Strahlen werden immer leuchtender, sie erhellen die ganzen Berge und bringen Glanz und Wärme in die Täler. Die Pflanzen gewöhnen sich langsam an ihr belebendes Feuer, öffnen ihre Kelche und atmen die belebende Kraft der Sonne ein. So erhellte das Licht des Evangeliums auch zunächst die Lebens- und Charaktereigenschaften, die aus dem Grunde der Seele aufragten. Dann drang das Licht tiefer und tiefer hinein und erhellte, erwärmte, belebte mit seinen schaffenden Strahlen — den leuchtenden Strahlen ewiger Liebe — alles, was in meiner Seele Licht empfangen, Wärme einatmen, sich dem Glanz und der belebenden Kraft erschließen konnte. So verging ein Tag nach dem anderen, eine Woche nach der anderen. Der Frühling kam, dann folgte der Sommer, und man gestattete uns, in den Mauern des Ravelins spazieren zu gehen und Luft zu schöpfen. Die Zeit zum Spazierengehen wurde gleichmäßig unter alle Gefangenen verteilt, und da ihre Zahl sehr groß war, konnten wir uns nicht jeden Tag des Spazierganges erfreuen.

Eines Tages brachte mir mein braver Wächter zwei Ahornblätter und legte sie vorsichtig in den entferntesten Winkel meines Zimmers, wo die Schildwache sie nicht erspähen konnte. Als er sich entfernt hatte, ging ich schnell in die Ecke, nahm die Blätter auf und las:

„Wie traurig ist's, fern von der Heimat zu sein!
Wer wird mich befrei'n von des Lebens Pein?
Wer kann mir der Taube Flügel leih'n?
Ach, fortfliegen nur und in Ruhe sein!
Die Welt ist ein trauriges, dunkles Grab.
Die Seele sehnt von der Erde sich fort.
Ach Gott, Du Helfer, Du mächtiger Hort!
Sieh, wie mir fließen die bitteren Tränen,
Erhöre mein Fleh'n! O stille mein Sehnen!

235

233

Obolenski

Wach über der teueren Freunde Leben,
Du allein, nur Du kannst Rettung geben!
Breit über mein Sünd'gen Dein mildes Verzeih'n,
Laß die Seele nicht länger gefangen sein!"

Derjenige, der Verständnis für das unsichtbare Sich-
berühren zweier Seelen hat, wird begreifen, was ich empfand, als ich diese Zeilen Ryleieffs las. Ich wußte jetzt,
was Ryleieff dachte, was er fühlte. Er hatte mir seine
Niedergeschlagenheit gezeigt, und seine Klagen erweckten
einen Widerhall in meiner Seele. Wem konnte ich meinen
tiefen Kummer besser anvertrauen als dem, dem ich alle
Gedanken, alle Empfindungen meiner Seele geweiht hatte?
Ich betete — wer kann das Geheimnis eines Gebetes erklären? Wenn es möglich wäre, Sichtbares mit Unsicht-
barem zu vergleichen, so würde ich sagen, daß das Gebet
wie eine Blume ist, die ihren Kelch den Sonnenstrahlen
erschließt, und die, nachdem sie die Sonnenstrahlen ein-
geatmet hat, einen süßen, allen bemerkbaren Duft aus-
haucht. Sollte der Sonnenstrahl nicht auch den Duft einatmen, den er verursacht hat? Und wenn er ihn einatmet,
so bringt er ihn wieder zu dem zurück, der die Quelle von
Strahl und von Duft ist. So wie der Sonnenstrahl den
Duft der Blume hervorruft, ruft die ewige Liebe das Gebet
hervor, und Duft wie Gebet kehren zu der Quelle, aus
der sie stammen, zurück. Nachdem ich gebetet hatte,
nahm ich eine dicke Nadel und einige kleine Stücke groben,
grauen Papiers, um eine Antwort an Ryleieff zu punk-
tieren. Ich arbeitete lange, um in gedrängten Worten
doch alles zu sagen, was meine Seele, mit Hilfe dieses
ungeschickten Werkzeuges, sagen wollte. Nach zwei
Tagen war der Brief beendigt, und nachdem ich ihn
meinem braven Wächter anvertraut hatte, fühlte ich mich
wesentlich erleichtert. Die Antwort ließ nicht lange auf
sich warten. Sie lautete:

236

2. Kapitel

„Teurer Freund! Das Geschenk, das Du mir gesandt hast, ist unschätzbar. Der Heiland selbst, dem sich meine Seele längst geöffnet hat, schickte mir dieses Geschenk durch Dich, meinen liebsten Freund. Ich habe gestern gebetet und heiße Tränen geweint! Oh! was für ein Gebet, was für Tränen! Tränen der Dankbarkeit, der Reue, Tränen voller Gelübde, voller Wünsche für Dich, für meine Freunde und meine Feinde, für meine gute Frau, meine arme Kleine, mit einem Wort, für alle. Denkst Du, teurer Freund, schon lange so? Sag mir, ob Du das alles aus Dir selbst hast, oder ob es von anderen zu Dir kommt? Wenn dieser Lebensstrom seine Quelle in Deiner Seele hat, so sende Deinem Freunde oft seine belebenden Fluten. Übrigens, ob es Dein eigenstes Eigentum oder das anderer ist — es ist jetzt mein Eigentum, wie es Dein Eigentum ist, auch wenn Du es in anderen gefunden hast! Denke nur an meine Zweifel über die Zweiheit von Geist und Materie."

Meine Freude war groß, als ich diese Zeilen erhielt, aber ganz glücklich war ich erst, als ich die folgenden, auch auf Ahornblätter geschriebenen Zeilen erhielt:

„Mein teurer Freund, ich habe Deine sanfte und tröstende Stimme vernommen. Sie hat meiner Seele den Frieden zurückgegeben, sie hat Ordnung in meine verwirrten Gedanken gebracht. Dem Heiland danken wir die erhabene Wahrheit, der wir unser materielles und unser geistiges Leben unterordnen müssen. Es ist sehr schwer für den Sterblichen, sich dieser Wahrheit unterzuordnen —, aber es ist der gerade Weg zur Unsterblichkeit, und die heilige Wahrheit nennt uns selbst diesen Weg.

Glücklich derjenige, den unser Vater erwählt hat, um hienieden der Held der Wahrheit zu sein! Eine Krone und das Glück erwarten ihn — er ist der Erbe des himmlischen Reiches. Glücklich derjenige, der weiß, daß es

237

Obolenski

nur einen Gott gibt, der unsere Welt, der die Wahrheit
und das Glück ist! Glücklich derjenige, dessen Fleisch
dem Geiste untertan ist! Glücklich derjenige, der sich
mit festem Schritt dem Leidenskelch Christi zuwendet!

Er ist ein wahrer Weiser, er bestimmt sein Schicksal,
er zieht den Himmel der Erde vor! Christus führt ihn —
wie er Petrus geführt hat — durch alle Stürme dieser
Welt! Ein tapferer Kämpfer auf Erden, der eine reine
Seele und ein gerechtes Herz hat, wird das verheißene
Land sehen, so wie Moses es vom Berge Horeb gesehen hat!"

Es waren die letzten Zeilen Ryleieffs, sein Schwanen-
gesang. Seitdem schwieg er, und ich fand keine Ahornblätter mehr in der Ecke meiner Zelle.

Der oberste Gerichtshof führte unseren Prozeß zu
Ende. Man führte uns, einen nach dem anderen, vor und
zeigte uns die von uns unterzeichneten Prozeßakten. Ich
wußte nicht, warum man uns verhörte, und ahnte nicht,
daß unser Schicksal schon entschieden war; ich sah meine
Akten und erkannte sie als die meinigen an. Der Monat
Juli kam. Man versammelte uns alle. Unsere Freude war
groß, als wir nach so langer Trennung unsere Freunde
wiedersahen. Vergebens spähte ich nach Ryleieff und
den vier anderen aus und hörte halb verwirrt, daß ihnen
ein ernsteres Schicksal vorbehalten war als uns.

Wir betraten den Sitzungssaal. Bekannte und unbekannte Personen in großer Gala saßen da und betrachteten uns schweigend. Der General-Anwalt verlas mit
lauter Stimme das Urteil jedes einzelnen. Ich hörte das
meine gleichgültig an. In solchen Augenblicken denkt
man nicht; der Urteilsspruch, der über unser Schicksal
entschied, klang uns in die Ohren, aber von seiner wirklichen Bedeutung machten wir uns keine klare Vorstellung.
Nach der Verlesung des Urteils wurden wir wieder fort-
238

236

geführt, aber man brachte uns nicht wieder in den Alexejewskischen Ravelin zurück. Ich wurde nach Kronwerk
gebracht und kam in eine kleine Zelle, die durch eine
Zwischenwand von der Nachbarzelle getrennt war. Ich
war sehr erstaunt über die Nachbarschaft, weil ich so an
die Einsamkeit gewöhnt war. Am folgenden Tage kam
unser zuverlässiger Freund und treuer Tröster, der seit
den ersten Tagen unserer Gefangenschaft seines Amtes
als geistlicher Vater waltete, Peter Nikolajewitsch Myslowski, Erzpriester am Dom von Kasan, zu uns. Er ging
zu jedem einzelnen, um ihn auf das ihn erwartende Ge-
schick vorzubereiten. Da ich seine Zurückhaltung in allen,
nicht zu seinem Amt gehörigen Dingen kannte, so wagte
ich zuerst nicht, nach dem Schicksal der fünf von uns ge-
trennten Verurteilten zu fragen.

Als er fortgehen wollte, entschloß ich mich doch, ihn
zu fragen, was für ein Schicksal sie erwartete. Er antwortete nicht direkt, sprach in Rätseln — „Bestätigung,
Dekoration" waren seine letzten Worte. Ich entnahm aus
seinen Worten, daß die fünf zum Tode verurteilt wären,
aber begnadigt werden würden. Myslowski glaubte und
hoffte das auch. Aber er täuschte sich.

Hier gebe ich den letzten Brief Ryleieffs an seine
Frau wieder, den er wenige Augenblicke vor seinem Tode
geschrieben hat:

„Gott und der Kaiser haben mein Schicksal bestimmt.
Ich muß sterben, schmachvoll sterben. Du meine teure,
heißgeliebte Freundin, wirst diesen Brief durch den Erzpriester Peter Myslowski erhalten. Ich habe ihm gebeichtet,
und er hat mir versprochen, für die Ruhe meiner Seele
zu beten. Gib ihm eine meiner goldenen Tabaksdosen
zum Zeichen meiner Dankbarkeit, oder vielmehr zur Erinnerung. Denn Gott allein kann ihm lohnen, was er mir

239

237

gewesen ist. Bleibe nicht lange hier; versuche alle ge-
schäftlichen Angelegenheiten schnell zu Ende zu führen
und gehe dann zu meiner ehrwürdigen Mutter und bitte
sie und alle, mir zu verzeihen. Grüße K. S. und ihre
Kinder und bitte sie, mich nicht um M. B.'s willen anzu-
klagen. Er wird es selbst bezeugen, daß ich ihn nicht in
unser gemeinsames Unglück hineingezogen habe.

„Ich wollte eigentlich um die Erlaubnis bitten, Dich
noch einmal sehen zu dürfen, aber ich habe die Absicht
aufgegeben, weil ich fürchte, meine Festigkeit zu verlieren.
Ich bete zu Gott für Dich und Anastasia und werde die
ganze Nacht beten. Der Priester, mein Freund und Wohl-
täter, wird zu mir kommen und mir das Abendmahl reichen.
In Gedanken segne ich Anastasia mit dem Bilde der
heiligen Veronica und befehle Euch beide dem Schutze
des lebendigen Gottes. Nimm Dich mit besonderer Sorgfalt der Erziehung Anastasias an und lasse sie nicht von
Dir fort. Versuche, ihr christlichen Glauben einzuflößen,
dann wird sie glücklich sein, was sie auch immer treffen
mag; und wenn sie heiraten wird, so wird sie ihren Mann
glücklich machen, so wie Du mich glücklich gemacht hast.
Acht Jahre bist Du mein Glück gewesen, Du meine liebe,
gute, unvergeßliche Freundin. Kann ich Worte finden,
um Dir zu danken? Nein, es gibt keine Worte, die ausdrücken können, was ich für Dich empfinde. Möge Gott
Dir alles lohnen! Sage der sehr verehrten P. V. meine
tiefe Dankbarkeit. Lebe wohl. Man befiehlt mir, mich
anzukleiden. Gottes heiliger Wille geschehe!

Dein aufrichtiger Freund
Conrad Ryleieff."

Es schlug Mitternacht. Der Priester kam mit dem
heiligen Abendmahl aus der Zelle Conrad Ryleieffs, ging
zu Sergei Murawiew-Apostol, dann zu Peter Kahoffsky
240

2. Kapitel

und schließlich zu Michail Bestushew-Rjumin. Der protestantische Geistliche gab Paul Pestel das heilige Abendmahl.

Ich schlief nicht. Man hatte uns befohlen, uns anzukleiden; ich hörte das Geräusch von Schritten, hörte flüstern und begriff nicht, was das alles zu bedeuten hatte. Nach einigen Augenblicken hörte ich das Klirren von Ketten. Eine Tür am anderen Ende des Ganges wurde geöffnet, die Ketten rasselten laut. Ich hörte die Stimme meines treuen Freundes Ryleieff, die langsam sagte: „Adieu, adieu, meine Brüder!" Dann entfernten sich die Schritte. Ich lief an das Fenster; der Tag begann zu grauen. . . . Ich sah eine Abteilung des Pawlowskischen Garderegimentes und an ihrer Spitze den mir bekannten Leutnant Pilmann; die fünf Verurteilten wurden von Grenadieren mit aufgepflanztem Bajonett umringt. Das Zeichen wurde gegeben, und sie entfernten sich. Man befahl uns, herauszugehen. Dieselben Grenadiere, die die fünf Verurteilten geleitet hatten, führten uns auf die Esplanade vor der Festung. Alle Garderegimenter waren unter den Waffen. In der Ferne sah ich fünf Galgen. Ich sah, wie die fünf Verurteilten sich langsam dem verhängnisvollen Platz näherten. In meinen Ohren klangen die Worte „Bestätigung — Dekoration" nach —, die Hoffnung verließ mich noch nicht. Man beschäftigte sich nicht lange mit uns; man zerbrach unsere Degen, riß uns die Uniformen ab und warf sie in das Feuer; dann zog man uns Schlafröcke über und führte uns in die Festung zurück. Ich kam wieder in meine alte Zelle in Kronwerk.

Die zum Tode bestimmten Opfer kamen auf dem Platze an! Der Erzpriester Myslowski war an ihrer Seite. Er näherte sich Ryleieff, dieser nahm seine Hand und legte sie auf sein Herz: „Nicht wahr, mein Vater, es schlägt nicht rascher als vorher?" sagte er. Alle fünf bestiegen das Schafott, und das Urteil wurde vollzogen.

Obolenski

So starben die fünf als Opfer für die gemeinsam be-
gangenen Fehler auserwählter Männer; sie fielen wie
reife Früchte zur Erde. Aber nicht die Erde nahm sie
auf, der himmlische Vater nahm sie in sein Reich! Sie
gingen geläutert durch innere und äußere Leiden in die
Ewigkeit ein und empfingen durch den Tod die Krone der
Märtyrer, die ihnen nicht entrissen werden kann. Gelobt
sei Gott!

3. Kapitel
Verschickung nach Ussolje

Am Abend des 21. Juli brachte man mir eine graue Jacke und ebensolche Hosen aus dem gröbsten Stoff und befahl mir, mich für die Abreise bereit zu halten. Am Abend hatte ich den Besuch meiner Brüder, die im Pagenkorps erzogen wurden, erhalten und sie gebeten, mir die notwendigsten Unterkleider und Wäsche zu schicken. Sie erfüllten meine Bitte und hatten zu den Unterkleidern und der Wäsche noch einen neuen Anzug in den Koffer gepackt, den sie mir schickten; ich war sehr erstaunt, als ich den Anzug sah, und fragte den Platzmajor: „Warum schickt man mir den Anzug, wenn man verlangt, daß ich die graue Jacke tragen soll?" Man antwortete mir, daß es in meinem Belieben stünde, die eigenen oder die vom Gouvernement geschickten Kleider zu tragen. Da ich keinen Kopeken in der Tasche hatte, hielt ich es für klüger, meinen Anzug, der sich auf der weiten Reise rasch abnützen würde, zu sparen und die mir vom Gouvernement gesandten Kleider zu tragen. Sie waren zwar nicht schön, hatten aber, da sie sehr weit waren, den Vorzug, bequem zu sein.

Bald nach Mitternacht führte man mich in das Haus des Kommandanten; als ich den Saal betrat, fand ich Alexander Jakubowitsch, der ebenso gekleidet war wie ich, schon vor. Nach ihm kamen Artamon Murawiew, früher Oberst des Achtyrschen Husarenregiments, und Wassili Davidoff, ein verabschiedeter Husarenoffizier, in den Saal

16*   243

Obolenski

herein. Murawiew war sehr elegant gekleidet; seine vortreffliche Frau, Wera Alexejewna, hatte für seine Toilette Sorge getragen. Davidoff sah ich zum erstenmal; er war klein und ziemlich dick und hatte lebhafte, sprechende Augen; sein sarkastisches Lächeln zeigte, wes Geistes Kind er war, zugleich aber sprach eine gewisse Gutmütigkeit aus seinem Gesicht; er wußte sich die Zuneigung aller, die mit ihm in nähere Beziehungen traten, zu gewinnen. Davidoff war ebenfalls sehr elegant gekleidet; man sah, daß seine Sachen bei einem der ersten Schneider gearbeitet waren. Wir drückten uns alle schweigend die Hand. Jakubowitsch stieß einen Ausruf der Überraschung aus, als er mich so seltsam gekleidet und mit einem langen Bart geschmückt wiedersah.

„Ach, Obolenski," rief er aus und führte mich zum Spiegel, „ich sehe gerade aus wie Stenka Rasin, und du gleichst Wanka Kaïn[1]) genau."

Kurz darauf öffnete sich die Tür von neuem. Der Festungskommandant, General der Infanterie, Sukin, betrat den Saal und sagte laut: „Seine Majestät der Kaiser haben befohlen, Sie mit Fesseln an den Füßen nach Sibirien zu schicken."

Ich wandte mich darauf an den General und bat, mir als einzige Gnade Rückgabe meiner, mir bei der Gefangennahme abgenommenen, kostbaren Uhr aus. Der General befahl seinem Adjutanten Trussow, sofort meine Uhr zu holen und sie mir zu geben. Dann schmiedete man uns die Ketten an die Füße, übergab uns dem Feldjäger Sédoff und vier Gendarmen, die uns begleiten sollten. Der Platzmajor Jegor Poduschkin begleitete uns hinaus. Plötzlich näherte er sich mir geheimnisvoll und drückte mir die Hand. Ich erwiderte den Händedruck, und er sagte leise:

---

[1]) Zwei berühmte russische Briganten.

3. Kapitel

„Nehmen Sie, das ist von Ihrem Bruder." Ich fühlte Geld in meiner Hand und dankte Gott für diese unerwartete Hilfe. Vier mit drei Pferden bespannte Wagen standen für uns bereit. Man hob mich auf einen derselben, und ich fühlte, gegen meinen Willen, mein Herz in tiefem Schmerz erzittern. Plötzlich sprang Kosloff, Adjutant des Kriegsministers Tatistscheff, der geschickt worden war, um Zeuge unserer Abreise zu sein, zu mir auf den Wagen. Ich kannte ihn kaum, aber er behandelte mich wie seinen Bruder und zeigte durch heiße Tränen, wie groß seine Sympathie für uns war; diese Sympathie eines mir fast fremden Menschen tat mir sehr wohl. Beim ersten Morgengrauen fuhren wir durch Petersburg — in der Richtung der Feste Schlüsselburg — und hielten bei der ersten Poststation an, um die Pferde zu wechseln —, dort erwartete uns die Gattin Murawiews, die von ihrem Manne Abschied nehmen wollte. Eine Stunde des Beisammenseins war ihnen vergönnt; dann ging es mit frischen Pferden über Nova͏̈ia Ladoga in rasender Eile weiter. Die Eindrücke der Reise haben sich verwischt; unsere ungewohnte Lage, das rasche, unbequeme Fahren ließ uns keine Zeit zu Beobachtungen. In den Wirtshäusern durften wir rasten. Murawiew führte die Kasse und bezahlte alles, was wir verzehrten, sehr reichlich; niemand durfte sich uns nähern. Von allen Eindrücken ist mir unsere Ankunft in Nishnij-Nowgorod am festesten in Erinnerung geblieben. Es war gerade Jahrmarkt, Tausende von Menschen drängten sich auf dem Hauptplatz, den wir, langsam fahrend, passierten. Die Menge sah mit stummen, beredten Blicken auf unsere Wagen, unsere Gendarmen und unsere Fesseln. Ich kaufte mir in Nishnij einen Mantel und einige andere Sachen, die ich notwendig brauchte, und so blieb mir nur wenig Geld übrig von den von Poduschkin erhaltenen 150 Rubeln; dann setzten wir

245

unsere Reise auf der großen, nach Sibirien führenden
Straße fort und kamen Ende August in Irkutsk an.

Der Gouverneur, General Lapinsky, war abwesend;
statt seiner empfing uns sein Stellvertreter, der Staatsrat
Girloff. Er war sehr liebenswürdig gegen uns, sprach mit
jedem einzelnen und ging dann hinaus; mit ihm verließen
die anderen Herren seiner Begleitung den Saal, nur ein
einziger Beamter blieb zurück (Vakruscheff). Das Interesse, das er an uns nahm, verriet sich in seiner ganzen
Haltung; seine Augen standen voll Tränen. Er näherte
sich mir und sagte mit vor Erregung erstickter Stimme:
„Nehmen Sie das in Gottes Namen" — und steckte mir
25 Rubel in die Hand. Ich sagte leise: „Ich danke Ihnen
sehr, ich habe Geld und brauche nichts." Aber er wiederholte noch dringlicher: „Nehmen Sie in Gottes Namen!"
Es war unmöglich, lange zu verhandeln, es waren Zeugen
da, und ich fürchtete, man würde das Geld, das ich noch
hatte, bei mir entdecken. So nahm ich die 25 Rubel an.
So wie mich, zwang er auch meine Unglücksgefährten,
von ihm Geld anzunehmen.

Wir wohnten, bis die Minen, in denen wir arbeiten
sollten, bestimmt wurden, bei dem Polizeikommissar Sato-
pliajeff; Chef der Polizei war damals Andrei Iwanowitsch
Piroschkoff, und Stadthaupt war der später durch seine
Goldminen und seine Wohltätigkeit so berühmt gewordene
Kusnetzoff.

Kusnetzoff sowohl wie alle Beamten und Kaufleute
erwiesen uns viele Aufmerksamkeiten und Freundlichkeiten
und suchten uns während unseres kurzen Aufenthaltes bei
Satopliajeff soviel wie möglich zu trösten und zu zerstreuen. Ebenso verletzten weder Piroschkoff noch Satopliajeff jemals durch eine Handlung oder durch ein Wort
das Gefühl unserer persönlichen Würde. Wir genossen
die liebenswürdige Gastfreundschaft in Irkutsk nicht lange;
246

3. Kapitel

man schickte uns — mich und Jakubowitsch — in eine 60 Werst von Irkutsk entfernte Saline in Ussolje. Murawiew und Davidoff wurden in eine Branntweinbrennerei nach Alexandrowski geschickt. Wir trennten uns mit der Hoffnung, uns unter günstigeren Umständen wiederzusehen. Jakubowitsch und ich kamen am 30. August an unserem Bestimmungsort an. Nach unserer Abreise trafen die Fürsten Trubetzkoi und Wolkonski und die beiden Brüder Borissoff, Peter und Andrei, dort ein; die beiden ersten wurden in die Branntweinbrennerei nach Nikolajewsk geschickt, die beiden letzten nach Alexandrowski.

Als wir in der Saline ankamen, wurden wir im Comptoir empfangen; man nahm uns das Geld ab, das wir noch bei uns hatten, und wies uns das einzige Zimmer einer Witwe als Wohnung an; sie selbst lebte in einer Hütte. Der Direktor der Saline, Oberst Kriukoff, war nicht anwesend; es war somit unmöglich, uns betreffende Dispositionen zu machen, und so erfreuten wir uns einer nur durch Polizeiaufsicht begrenzten Freiheit. Von Zeit zu Zeit besuchte uns der Polizeichef der Saline, Skuratoff; er war der einzige Beamte, mit dem wir zu tun hatten. Von den übrigen Salinenbewohnern kauften wir nur unsere Mundvorräte, bezahlten uns erwiesene Dienste reichlich, traten aber sonst in keinerlei Beziehung zu ihnen. Die Polizei beobachtete uns unausgesetzt. Abends, wenn Jakubowitsch und ich plaudernd in unserem Zimmer saßen, hörten wir oft die Schritte von Polizeiagenten und sahen, wie sie durch eine Ritze im Fensterladen in unser Zimmer spähten. Trotz aller Vorsichtsmaßregeln der Polizei drang die Nachricht, daß die Fürstin Trubetzkoi in Irkutsk eingetroffen wäre, zu uns; an der Wahrheit dieser Nachricht war nicht zu zweifeln, weil niemand in Ussolje eine Ahnung von der Existenz einer Fürstin Trubetzkoi hatte. Wir erhielten diese Nachricht, als wir etwa drei

247

Obolenski

Wochen in Ussolje waren. Um dieselbe Zeit kam auch
Oberst Kriukoff zurück; von ihm hing es ab, welche Art
Zwangsarbeit uns bestimmt werden würde. Am Tage
nach seiner Ankunft rief man uns zu ihm. Die Polizei
hatte alle Fremden aus seinem Hause entfernt, und
während unserer Anwesenheit durfte kein Mensch dasselbe
betreten. Kriukoff empfing uns gütig und behandelte uns
mit so viel Aufmerksamkeit, daß wir tief bewegt davon
waren. Er unterhielt sich in der ungezwungensten Weise
mit uns, so daß wir das Gefühl unseres Gefangenseins
ganz verloren; seine Tochter brachte uns Kaffee, den sie
selbst für uns bereitet hatte. Wir hörten später, daß auch
alle Dienstboten aus dem Hause entfernt worden wären,
damit niemand der Regierung von der uns erwiesenen
Güte heimlich Bericht erstatten könnte. Beim Abschied
teilte Kriukoff uns mit, daß er uns, der Form halber, Arbeit
geben müßte, daß wir aber sonst nichts zu fürchten hätten.
Wir kehrten sehr getröstet und beruhigt in unsere Wohnung zurück. Mich quälte nur der Gedanke, ob man uns
zu Arbeiten verwenden würde, die gewöhnlich von gemeinen Sträflingen ausgeführt wurden; ich hatte sie oft
von der Arbeit zurückkommen sehen. Sie mußten ohne
Hemd arbeiten und eine bestimmte Anzahl Eimer voll
Salzwasser von der Quelle bis zu dem Kessel tragen; wenn
sie ihre Arbeit beendigt hatten, waren sie von Kopf bis
zu Fuß mit Salzkristallen bedeckt, Haar, Gesicht, Bart,
Kleider — alles war voll Salz. Am Tage nach der Audienz
bei dem Direktor der Saline brachte Skuratoff uns zwei
Äxte. Er teilte uns mit, daß wir zum Holzfällen bestimmt
wären, und daß er uns die Stelle anweisen würde, auf der
wir die vorgeschriebene Masse Holz zu fällen hätten. Das
sagte er mit lauter Stimme, leise setzte er hinzu, daß wir
auf den Arbeitsplatz gehen sollten, um dort spazieren zu
gehen; unsere Arbeit würde unterdessen für uns gemacht
248

werden. Noch an demselben Tage bezeichnete man uns die Stelle, wo wir Holz fällen sollten, und wir kehrten sehr zufrieden von unserem Spaziergang zurück.

Mir ließ der Gedanke, mit der Fürstin Trubetzkoi in Beziehung zu treten, keine Ruhe — ich hoffte sicher, durch sie Nachricht von meinem alten Vater zu erhalten —, aber wie konnte ich meinen Plan ausführen bei der unausgesetzten Polizeiaufsicht? Das war sehr schwierig zu bewerkstelligen.

Am nächsten Tage mußte ich meine Arbeit beginnen; ich stand früh auf, trank meinen Tee und verabschiedete mich von Jakubowitsch, der an einer Augenentzündung litt. Dann knüpfte ich meinen Mantel mit einem Gurt um die Lenden und begab mich auf den uns angewiesenen Platz. Als ich dort war, dachte ich, daß es besser wäre, etwas zu tun, statt spazieren zu gehen. Außerdem wußte ich, wie sehr Kriukoff eine Denunzierung fürchtete, und ich wollte nicht, daß seine uns erwiesene Güte ihm Ungelegenheiten brächte. So nahm ich tapfer die Axt zur Hand und versuchte, einen Baum zu fällen. Es kostete mich große Anstrengung, bis der erste Baum fiel. Nach getaner Arbeit kehrte ich sehr müde, aber sehr befriedigt, meine Pflicht gegen meinen guten Chef getan zu haben, nach Hause zurück. Als ich durch den Wald ging, bemerkte ich einen gut gekleideten Mann, mit einem ausdrucksvollen Gesicht, der mich besonders freundlich grüßte. Am Abend erblickte ich ihn wieder nicht weit von unserer Wohnung, und es schien mir, als ob er mir Zeichen machte. Dieser rätselhafte Unbekannte zog meine ganze Aufmerksamkeit auf sich. Als ich am Morgen zur Arbeit ging, begegnete ich ihm wieder. Er deutete geheimnisvoll auf den Wald, zu dem ich meine Schritte lenkte. Bei der Arbeit vergaß ich diese Begegnung völlig, aber plötzlich tauchte er wieder auf und wies mit fast

249

unmerkbarer Bewegung auf das Dickicht. Ich folgte ihm, ohne zu zögern. Mein Unbekannter begrüßte mich mit folgenden feierlichen und rätselhaften Worten: „Wir haben deine Ankunft schon lange erwartet — der Prophet Hesekiel hat uns deine und der anderen Ankunft verkündigt —, wir sind hier sehr zahlreich, habe Vertrauen zu uns, wir werden euch nicht verraten." Man hörte den Sektierer aus seinen Worten —, aber ich hatte keine Zeit, ihn aufzuklären. Wir waren nicht weit von der durch den Wald führenden Straße entfernt, und ich hörte das Geräusch von Wagen. Um keinen Augenblick zu verlieren, sagte ich ihm nur: „Du irrst dich, mein Freund, aber willst du mir einen großen Dienst erweisen? Kannst du der Fürstin Trubetzkoi, die augenblicklich in Irkutsk ist, einen Brief überbringen? Ich kann dir leider deine Mühe nicht bezahlen, weil ich kein Geld habe."

Er zögerte keinen Augenblick.

„Morgen werde ich bei einbrechender Dunkelheit in der Nähe deiner Wohnung sein," antwortete er mir; bringe mir deinen Brief, er wird sicher an seine Adresse gelangen." So trennten wir uns. Ich besprach dann die Sache mit Jakubowitsch und entschloß mich, einen Brief zu schreiben. Am anderen Tage brachte ich ihn meinem neu gewonnenen Freunde, und er fuhr noch an demselben Abend nach Irkutsk. Er führte meinen Auftrag treulich aus und brachte mir nach zwei Tagen einen Brief von der Fürstin Trubetzkoi. Sie gab mir beruhigende Nachrichten über meine Angehörigen und versprach mir, vor ihrer Abreise nach Nikolajewsk noch einmal schreiben zu wollen. Wir erhielten den Brief auch bald durch einen Bevollmächtigten des Herrn Kusnetzoff. Die Fürstin schickte uns 500 Rubel und riet uns, unseren Eltern zu schreiben. Der Sekretär ihres Vaters, der sie bis Irkutsk begleitet hatte, wollte die Briefe mit nach Petersburg nehmen.
250

3. Kapitel

Wir nahmen diese seltene Gelegenheit natürlich mit Freuden wahr und dankten der Fürstin von Grund unserer Seele für ihre Freundschaftsbeweise.

Ich muß hier einige Worte über die seltene Persönlichkeit der Fürstin Catharina Trubetzkoi, geborenen Gräfin Laval, sagen. Ihr Vater war Franzose und während der Revolution nach Rußland ausgewandert. Seine Heirat mit der reichen Alexandrowna Kositzky verlieh seinem Hause großen Glanz, der noch durch den vornehmen Geschmack und die feine Bildung seiner Bewohner erhöht wurde. In dieser Umgebung wuchs Mademoiselle de Laval auf; ihr Vater vergötterte sie — die Mutter und alle Verwandten umgaben sie mit Liebe. Im Jahre 1820 kam sie mit ihrer Mutter nach Paris und lernte dort den Fürsten Sergei Trubetzkoi, der seine kranke Cousine, die Fürstin Kurakin, dorthin begleitet hatte, kennen. Die beiden jungen Leute liebten sich und schlossen bald darauf den Bund für das Leben. Die Fürstin Trubetzkoi hat es verstanden, ihrem Gatten, trotz aller Schicksalsschläge, ein auf fester Basis ruhendes häusliches Glück zu schaffen. Im Jahre 1821 machte ich die Bekanntschaft der Fürstin Catharina; je mehr ich sie kennen lernte, desto größer wurden meine Verehrung und Freundschaft für sie. Jetzt hat sie schon längst von dem ewigen Richter ihren Lohn empfangen, aber meine Freundschaft für sie ist tief in meiner Seele eingewurzelt und wird mit mir über Grab und Tod hinausgehen. Die Revolte des 14. Dezember und die Verbannung des Fürsten Trubetzkoi nach Sibirien ließen die Seelengröße der Fürstin noch mehr zutage treten; sie zeigte ihre unerschütterliche Liebe zu ihrem Gatten dadurch, daß sie um die Gnade bat, sein Schicksal teilen zu dürfen. Als sie die Erlaubnis des Kaisers dazu erhielt, widersetzte ihre Mutter sich ihrer Abreise. Die Fürstin ließ sich nicht halten; sie unternahm die weite Reise nach

251

Sibirien in Begleitung des Sekretärs ihres Vaters, Monsieur Vaucher. Etwa 100 Werst vor Krassnojarsk zerbrach ihr Wagen —, es war unmöglich, ihn zu reparieren. Die Fürstin zauderte keinen Augenblick, sie mietete einen Leiterwagen und fuhr nach Krassnojarsk weiter. Von dort aus ließ sie Monsieur Vaucher mit einem Tarantaß abholen; er hatte die Reise im Leiterwagen nicht ausgehalten und war auf einer Poststation geblieben, bis ihm die Fürstin einen bequemen Wagen schicken konnte.

Nachdem die Fürstin endlich wieder mit ihrem Gatten, der in der Branntweinbrennerei von Nikolajewsk arbeitete, vereint worden war, verließ sie ihn nicht wieder. Sie wurde für uns alle ein Schutzengel. Mit Worten läßt sich kaum beschreiben, was diese Damen, die ihren Gatten in die Verbannung gefolgt waren, für uns bedeuteten. Sie sorgten für uns alle wie barmherzige Schwestern, wie die nächsten Anverwandten, ihre Gegenwart gab uns moralische Kraft, wurde uns allen zu unbeschreiblichem Segen. Bald nach der Fürstin Trubetzkoi kam auch die Fürstin Maria Wolkonski, die Tochter des 1812 so berühmt gewordenen Generals Rajewski, an; aber zu der Zeit, von der ich sprach, war sie noch nicht in Irkutsk —, darum will ich zu meiner unterbrochenen Erzählung zurückkehren.

Unser Leben auf der Saline floß sehr einförmig dahin; jeden Morgen gingen Jakubowitsch und ich an unsere Arbeit; bald gewöhnte ich mich so an das Holzfällen, daß ich ein Viertel Klafter pro Tag fällen konnte; um 2 Uhr kehrten wir in unsere Wohnung zurück und nahmen ein einfaches, aber reichliches Mittagessen ein; den Rest des Tages verbrachten wir plaudernd oder Schach spielend. Wir lebten so ruhig und friedlich, daß ich mich der Furcht, daß sich unsere Lage noch verschlimmern würde, nicht enthalten konnte; mein Kamerad glaubte hingegen bestimmt, daß der Kaiser Nikolaus bei seiner am 22. August
252

stattfindenden Krönung eine Amnestie erlassen würde. Jeder verteidigte seine Ansicht heftig. Wir sprachen viel von der jüngsten Vergangenheit, oft erzählte mir Jakubowitsch auch von seinem Kriegsleben im Kaukasus. Eines Abends — es war der 5. Oktober —, als wir gerade eine Partie Schach spielten, trat Skuratoff in das Zimmer und sagte uns, daß wir uns reisefertig machen müßten. Wir sollten auf Befehl nach Irkutsk zurückgebracht werden. Jakubowitsch' erster Gedanke war: Amnestie! Er glaubte, daß ein Kurier die Botschaft nach Irkutsk gebracht hätte und daß man uns dorthin rief, um uns die Freiheit wiederzugeben. Ich schwieg — fürchtete aber das Gegenteil und fing an, alle meine Sachen zu packen. Mein Kamerad wollte gar nichts mitnehmen. Er wollte auf der Rückreise nach Rußland seine Sachen aus Ussolje mitnehmen. Ich packte schweigend weiter; es gelang mir nicht einmal, meinen Kameraden zu überreden, die 25 Rubel Gold, die er noch besaß, mitzunehmen; er vertraute sie unserer Wirtin bis zu unserer vermeintlichen Rückkehr an. Drei mit drei Pferden bespannte Wagen fuhren vor. Neben jedem von uns saßen zwei Kosaken, in dem dritten Wagen nahm Skuratoff, der uns geleiten mußte, Platz. Ich deutete stumm auf unser Gefolge, aber Jakubowitsch machte eine abwehrende Bewegung und sagte: „Du wirst ja sehen und wirst glauben lernen, was ich glaube." So setzten wir uns in Bewegung. Jakubowitsch' Wagen passierte zuerst die Fähre; als er am anderen Ufer ankam, zog Jakubowitsch sein Taschentuch und winkte zurück. Man läutete gerade zur Frühmesse des 6. Oktober, als wir in die Stadt einfuhren. Jakubowitsch wedelte immer noch mit dem Taschentuch. Wir fuhren durch die ganze Stadt bis zu einem 4 Werst von Irkutsk entfernt liegenden, von Soldaten umgebenen, Gebäude. Wir fuhren in den Hof ein, Jakubowitsch stieg als erster vom Wagen und sah

253.

Obolenski

den Polizeiobersten Piroschkoff vor sich. Mein Kaukasier fragte ohne Besinnen: „Aber Herr Piroschkoff, ich sehe hier Infanterie und Kavallerie, wo ist denn Ihre Artillerie?" Piroschkoff mußte lachen; er drückte uns stumm die Hand und führte uns in ein Zimmer der zweiten Etage, wo wir die Fürsten Trubetzkoi und Wolkonski vorfanden; hier erfuhren wir den Grund unserer Herberufung: m a n schickte uns in die Bergwerke von Nertschinsk!

Man servierte uns ein Frühstück, und nachdem wir das eingenommen hatten, standen die Wagen, die uns an unseren neuen Bestimmungsort führen sollten, schon wieder bereit. Als ich aus dem Fenster blickte, sah ich eine mir unbekannte Dame aus einer Droschke steigen; sie wandte sich scheinbar fragend an einen Kosaken. Ich lief eilig die Treppe herunter und näherte mich der Dame; es war die junge Fürstin Schachoffskoi, die mit ihrer Schwester, der Gattin von Alexander Nikolaiewitsch Murawiew, der in Nishnij-Udinsk interniert war, gekommen war. Ihre erste Frage war: „Ist Fürst Trubetzkoi hier?" Auf meine bejahende Antwort sagte sie mir: „Die Fürstin folgt mir, sie will ihren Mann vor der Abreise sehen, sagen Sie es ihm." Unsere Vorgesetzten wollten diese Zusammenkunft verhindern und beschleunigten unsere Abreise. Wir suchten so viel wie möglich Zeit zu gewinnen, aber schließlich mußten wir doch die Wagen besteigen. Die Pferde wollten sich gerade in Bewegung setzen, als die Fürstin in einem Mietswagen ankam. In einem Augenblick sprang der Fürst vom Wagen und lag in den Armen seiner Gattin; die Umarmung dauerte lange, heiße Tränen entströmten den Augen beider. Der Polizeioberst stand neben ihnen und bat sie, sich zu trennen; aber sein Bitten verhallte ungehört, sie begriffen gar nicht, was er sagte. Endlich wurde das letzte Lebewohl gesprochen,
254

3. Kapitel

und unsere Wagen führten uns mit verdoppelter Schnellig-
keit fort. Die Fürstin Trubetzkoi blieb über das Schicksal
ihres Gatten im ungewissen zurück. Kein Mensch wollte
ihr sagen, wohin man uns brachte; aber sie war fest entschlossen, das harte Los ihres Gatten zu teilen, und wandte
sich mit einer Bittschrift an die Regierung. Lange Zeit
erhielt sie nur ausweichende Antworten; als die Fürstin
Wolkonski in Irkutsk ankam, vereinten sich die beiden
Damen, um ihren Wunsch durchzusetzen. Sie traten mit
unglaublicher Festigkeit auf und schreckten weder vor
Drohungen zurück, noch schenkten sie Bitten Gehör.
Endlich nannte man ihnen wenigstens die Bedingungen,
unter denen Frauen von Sträflingen in den Bergwerken zugelassen wurden. Erstens müßten sie allen, ihnen durch
Geburt und Stellung zukommenden Rechten entsagen,
zweitens könnten sie Geld und Briefe nur durch Vermitt-
lung der Bergwerksdirektion erhalten, drittens hätte der
Bergwerksdirektor zu bestimmen, wann und wo sie ihre
Gatten sehen dürften. Außerdem fügte man noch mündlich
hinzu, daß die Direktion das Recht hätte, persönliche
Dienste von ihnen zu verlangen, wie zum Beispiel das
Waschen der Fußböden und dergleichen. Als die Fürstinnen die Bedingungen gelesen hatten, zögerten sie
keinen Augenblick, die ihnen vorgelegten Papiere zu unterzeichnen. Auf diese Weise wurde die Regierung gezwungen, die Erlaubnis zur Wiedervereinigung der Gatten
in den Minen von Nertschinsk zu geben.

4. Kapitel
Nertschinsk und Tschita

Während dieser Verhandlungen hatten wir schon längst den Baikal mit einem kleinen Zweimaster durchkreuzt. Am Ufer des Baikal wurden wir mit unseren anderen Kameraden, Murawiew, Davidoff und den beiden Brüdern Borissoff wieder vereint. Wir reisten mit Windeseile; bei dem Kloster Pyssolsky schlugen wir die große Straße nach Nertschinsk ein. Zwei Kosakenoffiziere geleiteten uns. Wir vier standen unter der Aufsicht des Leutnants Tschaussoff, Sohn des Hauptmanns vom Kosakenregiment in Irkutsk; der zweite Convoi wurde von dem Leutnant Tscherepanoff geführt. Beide waren liebenswürdige Menschen. Sie machten uns keinerlei Schwierigkeiten, weil sie überzeugt waren, daß wir ihnen keine Ungelegenheiten durch unüberlegtes Handeln bereiten würden. Die Kosaken, die uns begleiteten, gutmütige Russen, waren jeden Augenblick bereit, uns Gefälligkeiten zu erweisen. Eine Erinnerung ist besonders fest in meinem Gedächtnis haften geblieben.

Es war Abend, wir befanden uns am Ufer eines Flusses oberhalb Werchne Udinsk. Wir mußten den Fluß auf einer Fähre passieren, es war aber schon zu dunkel, und so machten wir am Ufer des Flusses Halt. Wir wurden in eine Hütte geführt, der Samowar wurde aufgestellt, und wir setzten uns zum Teetrinken an den Tisch. Plötzlich öffnete sich die Tür. Ein junger, sehr sauber gekleideter Mann betrat das Zimmer und sagte in reinem Russisch: „Mein Großvater bittet euch, Brot und Salz von ihm an-
256

zunehmen." Er stellte einen Korb vor uns hin, der Weiß-
brot, kleine Kuchen, Biskuit usw. enthielt. Alles war so
sauber und schmeckte so gut, daß wir sehr erstaunt waren,
in diesem fernen Lande solchen Luxus zu finden. Wir
dankten dem jungen Manne und baten ihn, seinem Großvater unseren Dank zu sagen und ihn zu bitten, doch, wenn
möglich, zu uns zu kommen. Nach einer Stunde kam auch
der Alte, und wir plauderten lange Zeit mit ihm; alles, was
er uns erzählte, war von großem Interesse für uns. Er
nannte sich einen eingeborenen Sibirier; seine Vorfahren
hatten hier gesessen, seit diese Gegend oberhalb des
Baikalsees bevölkert worden war; durch Ackerbau und
Verkauf von Pelzwerk hatten sie sich ihren jetzigen Wohlstand erarbeitet. Nachdem der Alte gegangen war,
sprachen wir noch lange von ihm und von dieser Gegend,
die er uns mit so viel Liebe beschrieben hatte. Diesem
ersten Eindruck folgte bald ein zweiter, ebenso ange-
nehmer. In dem Dorfe Biankan lud uns ein Kaufmann,
Kondinsky mit Namen, in sein Haus. Die Gastfreundschaft unserer Wirte kannte keine Grenzen; sie setzten
uns ein vorzügliches Mittagessen vor und wollten uns
dann ein Bad bereiten. Wir konnten aber nicht lange bei
ihnen bleiben, aus Furcht, unseren Offizieren Ungelegenheiten zu bereiten, und so setzten wir unsere Reise nach
herzlichem Danke fort. Wir flogen immer in Windeseile
durch die Dörfer und hatten nicht viel Zeit zu Beobachtungen. Wir sahen aber oft, daß sich Kinder verschiedenen
Alters um Mittag ganz nackt in der Sonne wärmten, trotzdem das Thermometer 10 Grad Kälte zeigte. Der Anblick
dieses Elends gab uns eine Idee von dem Wohlsein, dessen
sich die den Bergwerken angehörenden Bauern erfreuten.

Bald kamen wir an unserem Bestimmungsort an,
unsere Wagen hielten vor einer Kaserne, deren Mauern uns
aufnehmen sollten. Es war ein sieben Faden langes, fünf

Obolenski

Faden breites Gebäude mit zwei Zimmern. Das erste
Zimmer, dicht am Eingang, war für die Wachsoldaten bestimmt, das zweite war uns als Aufenthalt zugedacht.
In unserem Zimmer befand sich links vom Eingang ein
großer russischer Ofen, rechts befanden sich drei durch
Holzwände voneinander getrennte Abteile, dem Eingang
gegenüber befand sich das eigentliche Zimmer. Zu den
kleinen Abteilen führten zwei Stufen hinauf, und jedes
Abteil hatte eine Tür.

Die beiden ersten Abteile waren drei Arschin lang
und zwei breit. Das dritte war drei Arschin lang, aber
vier breit. Wir verteilten die Betten. Davidoff und Jakubowitsch nahmen jeder ein Abteil für sich, Trubetzkoi,
Wolkonski und ich teilten uns in das dritte. Trubetzkoi
hatte ein Gurtbett, das längs gestellt war, mein Bett stand
so, daß ich halb unter dem Bett von Trubetzkoi, halb gegen
die Tür gestützt lag. Das Bett von Wolkonski stand gegenüber von Trubetzkois Bett. Murawiew und die beiden
Borissoff teilten sich in das eigentliche Zimmer. Während
der ganzen Zeit unseres Aufenthaltes in dem Bergwerk
von Blagodatskoi wurden wir von einem Unteroffizier
und drei dem Bergwerkskorps angehörigen Soldaten
bewacht.

Unsere Wächter bereiteten uns auch unseren Tee und
unser Mittagessen; sie faßten bald eine große Zuneigung
zu uns und dienten uns, wo sie konnten. Bei unserer Ankunft empfing uns der Verwalter des Bergwerks, ein Offizier vom Bergwerks-Ingenieurkorps, dessen Namen ich vergessen habe.

Man bewilligte uns drei Ruhetage und nahm uns das
Geld ab, das wir bei uns hatten. Dann gab man uns von
dem Gelde, was wir brauchten, um uns Vorräte anzu-
schaffen; wir mußten aber Rechenschaft ablegen, wofür wir
das Geld verwendet hatten. Im Laufe dieser drei Tage be-
258

256

4. Kapitel

suchte uns der Direktor der Minen von Nertschinsk, M. T. Burnascheff; er war ziemlich grob, aber aus seinen Anordnungen leuchtete der Wunsch heraus, uns unsere Lage nach Möglichkeit zu erleichtern und uns keine unnötigen Schwierigkeiten zu machen. Am Abend erhielten wir Befehl, uns frühmorgens zur Arbeit bereit zu halten; bei Tagesgrauen kam ein Oberbergmann mit einigen Sträflingen, die unsere Arbeitsgenossen sein sollten, in die Kaserne. Wir wurden namentlich aufgerufen: Trubetzkoi? Hier! — Efim Wassilieff? Hier! Und Trubetzkoi ging mit Efim Wassilieff. Obolenski? Hier! Nikolai Beloff? Und ich ging mit Beloff. So ordnete man uns paarweise. Jedes Paar erhielt eine Talgkerze, mir gab man eine Hacke, meinem Kameraden einen Hammer, und so stiegen wir zu unserem Arbeitsplatz in das Bergwerk hinunter. Die Arbeit war nicht mühevoll; unter der Erde war es gewöhnlich nicht kalt; wenn mich fror, nahm ich den Hammer zur Hand und wurde dann rasch wieder warm. Um 11 Uhr verkündigte eine Glocke uns das Ende unserer Arbeit und wir kehrten in unsere Kaserne zurück. Dann begannen die Vorbereitungen für unser Mittagessen. Wir hatten Jakubowitsch zum Küchenchef erwählt, weil er am meisten Erfahrung in der Soldatenküche hatte. Im Inneren unserer Kaserne genossen wir vollständige Freiheit. Die Türen unserer Zimmer waren geöffnet und wir nahmen alle Mahlzeiten gemeinsam ein. Dieses Zusammensein war uns ein großer Trost; die Gesellschaft, mit der wir so viele Jahre unsere Gedanken und Empfindungen ausgetauscht hatten, war nur von Petersburg in diese elende Kaserne versetzt. Das gemeinsame Unglück hatte uns alle noch fester verbunden.

Die ersten Wochen unseres Aufenthaltes in Blagodatskoi vergingen unter unruhigen Befürchtungen, ob es den Fürstinnen Trubetzkoi und Wolkonski gelingen würde, ihre Absicht, sich mit ihren Gatten zu vereinen, durchzu-

Obolenski

setzen. Aber bald erhielten wir Gewißheit; die beiden Damen trafen ein und mieteten eine, eine halbe Werst von der Kaserne entfernt liegende Hütte. Nach einiger Zeit wurde ihnen eine Zusammenkunft mit ihren Gatten, und zwar in der Kaserne selbst, gestattet. Die Zusammenkunft durfte nur eine Stunde dauern; zuerst kam die Fürstin Trubetzkoi, und Wolkonski und ich gingen so lange in das benachbarte Zimmer, dann kam die Fürstin Wolkonski, sie durfte auch eine Stunde bei ihrem Gatten bleiben.

Die Ankunft dieser beiden edlen, charaktervollen Frauen hatte einen wohltätigen Einfluß auf uns alle; wir bildeten eigentlich eine große Familie. Wir liebten sie wie Schwestern, und ihr einziges Denken galt unserem Wohlsein; mit einem Wort, alles, was das Frauenherz mit dem Instinkt der Liebe, dieser Quelle alles Großen, errät, wurde für uns getan; seit ihrer Ankunft standen wir wieder in regelmäßigem Verkehr mit unseren Angehörigen, sie schrieben unseren Familien alles, was diesen bei der Ungewißheit über unser Schicksal trostvoll und beruhigend sein mußte. Wie soll ich alles aufzählen, was sie in langen Jahren aufopferndster Hingebung für ihre Gatten und zu gleicher Zeit für uns taten? — Wie oft brachten sie uns selbst bereitete Gerichte in unsere Kaserne! sie, die die Kochkunst nur theoretisch, nicht praktisch, kannten, bereiteten alles selbst für uns. Wir waren entzückt, und alles schmeckte noch einmal so gut. Ein halb gares, aber von der Fürstin Trubetzkoi bereitetes Brot erschien uns als ein größeres Meisterwerk als das Brot vom ersten Bäcker in Petersburg. Fast täglich kamen sie um 1 oder 2 Uhr mittags, um uns zu besuchen. An den Tagen, an denen es ihnen nicht gestattet war, ihre Männer zu besuchen, kamen sie an das Fenster. Man brachte ihnen Stühle, und sie saßen da eine Stunde vor dem einzigen Fenster unseres kleinen Zimmers und unterhielten sich
260

durch Zeichensprache. Sie kamen manchmal zusammen, manchmal jede allein. Trotz 20 Grad Kälte blieben sie, in ihre Pelze gehüllt, vor dem Fenster, bis ihre Glieder vor Frost erstarrten. Ich bemerkte eines Tages, wie die Fürstin Trubetzkoi ihre kleinen Füße, sichtlich frierend, zusammenpreßte; ich sagte es dem Fürsten. Er betrachtete sich die Füße seiner Frau und sah, daß sie alte, abgenutzte Stiefel trug. Er versprach mir, sie zu schelten, daß sie nicht ihre neuen, pelzgefütterten Schuhe angezogen hätte. Am folgenden Tage sahen sie sich. Der Fürst fragte seine Frau nach den Pelzschuhen; er erfuhr, daß sie wirklich vorhanden wären, daß sie sie aber nicht tragen könnte, weil sie die Bänder zu einem Satinkäppchen, das sie mir für die unterirdische Arbeit gemacht hätte, verwendet hätte; diese Kappe sollte meine Haare vor dem Erzstaub schützen, der bei jedem Hammerschlag auf meinen Kopf flog.

Unsere Ruhe wurde bald durch einen Befehl gestört; er rief große Bestürzung unter uns hervor, die einen Widerhall in den Herzen unserer Schutzengel fand. Man ernannte einen neuen Ingenieur-Offizier, mit Namen Rick, zu unserem Wächter; wir sahen keine Änderung unserer Lage voraus, aber nach dem Mittagessen kam Herr Rick und befahl uns, uns in unsere Abteile zurückzuziehen; er sagte uns, daß wir dort eingeschlossen bleiben würden und künftig unser Abteil nur verlassen dürften, um zur Arbeit zu gehen. Die gemeinsamen Mahlzeiten dürften nicht mehr stattfinden, die Wächter würden uns die Mahlzeiten in unsere Abteile bringen. Wir zeigten Herrn Rick unsere kleinen Winkel und stellten ihm vor, daß es unmöglich wäre, 18 Stunden in schlechter Luft eingeschlossen zu leben, ohne ernsten Schaden an der Gesundheit zu nehmen. Aber Rick blieb unbewegt. Er glaubte, daß wir seinem Befehl nicht gehorchen wollten und rief den

261

Obolenski

Soldaten zu: „Jagt sie hinein." Die Soldaten waren da,
um zu gehorchen, aber sie kannten uns; ohne ein Wort
zu sagen, gingen wir in unsere Zellen hinein, und die Soldaten sahen uns still zu. Nachdem Rick fortgegangen
war, besprachen wir, was zu machen wäre. Was wir
Rick gesagt hatten, entsprang unserer festen Überzeugung;
es war unmöglich, die Luft in unserem kleinen Loch, in
dem wir nur sitzen oder liegen konnten, zu ertragen. Trubetzkoi mußte sich bücken, wenn er sich erhob, weil er
mit dem Kopf an die Decke stieß. Als wir lange hin und
her gestritten hatten, hatte einer von uns den Gedanken,
alle Nahrung zurückzuweisen, bis unsere Lage geändert
werden würde. Der Vorschlag wurde einstimmig angenommen, und noch an demselben Abend verweigerten
wir die Annahme des Abendessens. Am folgenden Morgen
gingen wir, ohne gefrühstückt zu haben, an die Arbeit;
bei unserer Rückkehr aus dem Bergwerk verweigerten wir
die Annahme des Mittagessens; so verging der erste Tag,
an dem wir keine Nahrung, nicht einmal Wasser, zu uns
nahmen; am zweiten Tage machten wir es ebenso. Ich
weiß nicht mehr genau, ob man uns am zweiten oder
dritten Tage unseres freiwilligen Fastens nicht zur Arbeit
rief; man sagte uns, daß Burnascheff erwartet würde. Wir
machten uns auf einen stürmischen Tag gefaßt; um Mittag
sahen wir einen Korporal und zwei Soldaten mit aufgepflanztem Bajonett kommen; sie kamen in die Kaserne und
holten die Fürsten Trubetzkoi und Wolkonski; wir nahmen
Abschied von ihnen, da wir nicht wußten, welches Ge-
schick sie erwartete, und uns die Ungewißheit, wider
Willen, beunruhigte.

Als ich aus dem Fenster blickte, sah ich die Fürstinnen
Trubetzkoi und Wolkonski ihre Gatten, die an ihnen vor-
beikommen mußten, erwarten. Aber ihre Worte drangen
wohl kaum bis zu den Ohren ihrer Männer, das erkannte
262   .

man aus ihren flehenden Gesten. Voll Angst warteten wir auf die Rückkehr unserer beiden Kameraden; wir sahen sie kommen; ich machte das Zeichen des Kreuzes, denn jetzt war die Reihe an Jakubowitsch und mir, Trubetzkoi flüsterte mir nur im Vorbeigehen zu, daß Burnascheff wütend wäre. Ich will nichts von der Roheit seiner Ausdrucksweise sagen, die Grobheit war ihm angeboren; er bedrohte uns mit der Knute, beschuldigte uns des Aufruhrs und sagte, daß er uns kein Revoltieren durchgehen lassen würde. Unsere Antwort war sehr kurz und einfach. Wir baten ihn, sich zu erinnern, daß wir allen seinen Anordnungen strikt gehorcht hätten und vollkommen zufrieden gewesen wären, bis zur Ankunft des Herrn Rick, der uns die einzige unschuldige Freiheit, die wir genössen, rauben wollte; es erschien uns natürlich, fügten wir hinzu, daß wir uns weigerten, in einem solchen verpesteten Loche Nahrung zu uns zu nehmen. Er entließ uns weit freundlicher, aber ohne uns Hoffnung auf Besserung unserer Lage zu machen. Dann folgten die anderen Kameraden, sie hörten dieselbe Rede und antworteten ebenso wie wir. Zu Mittag wurden die Türen unserer Abteile geöffnet, und alles war wieder so wie vorher. Ich dankte Gott von Herzen für den Ausgang dieser Episode unseres Lebens in Nertschinsk. Wir hatten unseren Plan gar nicht weiter überlegt, der Vorschlag war gemacht und instinktiv angenommen worden; jetzt waren wir doppelt froh, daß unsere schwierige Lage, die unerträglich war, so rasch geändert worden war.

Unsere Arbeit ging ihren regelmäßigen Gang; die einzige Veränderung in unserem Leben war, daß Trubetzkoi und Wolkonski die Erlaubnis erhielten, ihre Frauen in deren Wohnung zu besuchen. Ein Soldat begleitete sie dorthin und blieb so lange als Schildwache vor der Tür. Diese Veränderung machte unseren Damen große Freude.

263

Obolenski

Als der Frühling kam, erhielten wir die Erlaubnis, an den Tagen, an denen wír nicht arbeiteten, in Begleitung der Soldaten Spaziergänge auf den weiten Wiesen, die der Argun befruchtet, zu machen. Zuerst entfernten wir uns nur drei oder vier Werst von der Kaserne; aber nach und nach wurden wir kühner und kamen auf unseren Spaziergängen bis an den Argun selbst, der zehn Werst von unserer Residenz entfernt war. Die reiche Flora dieser Gegend zog unsere Aufmerksamkeit auf sich, und wir bewunderten die große, natürliche, so wenig bekannte Schönheit Sibiriens. Die beiden Brüder Borissoff, große Liebhaber der Naturgeschichte, beschäftigten sich mit dem Sammeln von Blumen und mit zoologischen Forschungen; sie legten eine Käfersammlung an, in der sich seltene Arten von bemerkenswerter Schönheit befanden; später legten sie auch eine große Insektensammlung an, die die Aufmerksamkeit der Naturforscher erregte.

Leider wies man uns bald andere Zwangsarbeit an, die unsere Lage und den auf uns lastenden Druck nur verschlimmerte. Ein Beamter aus Irkutsk kam, um jeden von uns persönlich zu fragen, ob unsere Gesundheit nicht durch die unterirdische Arbeit gelitten hätte, und ob wir nicht wünschten, in freier Luft zu arbeiten. Wir bestätigten einstimmig, daß uns die Arbeit nicht geschadet hätte, und daß wir die Arbeit unter der Erde der Arbeit auf der Erde vorzögen, weil wir dort nicht von der Unbeständigkeit des Wetters zu leiden hätten. Aber unsere Vorstellungen blieben unberücksichtigt; schon am folgenden Tage erhielten wir andere Arbeit. Über einen Teil der Gründe, die uns die unterirdische Arbeit bevorzugen ließ, hatten wir geschwiegen. Wir hatten im Bergwerk keine bestimmte Arbeit zu machen, wir konnten arbeiten, soviel wir wollten, und durften uns zwischendurch ausruhen; von 11 Uhr an, nach beendeter Arbeitszeit, genossen wir vollständige Frei-
264

heit. Außerdem bezeugten uns die mit uns arbeitenden Sträflinge, deren Los dreimal so schwer war als das unsere, warme Sympathie.

Diese trugen Ketten an den Füßen und mußten die schwersten Arbeiten verrichten. Sie bohrten neue Gänge, richteten Balken auf, um diese Gänge zu stützen, und bauten Gewölbe und Souterrains; sie schöpften das Wasser aus, das sich oft in den Minen sammelte, sie trugen das von uns abgeschlagene Mineral an den Schacht, durch den es hinaufbefördert wurde, und von dort weiter bis zu einem bestimmten Platz. Wenn diese durch Laster verhärteten Männer uns begegneten, bezeugten sie uns stumm aber deutlich ihr Mitgefühl. Oft, wenn ich einen Augenblick hinausging, um frische Luft zu schöpfen, machte ein Sträfling mit Namen Orloff — ein berühmter Brigant von riesenhafter Stärke — seinen Kameraden ein Zeichen und stimmte mit starker, schöner Stimme ein altes melancholisches russisches Lied an, das einen Widerhall in meiner Seele weckte. Er erschien mir wie ein Freund, er stimmte nicht zufällig gerade diesen Gesang an; er wollte mir damit sagen, was er mit Worten nicht sagen konnte. Nicht er allein handelte so, viele andere Sträflinge taten für meine Kameraden ähnliches. Oft nahmen sie unsere Hämmer und machten in zehn Minuten, was wir nicht in einer Stunde hätten machen können. Sie taten alles das, ohne den geringsten Lohn dafür zu erhalten. Wir wurden scharf beobachtet und konnten ihnen höchstens einmal im Vorbeigehen zuflüstern, daß wir sie verstünden und daß wir ihnen dankten. Aber jetzt war es mit unserer Arbeit unter der Erde zu Ende. Wir hatten unsere vorgeschriebene Arbeit; das nach oben beförderte Mineral mußte ausgesucht und gesondert werden. Gewöhnlich machten das die Kinder der Bergleute — wir verstanden es nicht zu machen, weil ungeheuere Übung

265

263

dazu gehört, um die gute oder schlechte Qualität des Minerals feststellen zu können. Da gab man uns — jedem Paar — eine Trage. Wir mußten täglich 30 mit 5 Pud Mineral beladene Tragen von dem Ort, wo man das Mineral aussonderte, bis zu dem Stapelplatz tragen. Es war eine Entfernung von 200 Schritt. Wir machten uns an unsere Aufgabe, aber wir waren nicht alle imstande, sie zu erfüllen; die Stärksten ersetzten dann stellenweise die Schwächsten, und so wurde die Arbeit ausgeführt. Um 11 Uhr verkündete ein Glockenzeichen das Ende der Arbeit, aber um 1 Uhr rief uns ein zweites Glockenzeichen wieder an die Arbeit, die erst um 5 oder 6 Uhr beendigt wurde. So war unsere Arbeitszeit verdoppelt. Unsere Spaziergänge am Ufer des Argun hatten keinen Reiz mehr für uns; wir waren froh, uns ausruhen zu können, wenn man uns das gestattete. Im übrigen war unsere Lage nicht unerträglich; die Arbeitslast war leichter zu ertragen, weil wir uns im Inneren unserer Kaserne vollständiger Freiheit erfreuten, außerdem trösteten uns unsere Damen. Sie kamen oft, sahen unserer Arbeit zu und plauderten mit uns.

' Aber auch das dauerte nicht lange. Im Juli oder August verkündigte man uns, daß der neue Kommandant, Leparsky, in den Minen von Nertschinsk angekommen wäre und uns am folgenden Tage besuchen würde.

Viele meiner Kameraden kannten ihn persönlich; er war Oberst des Jäger-Regimentes zu Pferde in Sieversk gewesen und besaß den Ruf eines liebenswürdigen und nachsichtigen Vorgesetzten, den Kameraden und Untergebene liebten. Wir erwarteten ihn mit großer Freude. Am folgenden Tage kam er in Begleitung von Burnascheff; er war sehr höflich und liebenswürdig gegen uns und machte uns Hoffnung auf eine Verbesserung unserer Lage. Aber diese Hoffnung wurde bald getäuscht. Am nächsten
266

Tage führte man uns in die Schmiede und schmiedete uns Ketten an die Füße.

Außerdem wurden zwölf Kosaken und ein Unteroffizier zu unserer Bewachung kommandiert. Der Direktor und die Beamten des Bergwerks scheuten sich, aus Furcht vor Denunzierung, uns Nachsicht zu zeigen, die Kosaken fürchteten wieder eine Denunzierung von seiten des Direktors, und so blieben beide gleich streng gegen uns. Die Wahl der Kosaken war eine sehr gute, ich bewunderte diese tapferen, jungen Leute sehr. Alle verstanden zu lesen und zu schreiben; mehrere hatten die Kreisschule besucht und setzten uns durch ihre Bildung und ihre mannigfachen Kenntnisse, die wir hier im fernen Sibirien nicht zu finden erwartet hatten, in Erstaunen. Man spricht wenig von diesem Lande, und wenn man von ihm spricht, spricht man von einem wilden Lande, in dem Natur und Menschen sich noch im Zustande primitiver Roheit befinden. Wir fanden hier gerade das Gegenteil. Die Kosaken lernten uns bald lieben, und ihr Wissensdurst, der sich im Plaudern mit uns verriet, erstaunte und erfreute uns. Einige dieser Kosaken sind später zu Offizieren befördert worden, und alle haben sich durch besonders gute Führung ausgezeichnet.

Abgesehen von der Last der Ketten, ging unser Leben in alter Weise weiter; die Arbeit blieb dieselbe; aber die Spaziergänge an arbeitsfreien Tagen unterblieben ganz, weil wir die schweren Ketten nicht unnütz schleppen mochten. Die Tage und Wochen gingen dahin. Unsere Damen wurden nie müde, uns zu trösten und aufzuheitern durch Unterhaltung, durch beständige Aufmerksamkeit und durch wahre Freundschaft, die allem, womit sie in Berührung kommt, ihren Stempel aufdrückt und es heiligt. Unterdessen füllte sich das in Tschita neu erbaute Gefängnis mit unseren Kameraden, die man bis dahin in verschiedenen Festungen gefangen gehalten hatte. Bald kam auch

267

265

Obolenski

die Reihe an uns. Ich weiß nicht mehr genau, ob es Oktober oder November war, als wir von neuem die Wagen bestiegen. Unsere Kosaken begleiteten uns, und wir schlugen wieder die große Straße von Nertschinsk ein. In der Ferne sahen wir das Gefängnis von Tschita auftauchen; wir näherten uns unserem künftigen Aufenthaltsort. Ein hoher Zaun umgab das Gebäude, vor dessen Tor wir Halt machten. Der Platzmajor, M. Joseph Leparsky, empfing uns, die Schildwachen ließen uns passieren, und wir stürzten uns in die Arme unserer Freunde: Puschtschin, Narüschkin und von Wisin. Man wies uns in den vier von unseren Freunden bewohnten Zimmern unsere Plätze an. Zuerst machte das Geräusch der Ketten jede Unterhaltung unmöglich, nach und nach gewöhnten wir uns daran.

In den ersten Tagen nach unserer Ankunft konnten wir kein Ende finden mit Plaudern und Fragen. Das gemeinsame Schicksal verband uns noch fester. Das Gefühl der Freundschaft für alle war unerschütterlich, aber die verschiedenen Nüancen in dem persönlichen Verkehr bewiesen, daß die einen oder anderen sich noch näher standen. Diese freundschaftlichen Beziehungen bestanden und bestehen auch heute noch. Eine Freundschaft, die auf gegenseitiges Vertrauen gegründet ist, ist ein Reflex der ewigen Liebe, eine Gabe von der Hand dessen, der die höchste und vollkommenste Liebe ist.

Mit einem Gefühl grenzenloser Dankbarkeit denke ich an die dreizehn mit meinen Kameraden teils in Tschita, teils in der Manufaktur von Petrowsk verbrachten Jahre meiner Gefangenschaft.

Die politische „Wohlfahrts-Gesellschaft" existiert nicht mehr, aber der moralische Stempel, den sie allen ihren Mitgliedern aufgedrückt hat, ist unverletzt geblieben. Sie war die unerschöpfliche Quelle dieser gegenseitigen
268

266

4. Kapitel

Achtung, dieser Moral, die uns alle in unseren intimen Beziehungen keinen Augenblick verlassen hat. Diese gegenseitige Achtung beruhte nicht auf weltlichen Rücksichten, nicht auf Bildung; sie entsprang der Liebe für alles, was den Stempel der Wahrheit und der Ehrenhaftigkeit trug. Die Jünglinge, die unter dem Einfluß dieser Grundsätze unter uns zu Männern heranwuchsen, blieben diesen Grundsätzen treu. In die fernsten Gegenden Sibiriens verstreut, bewahrten sie sich immer das Gefühl persönlicher Würde und erwarben die Achtung aller, die in nähere Beziehungen zu ihnen traten. Ich kann diese Zeilen nicht schließen, ohne an ihn, der unsere heilige Vorsehung gewesen ist, ein heißes Dankgebet zu richten. Er ist der Sämann alles guten Samens, die einzige Quelle alles Guten! Ihm sei Lob und Ehre!

Jalutorowsk, 7. Mai 1856.

Eugen Obolenski.

Anhang[8])
Hinrichtung der fünf zum Tode Verurteilten

Es war die Nacht vom 14. zum 15. Juli 1826. Das auf dem Hof des Hauptgefängnisses unter Leitung des Architekten Gerney und des Polizeimeisters Posnikoff errichtete Schafott erwartete die fünf zu einem schimpflichen Tode Verurteilten —, aber nein, keine Todesart ist schimpflich für den, der für sein Vaterland stirbt. Am Abend hatte der General-Gouverneur Kutusow eine Probe auf die Sicherheit des Schafotts gemacht und acht Pud schwere Sandsäcke an die Stricke, die für die Verurteilten bestimmt waren, hängen lassen. Nach der Probe befahl Kutusow, die dünneren Stricke, von deren Haltbarkeit er sich überzeugt hatte, zu nehmen, weil die Schlinge sich dann rascher zuziehen ließe. Dann befahl er, das Schafott zwischen 11 und 12 Uhr nachts auf ein Festungswerk der Peter Paulsfeste zu bringen, das zum Richtplatz bestimmt war.

Sechs Wagen wurden mit den einzelnen Teilen des Schafotts beladen, aber nur fünf langten an ihrem Bestimmungsort an; der sechste, auf dem sich die wichtigsten Teile, der Balken und die eisernen Ringe, befanden, war verschwunden. Man mußte auf der Stelle einen neuen Balken und neue Ringe beschaffen, und so konnte die Hinrichtung statt um 2 Uhr nachts erst um 5 Uhr morgens stattfinden.

---

*) Dieser Anhang stammt aus der Feder des Herausgebers der französischen Ausgabe, Paul Fuchs. (Erschienen in Leipzig, 1862.)

270

Anhang

Um Mitternacht trafen der Generalgouverneur und der Chef der Gendarmerie in der Festung ein. Mit ihnen kam eine Abteilung Soldaten vom Pawlowskischen Grenadierregiment, die sich im Karree vor der Münze aufstellte. Darauf führte man alle Verurteilten, mit Ausnahme der fünf zum Tode Verurteilten, in dieses Karree. Man rief jeden einzelnen nach der Kategorie seines Verbrechens auf und führte ihn auf den Wall vor eine Abteilung Soldaten von der Waffe, der er angehört hatte; d. h. die Kavalleristen vor Kavalleristen, die Infanteristen vor Infanteristen usw. Man riß jedem die Uniform herunter und verbrannte sie auf Scheiterhaufen, dann zerbrach man die vorher angesägten Säbel über den Köpfen der Angeklagten und legte ihnen eine Art Schlafrock an. Dann wurden die Verurteilten, einer nach dem andern, in ihre Kasematten zurückgeführt, und während eines Monats expedierte man jede Nacht einige, meistens drei oder vier zusammen, nach Schlüsselburg.

Die fünf zum Tode Verurteilten gingen, auch von den Soldaten des Pawlowskischen Grenadierregiments und von dem Polizeimeister Tschischatscheff geleitet, zum Richtplatz. Das von Soldaten umstellte Schafott war noch nicht fertig aufgerichtet. Die Verurteilten trugen Ketten an den Füßen. Kahoffsky ging voran, dann folgten Bestushew und Murawiew Arm in Arm, ebenso Pestel und Ryleieff. Sie sprachen französisch miteinander; was sie sagten, konnte man nicht verstehen. Man hörte nur Pestel, als er vor dem unfertigen Schafott stand, sagen: „C'est trop!"

Sie mußten sich einige Augenblicke auf das Gras setzen. Aber, da man einsah, daß das Schafott nicht so rasch fertiggestellt werden konnte, wurden die Verurteilten, jeder für sich, in den Kasematten des Festungswerkes eingeschlossen. Nachdem das Schafott fertiggestellt war,

271

269

Obolenski

kamen sie in Begleitung des Priesters wieder zurück. Der Polizeichef Tschischatscheff verlas den Urteilsspruch, der mit den Worten endigte: „für diese Verbrechen sollen sie gehängt werden."

Ryleieff, der seine Kaltblütigkeit vollkommen bewahrt hatte, sagte zu seinen Unglücksgefährten: „Tun wir, was uns noch zu tun übrig bleibt." Und alle fünf warfen sich auf die Knie, erhoben die Augen zum Himmel und machten das Zeichen des Kreuzes. Ryleieff allein sprach, er betete zu Gott für das Glück Rußlands.

Als sie sich erhoben, verabschiedeten sie sich alle von dem Priester. Sie küßten seine Hand und das Kreuz. Ryleieff ergriff die Hand des Priesters, legte sie auf sein Herz und sagte mit fester Stimme: „Nicht wahr, mein Vater, es schlägt nicht schneller als gewöhnlich?" Dann fügte er hinzu: „Beten Sie für mich armen Sünder, mein Vater, vergessen Sie meine Frau nicht und segnen Sie meine Tochter." Er machte das Zeichen des Kreuzes und bestieg die Stufen des Schafotts, die anderen folgten ihm, Kahoffsky konnte man nur mit Mühe von der Brust des Priesters, den er weinend umarmte, losreißen. Man stellte sie in folgender Reihenfolge, von rechts nach links, auf: Pestel, Ryleieff, Murawiew, Bestushew, Kahoffsky.

Zwei Scharfrichter legten die Stricke um den Hals der Verurteilten und setzten ihnen eine weiße Mütze auf. Jeder Verurteilte trug ein Blechschild auf der Brust, auf das sein Name mit Kreide geschrieben war. Sie waren in weiße Schlafröcke gekleidet und hatten schwere Ketten an den Beinen. Als alles bereit war, wurde auf eine Feder gedrückt, der Boden wich unter ihren Füßen und Ryleieff, Pestel und Kahoffsky (andere nennen Murawiew an Stelle von Pestel) fielen zur Erde; ihre Stricke waren zerrissen. Die Mütze war Ryleieff vom Kopfe gefallen und man sah, daß seine Augenbrauen blutig waren, und daß Blut hinter
272

Anhang

dem Ohr herabrieselte. Er hatte sich im Fallen verletzt und saß ganz zusammengekrümmt, weil er in das Innere des Schafotts gefallen war. Als der Boden wieder repariert worden war, erwies sich der Strick Pestels als zu lang; Pestel berührte den Boden mit den Füßen und war dadurch verlängerten Qualen ausgesetzt. Ryleieff sagte, als er von neuem das Schafott bestieg: „Was kann man Gutes von einer Regierung erwarten, die nicht einmal zu hängen versteht? Unser Tod genügt ihr nicht, sie will uns noch quälen!"

So starben die fünf Märtyrer! Sie waren die ersten, die in Rußland das Wort K o n s t i t u t i o n aussprachen.

Memoiren
von
S. G. Wolkonski

1. Kapitel
Umgestaltung des äußeren und inneren Lebens

Nach den großen Ereignissen des Jahres 1815 und nach dem Abschluß des Pariser Friedens mußte der Zar und mit ihm das russische Heer nach Rußland zurückkehren.

Ich hatte eigentlich die Absicht, die ganze Welt zu bereisen, und weiß selbst nicht, weshalb ich meinen Plan aufgab und nach Rußland und in die militärische Laufbahn zurückkehrte.

Von meinem damaligen Leben ist nicht viel zu sagen. Mein militärisches Leben bestand aus Wachtparaden und Musterungen, und mein Privatleben war langweilig, drückend und in gesellschaftlicher Beziehung sehr farblos. Die Ereignisse der Jahre 1814 und 1815 hatten den Gedanken an die Pflichten des Bürgers in mir geweckt. Ich war ganz von dem Bewußtsein durchdrungen, daß der Bürger selbständige Pflichten gegen das Vaterland hätte, daß seine Pflichten sich nicht nur auf blinde Unterwerfung unter die Regierung und Aufgabe jeder Selbständigkeit beschränkten, sondern daß er mindestens mit B e w u ß t - s e i n ein getreuer Untertan sein müßte.

Mein Aufenthalt in Petersburg war nicht von langer Dauer. Ich wurde zum Kommandeur der ersten Brigade der 2. Ulanendivision nach Nowograd in Wolhynien versetzt. Ich beschäftigte mich sehr ungern mit den dienstlichen Obliegenheiten, versuchte aber, die Beziehungen

277

zwischen Vorgesetzten und Untergebenen umzugestalten: ich war höflich gegen die Herren Offiziere und freundschaftlich besorgt für das Wohl der Unteroffiziere und Soldaten. Ich suchte mir ihre Liebe und ihr Vertrauen zu gewinnen, und erreichte das, ohne der Disziplin zu schaden — entgegen der Überzeugung des alten Systems, daß die Disziplin nur durch Stockschläge aufrecht zu erhalten wäre.

In Wolhynien fand ich die Gesellschaft in zwei Parteien geteilt: die Russen gehörten der einen, die Polen der anderen an. Ich teilte die Feindschaft der Russen gegen die Polen nicht, aber die Russen standen meinem Herzen doch näher. Obwohl ich mich bemühte, das nicht zu zeigen, blieb es doch nicht unbemerkt. Ich hatte einmal Gelegenheit, für einen Russen, der ungerechterweise bestraft werden sollte, einzutreten. Die Strafe unterblieb auf mein Verlangen; die Folge meines Eingreifens war eine Forderung von dem Gouverneur Gashitzky. Die Forderung führte aber nicht zu einem Duell, sondern endete mit einem von Gashitzky vorgeschlagenen Vergleich. Infolge dieses Vorganges gewann ich große Popularität bei den Russen und wurde von den Polen gehaßt.

Kurze Zeit darauf ging ich nach Petersburg auf Urlaub — und kehrte nicht wieder nach Wolhynien zurück. Das zweite Kavallerie-Reservekorps wurde in das Innere Rußlands verlegt, und meine Brigade kam nach Sumach im Gouvernement Charkow.

Von den Jahren 1817 und 1818, die ich in Sumach verlebte, ist nichts Nennenswertes zu berichten. Ich kann aber nicht verschweigen, daß die Kunde von der Rede, die Kaiser Alexander auf dem ersten unter seiner Regierung stattfindenden polnischen Landtag hielt, bis zu mir drang. Die Worte des Kaisers, daß er auch Rußland eine konstitutionelle Verfassung zu geben gedächte, machten

278

1. Kapitel

starken Eindruck auf mich. Ich liebte mein Vaterland und hatte den lebhaften Wunsch, daß es aus dem alten eingefahrenen Geleise heraus auf neue Bahnen geleitet werden möchte!

Damals fingen meine Gedanken an, ganz andere Wege zu wandern, und die Veränderung in meinem dienstlichen Leben gab auch meinem privaten Leben eine andere Richtung.

Die Veränderung in meinem militärischen Leben wurde durch folgenden Umstand herbeigeführt. Der Kaiser hatte sich — sehr voreilig im Interesse der Einheit Rußlands — entschlossen, ein besonderes litauisches Korps zu bilden, in das alle Regimenter, die litauische Namen führten, und alle Regimenter der zur Zeit Katharinas mit Polen vereinigten Gouvernements eintraten; alle Soldaten und alle Herren Offiziere, die aus diesen Gegenden stammten, wurden zu diesem Korps gerechnet — die aus Rußland gebürtigen Offiziere und Soldaten wurden mit der russischen Stammbezeichnung in die Regimenter versetzt. Der von mir kommandierten Ulanenbrigade gehörten das Polnische und Wladimirskische Regiment an; das Polnische Regiment wurde in das Litauische Korps versetzt, das Wladimirskische Regiment kam in die erste Ulanendivision, die bei dem Gardekorps stand. Die Litauischen Ulanen des Gardekorps traten in das Litauische Korps ein. Ich wurde weder in das Litauische, noch in das Gardekorps versetzt, sondern zum Brigadekommandeur in der zweiten Husarendivision ernannt. Ich hielt es für eine Beleidigung, daß man mich nicht in eines der beiden genannten Korps versetzt und mich, ohne mich zu fragen, der zweiten Husarendivision zuerteilt hatte. Ich konnte mich nicht enthalten, meine Meinung darüber zu äußern, daß man einen Generalmajor, ohne seine Einwilligung einzuholen, herumschickte wie einen Fähnrich. Zugleich

279

276

reichte ich das Gesuch ein, mich auf unbestimmte Zeit in das Ausland zu beurlauben. Das wurde mir bewilligt. Dieser an sich wenig bedeutsame Schritt hatte große Veränderungen meines Lebens zur Folge.

Nachdem ich meinen Urlaub erhalten hatte und so mein eigener Herr geworden war, dachte ich in Europa Land und Leute kennen zu lernen und auch Amerika, das wegen der vorzüglichen Einrichtungen seines bürgerlichen Lebens als Muster hingestellt wurde, zu besuchen. Zunächst aber ging ich nach Odessa, wo meine Schwester zusammen mit der Frau meines Bruders, Sinaida, lebte; danach wollte ich noch eine von mir gekaufte öde Steppe urbar machen. Die Steppe war 10000 Dessjatinen[1]) groß und lag im Tawritscheskischen Gouvernement, nicht weit von den Molotschnischen Bädern entfernt.

In Odessa fand ich freudige Aufnahme im Hause meiner Verwandten und wurde von dem damaligen General-Gouverneur, Lansheron, sehr herzlich willkommen geheißen. Ich war bei der Belagerung von Silistria mit ihm zusammen gewesen.

Das Leben in Odessa war damals ein sehr angenehmes, die Gesellschaft war weder durch aristokratische Aufgeblasenheit eingeengt, wie später unter dem Grafen Woronzow, der sich hier in dem neurussischen Lande wie ein ostindischer General-Gouverneur gebärdete, — noch hatte sie zu der Zeit unter dem Stolz und dem Despotismus des im Jahre 1862 in Odessa residierenden General-Gouverneurs Strogonow zu leiden. Lansheron war, obgleich er kein sehr großer Administrator war, doch ein

---

[1]) Die Desjatine ist ein russisches Flächenmaß; ihre Größe beträgt 2400 Quadrataschen = 109,25 Ar. Die große Desjatine der russischen Landgüter enthält herkömmlich ein Drittel mehr Fläche.

280

kluger Mensch und folgte den Vorherbestimmungen des
Herzogs von Richelieu, des eigentlichen Gründers des neurussischen Landes und speziell Odessas.

Das Leben in Odessa gefiel mir so sehr, meine Arbeit
mit den wirtschaftlichen Einrichtungen in meiner Steppe
beschäftigte mich so vollständig, daß ich mich an dieses
Land gefesselt fühlte. Ich erwarb in Odessa einen Platz,
um mir ein Haus zu bauen, und kaufte mir außerdem an
einem wunderschönen Ort, hoch über dem Meer, ein Landhaus, das unter dem Namen „Landhaus des Grafen
Wittgenstein" bekannt war. Bei meiner Verbannung nach
Sibirien wurde es an den Kaufmann Kartazy verkauft.

Das alles hielt mich einstweilen von der Reise in
fremde Länder zurück. Im Winter desselben Jahres begab ich mich nach Petersburg, um beim Vormundschafts-
rat auf mein im Nishnegorodskischen Gouvernement gelegenes Gut Geld zu leihen. Ich brauchte Kapital zum
Bau des Hauses und zur Einrichtung meiner Datsche[1]). Nach
Ordnung dieser Angelegenheit reiste ich im Anfang des
Jahres 1819 in den Süden zurück. Ich fuhr zuerst nach
Kiew, um dort bei den damals schwebenden Abmachungen
über Geldangelegenheiten und über gemeinschaftliche Zusammenkünfte zugegen zu sein. Michail Orlow war damals Chef des Stabes beim 4. Infanterie-Korps. Er war
nicht nur mein Schulgefährte gewesen, sondern auch mein
Kamerad in Kriegs- und Friedenszeiten. Wir begegneten
uns daher wie alte Freunde. Im Hause Orlows versammelte sich im Interesse unserer gemeinsamen Angelegenheiten ein großer Kreis gebildeter Leute, dem sowohl
Russen als Polen angehörten. Sogar die Zusammenkünfte
der Damen unserer Bekanntschaft trugen nicht einen rein
geselligen Charakter, sondern dienten ernsteren Zwecken.

---

[1]) Landhaus.

281

Wolkonski

Der Haß gegen Frankreich, den unsere Niederlagen in den Kriegen der Jahre 1805—1807 in Rußland entflammt hatten, war gänzlich erloschen. Die Feldzüge der Jahre 1812 und 1814 hatten unser Volksbewußtsein gehoben und uns mit europäischer Konstituierung, europäischer Verwaltung und europäischem Volksschutz in Berührung gebracht. Der Gegensatz, in dem Rußland zu Europa stand, die Wertlosigkeit unserer Volksrechte, der Druck, den unsere Regierung ausübte, war uns durch den Vergleich mit anderen Ländern besonders klar geworden. Unsere neuen Ideen fanden in Michail Orlow einen geeigneten Vertreter. Er konnte in Kiew, wo er weder durch die eingewurzelten Vorurteile der höchsten Gesellschaftskreise, noch durch die sklavisch eifrige, geheime Polizeiaufsicht gehindert wurde, frei für die Ausbreitung seiner Ideen wirken. Die regelmäßigen Zusammenkünfte der Gebildeten gaben Orlow außerdem Gelegenheit, die Menschen kennen zu lernen und den Samen des politischen Fortschrittes auszustreuen.

Als Orlows Gast trat ich in den Kreis dieser bedeutenden Leute ein; meine Sympathie neigte sich schon seit langer Zeit den von ihnen verkündeten Wahrheiten zu. Das Zusammenleben mit einer so bedeutenden Persönlichkeit wie Orlow, der tägliche Verkehr mit den von denselben Ideen geleiteten Leuten hatten einen großen Einfluß auf mich, und ich schloß mich eng an diesen Kreis an.

Seit dieser Zeit begann ein neues Leben für mich. Ich war fest überzeugt von den Pflichten des Bürgers und hatte die ernste Absicht, alle diese Pflichten aus Liebe zu meinem Vaterlande zu erfüllen. Der von mir erwählte Weg führte mich vor das Kriminalgericht und nach Sibirien zu Zwangsarbeit und dreißigjährigem Leben in der Verbannung....

Ich kehre zur Beschreibung meines ersten Aufent-

282

279

haltes in Kiew zurück. In dem Kreise, in dem ich verkehrte, hatte ich Gelegenheit, viele bedeutende Polen, die
teils aus dem südöstlichen[3]) Rußland, teils aus dem König-
reich Polen stammten, kennen zu lernen. Damals herrschte
noch keine ausgesprochene Feindschaft zwischen Russen
und Polen. Die Polen hatten noch nicht den Wunsch,
sich von Rußland zu trennen, sie hatten noch nicht die
unsinnige Forderung gestellt, den südöstlichen Teil Rußlands, Kleinrußland, Weißrußland, Litwa, Kiew, Smolensk
und die Ostseeprovinzen als Stammland Polens von Rußland losgelöst und Polen zuerteilt zu sehen. Damals einte
uns das uns gemeinsame slawische Element. Ich kann
das nicht nur durch Worte, sondern durch die Tatsache
beweisen, daß in Kiew eine Freimaurerloge unter dem
Namen: „Loge der vereinten Slawen" gegründet wurde.
Der Großmeister des Stuhles war ein Pole, der Adelsmarschall des Kiewer Gouvernements, Graf Oliver; die
beiden Aufseher[4]) waren Russen — und die Mitglieder bestanden aus Russen und Polen, die sich brüderlich die
Hand reichten.

Da ich Freimaurer war, ernannte man mich zum
Ehrenmitglied dieser Loge. In der Aufnahmesitzung hielt
ich eine Rede; ich bedankte mich für die Ehre, die man
mir erwiesen hatte, und wies auf die günstigen Folgen hin,
die ein zielbewußtes Zusammengehen von Russen und
Polen haben müßte. Meine Rede wurde mit allseitigem,
großem Beifall aufgenommen.

Von meinem ersten Aufenthalt in Kiew ist weiter
nichts Besonderes mitzuteilen.

---

³) Im Text steht hier zweimal dicht hintereinander „süd-
östliches" Rußland — es muß wohl „südwestliches" Rußland heißen.
⁴) Der „Meister vom Stuhl" und die „Aufseher" sind Beamte
einer Freimaurerloge.

283

280

Wolkonski

Als wir hier Versammelten uns trennten, wurde ich
mit vielen anderen von der Gräfin Potozki-Tultschinski
eingeladen, zur Butterwoche⁵) nach Tultschin zu kommen,
um einer dortigen Versammlung beizuwohnen. In Tultschin machte ich die Bekanntschaft eines Kreises von
Männern, die nur von dem Gedanken einer Umgestaltung
des russischen innerpolitischen Lebens erfüllt waren.
Diese Gedanken weckten einen lebhaften Widerhall in
meinem Herzen.

Man forderte mich auf, Mitglied der Gesellschaft zu
werden, die dieses Ziel erstrebte. Sie führte den Namen
„Wohlfahrtsbund", war aber unter dem Namen „Grünes
Buch" bekannter. Mit meinem Eintritt in die Gesellschaft
wurde ich ein eifrig tätiges Mitglied derselben. Ich hielt
es für meine Pflicht, Rußland jetzt nicht auf längere Zeit
zu verlassen, und gab daher meinen Plan, in das Ausland
zu reisen, auf.

Ich trat in enge Beziehung zu Pestel und Juschnewski,
den Vorsitzenden der Duma dieser südlichen Gesellschaft.
Vom ersten Augenblick an wußte ich die große Begabung
Pestels, sein feuriges Eintreten für die Sache und die
Festigkeit seines Charakters zu schätzen. Juschnewski
hatte auch vorzügliche Eigenschaften, aber er besaß weder
so große Willenskraft, noch so unbeugsame Beharrlichkeit
wie Pestel. Bei meinem Eintritt in die Gesellschaft
freundete ich mich auch noch mit anderen Mitgliedern
an, z. B. mit M. A. von Wisin, einem tüchtigen, warm-
herzigen Menschen, der sich aber leicht von alten Freund-
schaftsrücksichten beeinflussen ließ; dann machte ich die

---

⁵) Butterwoche heißt die Woche vor den Osterfasten, in der
das Fleischessen verboten ist, so daß man sich an Butter und
Eierspeisen hält. In dieser Woche finden besondere Lustbarkeiten
statt.

284

1. Kapitel

Bekanntschaft Burzows, eines begabten, aber etwas pedan-
tischen Menschen, der seine Überzeugungen in Formeln
zu zwängen liebte; bei unserer Sache erkälteten aber
Formeln die Gefühle, und so kam es auch, daß er sich
immer mehr von der Gesellschaft entfernte und schließlich aus derselben austrat. Weiter lernte ich Abramow
kennen, eine Persönlichkeit, die sich sehr warm für die
Sache interessierte, sonst aber keine hervorragenden Charaktereigenschaften besaß. Ich erneuerte meine Bekanntschaft mit dem Fürsten Barjatinski. Er hatte ein sehr lebhaftes Interesse für unsere Sache — aber sein Privatleben
erregte oft unsere Mißbilligung. Unter den Mitgliedern
befand sich auch Klein, mein alter Kriegsgefährte aus den
Jahren 1806 und 1807. Zu den Tultschiner Mitgliedern gehörten damals, so weit ich mich erinnere: Doktor Wolf, ein
tief denkender, warm der Sache ergebener Mensch, der aus
einfachen Verhältnissen stammte; zwei Brüder Krjukow;
zwei Brüder Puschkin-Bobrischtschew, Latschinow und Sai-
kin; dann war auch Iwaschew Mitglied; er war eine gebildete, aber charakterlose Persönlichkeit und trat bald wieder
aus der Gesellschaft aus. Eines der führenden Mitglieder der
Gesellschaft war nach meiner Ansicht Wassili Lwowitsch
Dawidow. Auf seinem Wohnsitz im Dorfe Kamenka im
Tschigirinskischen Kreise fand alljährlich eine Versammlung der Mitglieder statt. Diese Zusammenkunft wurde
nicht von der Ortspolizei beargwöhnt, weil sie am 24. November, dem Namenstage der Mutter Dawidows, einer ehrwürdigen Greisin, stattfand. An diesem Tage versammelten sich stets sämtliche Familienglieder und alle
Freunde des Hauses bei ihr. Ich erfuhr auch, daß W. F.
Rajewski, Major im 32. Jägerregiment, und der Leutnant
Ochotnikow der Gesellschaft angehörten, und ebenso auch
mein alter Schulgefährte und Kriegskamerad Michail Fedorowitsch Orlow.

285

282

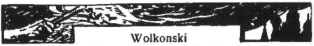

Wolkonski

Orlow war eine so hervorragende Persönlichkeit, daß ich einige Worte über ihn sagen muß. Er war, wie ich, im Institut des Abt Nikola erzogen worden und hatte sich sowohl in geistiger wie in moralischer Hinsicht so ausgezeichnet, daß er als bester Schüler gegolten hatte und von Lehrern und Gefährten gleich hoch geachtet worden war.

Nach Beendigung seines Studiums war er als Junker in das Gardekavallerieregiment eingetreten und hatte als solcher die Schlacht bei Austerlitz mitgemacht. Er hatte sich in dieser Schlacht durch große Tapferkeit ausgezeichnet und war zum Kornett befördert worden. Den Feldzug 1807 hatte er ebenfalls mitgemacht, doch hatte er keine Gelegenheit gehabt, sich hervorzutun, da sein Regiment nicht in Aktion getreten war. Bis 1810 hatte er in seinem Gardekavallerieregiment gedient, dann war er zum Adjutanten bei dem Fürsten Peter Michailowitsch Wolkonski ernannt worden. Er hatte die Obliegenheiten des Quartiermeisters zu erfüllen gehabt, und auch in Friedenszeiten hatte sich seine große Begabung für militärische Dinge gezeigt. In der Petersburger Gesellschaft hatte er sich großer Beliebtheit erfreut und war damals schon der Führer der denkenden Jugend gewesen. Während des Aufenthaltes des Kaisers beim Heere in Wilna war Orlow noch Adjutant bei Wolkonski gewesen. Als Wolkonski mit dem Kaiser das Heer verlassen hatte, war Orlow — ich weiß nicht in welcher Eigenschaft — bei der Armee geblieben. Der junge Orlow hatte dann die Aufmerksamkeit des kriegserfahrenen Hauptkommandierenden, Kutusow, auf sich gezogen und von demselben verschiedene Aufträge erhalten. Später hatte Orlow als Freiwilliger an der Expedition aus dem Tarutinskischen Lager nach der von den Franzosen besetzten Stadt Wereja teilgenommen. Er hatte dem Generalmajor Iwan Ssemenowitsch Dochturow, dem Leiter der Expedition, vor-
286

zügliche Führerdienste geleistet und hatte sich bei dem
Sturm auf Wereja⁶) durch große Tapferkeit ausgezeichnet.
In Anerkennung seiner Verdienste hatte er das Georgenkreuz 4. Klasse erhalten. Bei der Verfolgung der Franzosen im Jahre 1812 hatte er eine Partisan-Abteilung⁷) kommandiert, und im Jahre 1814 hatte Orlow bei der Einnahme
von Paris die berühmte Kapitulation⁸) abgeschlossen. Diese
Kapitulation war dem nach dem Krimkriege abge-
schlossenen Pariser Frieden, der einen Schandfleck für
Rußland bedeutet hatte, völlig entgegengesetzt!

Aber kehren wir zu den Ereignissen zurück, die mein
bürgerliches Leben so stark beeinflußten!

Ich sagte schon, daß es das Ziel des Wohlfahrtsbundes war, Rußland mit den europäischen Ländern gleich-
zustellen, in denen nicht das Recht der Despoten, sondern
das Recht des Menschen, das Recht des Volkes galt. In
jene Zeit fallen die ersten Bestrebungen zur Abschaffung
der Leibeigenschaft. Den ersten Versuch dieser Art
machte Michail Orlow im Jahre 1815. Er reichte dem
Kaiser Alexander ein von vielen der ersten Beamten unter-

---

⁶) Stadt im Gouvernement Moskau. 1812, bald nach dem
Einrücken des Feindes in Moskau wurde Wereja von einem Ba-
taillon Westfalen eingenommen. Auf Befehl Kutusows wurde die
Stadt am 28. September 1812 zurückerobert.

⁷) Ein auf eigene Faust den Kleinkrieg führendes Streifkorps.

⁸) Am 30. März 1814 mußten die Marschälle Mortier und
Marmont die Stadt Paris vertragsweise übergeben. Um 6 Uhr
abends begaben sich die Grafen Nesselrode, Orlow und Paar
nach Paris, und am 31. März früh um 2 Uhr kam die Kapitulation
zustande. Die Napoleon anhängenden Truppen erhielten darauf
bis 7 Uhr morgens freien Abzug. Am selben Tage zogen der Kaiser
von Rußland und der König von Preußen an der Spitze von
30000 Mann in Paris ein. Am 23. April schloß die provisorische
Regierung mit den Verbündeten einen Präliminarvertrag, dem am
30. Mai die Unterzeichnung des Friedens mit den einzelnen Mäch-
ten folgte.

287

schriebenes Gesuch mit der Bitte um Aufhebung der Leibeigenschaft ein.

Aus Kiew kehrte ich, voll von neuen Eindrücken,
nach Odessa zurück. Auf der Durchreise hielt ich mich
in Tultschin, wo sich das Hauptquartier der zweiten,
damals von Wittgenstein befehligten Armee befand, auf.
Wie ich schon erwähnte, trat ich damals in die geheime
Gesellschaft ein und wurde von allen Mitgliedern herzlich willkommen geheißen.

In Odessa machte ich sofort eifrig Propaganda für
unsere Sache und nahm den Adjutanten Lansherons, Meer,
und einen Offizier der Wegekommission, Buchnowski, in
die Gesellschaft auf. Es waren zwei feurige Jünglinge!
Ich habe sie später nicht wieder gesehen, und es war
mir ein Trost, sie nicht unter den um unserer Sache willen
Verurteilten zu finden. Aus Odessa reiste ich nach Petersburg. Dort wurde ich mit drei sehr tätigen Mitgliedern
der Petersburger Gesellschaft, Nikita Murawiew, Sergei
Trubetzkoi und Mitkow näher bekannt. Von dort aus
begab ich mich wieder nach Kiew, um an den Zusammenkünften teilzunehmen. Viele traten damals für eine Vereinigung der nördlichen und der südlichen Gesellschaft
ein. Von Kiew aus reiste ich wieder über Tultschin nach
Odessa. Dann kehrte ich nach Tultschin zurück. Hier
wurde beschlossen, Deputierte der nördlichen und südlichen Gesellschaft nach Moskau zu schicken, damit sie
dort über eine Vereinigung beider Gesellschaften berat-
schlagen könnten. Burzow, Komarow und ich wurden
dazu bestimmt, nach Moskau zu reisen; außerdem wurde
auch Michail Orlow, dem das allgemeine Vertrauen gehörte, dazu aufgefordert. Orlow war aus Kischinew, wo
er eine Division befehligte, nach Tultschin gekommen,
und wir reisten jetzt zusammen ab. In Kiew hielten wir
uns kurze Zeit auf der Durchreise auf.

288

1. Kapitel

Orlow hatte sich entschlossen, hier um die Hand der schon lange von ihm begehrten Tochter Nikolai Nikolajewitsch Rajewskis, Katherina Nikolajewna, anzuhalten. Der Bruder des Mädchens, Alexander Nikolajewitsch, verhandelte mit Orlow und machte ihm seinen Austritt aus der geheimen Gesellschaft, d. h. aus der Zahl der tätigen Mitglieder, zur Bedingung. Alexander Nikolajewitsch war ein kluger Mensch und gehörte nicht zu den Reaktionären, aber er erkannte, daß die Geheime Gesellschaft von der Regierung verfolgt werden würde, und deshalb machte er Orlows Austritt aus der Gesellschaft zur ersten Bedingung für dessen Verbindung mit seiner Schwester. Als wir aus Kiew abreisten, war Orlow sehr schwankend und wußte nicht, was er tun sollte.

2. Kapitel
Wirken und Streben der geheimen Gesellschaft

Bei unserer Ankunft in Moskau fanden wir die Petersburger und Moskauer Deputierten schon versammelt. Es wurde vorgeschlagen, daß nur die mitbegründenden Mitglieder der Gesellschaft bei diesen Versammlungen eine Stimme haben sollten, die erst später eingetretenen Mitglieder dagegen nicht. Auf diese Weise wurden Komarow und ich von den Sitzungen ausgeschlossen, und nur Burzow wurde zugelassen. Von Moskauer Mitgliedern waren von Wisin, Jakuschkin, Koloschin und Grabbe anwesend, wer von den Petersburger Mitgliedern dabei war, erinnere ich mich nicht mehr. Michail Orlow wurde zum Vorsitzenden erwählt. Bei Beginn der Sitzung war von der Petersburger Duma*) die Nachricht eingetroffen, daß die Regierung die Bewegungen der Geheimen Gesellschaft verfolgte, und daß es deshalb geraten wäre, die Gesellschaft aufzulösen — und jedes Mitglied allein für die Ziele der Gesellschaft wirken zu lassen. Durch Fedor Glinka, der Adjutant bei Miloradowitsch war, hatten die Petersburger bestimmte Kunde von der Überwachung der Gesellschaft erhalten. Die Stammmitglieder des Moskauer Kongresses beschlossen, die beiden Geheimen Gesellschaften aufzuheben, und auch Orlow pflichtete diesem Entschluß bei. Ich begab mich nach Kiew, um der südlichen Duma diese

---

*) Petersburger Duma. — Die Direktion des in Petersburg residierenden Zweiges der Gesellschaft des Nordens.

290

Nachricht zu überbringen. Es wurde aber fast einstimmig beschlossen, nach dem bestehenden Programm weiter zu arbeiten, und nur Burzow und Komarow, die dem·Beschluß des Moskauer Kongresses zugestimmt hatten, auszuschließen. In Petersburg beschloß die Gesellschaft, auch weiter zu arbeiten, aber allein, nicht im Verein mit der südlichen Gesellschaft.

Von der Zeit an hatten die südliche und die nördliche Gesellschaft ein verschiedenes Programm. Die südliche Gesellschaft war rein demokratisch, die nördliche monarchisch-konstitutionell. Damals wurde auch die Zustimmung zum Zarenmord, als eine der Grundbedingungen der südlichen Gesellschaft, für alte und neue Mitglieder aufgestellt. Diese Maßnahme sollte nicht bedingungslos durchgeführt werden, sie sollte nur das Mittel sein, laue Mitglieder aus der Gesellschaft zu entfernen. Die Zustimmung zu dieser Maßnahme machte den Mitgliedern einen Austritt unmöglich; die Entfernung einzelner Mitglieder aus der Gesellschaft enthob dieselben ihrer ursprünglich eingegangenen Verpflichtung nicht. D i e s e A u s l e g u n g h a b e i c h m i r n i c h t e r s t j e t z t a u s g e d a c h t , i c h s a g e d i e r e i n e W a h r h e i t — d i e s e M a ß n a h m e w a r n u r e i n e L i s t.

Wassili Dawidow und ich gingen alljährlich im Dezember nach Petersburg zur Versammlung der nördlichen Gesellschaft. Wir arbeiteten zwar nicht nach demselben Programm, sprachen aber doch über uns in gleicher Weise interessierende Angelegenheiten; dann kehrten wir beide zu unserer Gesellschaft zurück, um von unseren Beziehungen zu der Petersburger Gesellschaft, von der Wirksamkeit derselben und von dem gegen uns gerichteten Wirken der Regierung zu berichten. Bei uns im Süden ging alles ganz friedlich zu. Wir machten in der Umgegend unseres Aufenthaltsortes bedeutende Propaganda

19*   291

für unsere Gesellschaft, traten in Beziehung zu der Geheimen Gesellschaft „der vereinten Slawen", mit der wir
uns später zusammenschlossen, und traten dann auch in
Verkehr mit der polnischen Gesellschaft.

Infolge meiner bedingungslosen Hingabe an die Gesellschaft übertrug man mir die Unterhandlung mit den
beiden zur Beratung abgesandten Mitgliedern der Geheimen polnischen Gesellschaft, dem Fürsten Jablonowsky
und Grodetzky; diese Versammlungen fanden im Jahre
1825 statt. Außer mit diesen beiden trat ich noch in
schriftliche Beziehung zu Antonii Tscharkowski — wir
hatten uns gegenseitig Mitteilung über alle, unsere beiden
Gesellschaften betreffenden Angelegenheiten zu machen.
Die Versammlungen des Jahres 1825 fanden im Januar
statt; Pawel Iwanowitsch Pestel war auch anwesend und
mußte mit mir gemeinsam die Verhandlungen mit den
beiden polnischen Deputierten führen.

Aber ehe ich weiter über den Verlauf der Verhandlungen berichte, muß ich eine mich persönlich betreffende
Angelegenheit, meine Verheiratung mit Maria Nikolajewna
Rajewski, erwähnen. Ich hatte sie schon lange geliebt
und entschloß mich endlich im Jahre 1824, um sie zu
werben. Ich beauftragte Orlow, die Sache in die Hand
zu nehmen, bat ihn aber zugleich, ihren Verwandten, die
meine Beziehungen zu der Geheimen Gesellschaft kannten,
zu sagen, daß ich auf keinen Fall aus der Geheimen Gesellschaft austreten würde. Wenn meine Wirksamkeit für
die Geheime Gesellschaft ein Hindernis für meine Verbindung mit Maria Nikolajewna sein sollte, so würde ich
lieber mein persönliches Glück als meine politischen Überzeugungen aufgeben. Da ich sehr stark zweifelte, ob ich
die Einwilligung von Marias Eltern erhalten würde, so
beschloß ich, um mir und ihrer Familie die schwierige
Lage zu erleichtern, unter dem Vorwande, für meine Ge-
292

sundheit etwas tun zu müssen, in ein kaukasisches Bad zu reisen. Im Falle einer Abweisung wollte ich in das kaukasische Heer eintreten, um meinen Kummer durch das Kriegsleben zu betäuben. Nachdem ich Urlaub erhalten hatte, machte ich mich auf die Reise und bat Orlow, mir die entscheidende Antwort sofort zu melden. Orlow teilte mir bald darauf mit, daß ich mit meiner Werbung hervortreten und auf Erfolg hoffen dürfte.

Ich hatte mir die kaukasischen Bäder zum Aufenthaltsort gewählt, weil ich von der südlichen Duma den Auftrag erhalten hatte, festzustellen, ob das Gerücht, daß eine Geheime Gesellschaft im Kaukasus existierte, wahr wäre. Ihr Sitz sollte im Hauptquartier zu Tiflis sein, und ihre Bestrebungen sollten auf eine politische Umgestaltung Rußlands ausgehen.

Ich traf dort Alexander Iwanowitsch Jakubowitsch, der nach dem Duell zwischen Sawadowski und Scheremetew aus der Garde in den Kaukasus versetzt worden war. Bei der ersten Bekanntschaft mit ihm überzeugte ich mich davon, daß er seine Verbannung seinen offen gezeigten fortschrittlichen Ideen zu danken hätte. Seine Kameraden sprachen von ihm als von einem ausgezeichneten Soldaten und ungerecht Verbannten — das alles ließ mich annehmen, daß ich bei ihm Teilnahme und Verständnis für die Tätigkeit unserer Gesellschaft finden würde, und ich entschloß mich, bei ihm nach dem Bestehen und nach dem Ziel einer Geheimen Gesellschaft im Kaukasus zu forschen.

Ich führte vertrauliche Gespräche mit ihm und gewann aus seinen Worten den Eindruck, daß im Kaukasus eine Geheime Gesellschaft, die eine politische Umgestaltung Rußlands erstrebte, vorhanden wäre. Es schien mir, als ob Alexei Petrowitsch Ermolow selbst der Führer der Gesellschaft wäre und als ob die meisten seinem Stabe

293

angehörenden Offiziere Mitglieder derselben wären. Meine Annahme ermutigte mich zu größerer Offenheit. Ich teilte Jakubowitsch das Vorhandensein unserer Geheimen Gesellschaft mit und schlug ihm eine Vereinigung der kaukasischen und der südlichen Gesellschaft vor. Jakubowitsch antwortete mir darauf: „Handelt ihr allein, wir werden auch allein handeln, aber wenn die Zeit für die Explosion kommen wird, wollen wir uns zusammenschließen. Wenn eure Sache mißlingt, so stehen wir abseits, und es bleibt dann noch ein Samenkorn da, aus dem neue Frucht erwachsen kann. Wir haben hier im Kaukasus großen Einfluß, und an unserer Spitze steht ein begabter, in ganz Rußland bekannter Mann. Im Falle eines allgemeinen Mißerfolges würde der Kaukasus schon seiner Lage nach zur Selbständigkeit fähig sein. Ihr habt viel Widerstand zu überwinden; hier steht alles zu uns aus allgemeiner Ergebenheit für Ermolow."

Es war mir damals schwer, festzustellen, ob diese Erzählung Jakubowitschs der Wirklichkeit entsprach, oder ob es ein von ihm ersonnenes Epos war; jetzt — nach mehrmonatlicher gemeinsamer Gefangenschaft hat Jakubowitsch mir zugestanden, daß seine Erzählung sich nicht auf Tatsachen gegründet hätte, sondern einfach ein seine geistige Richtung bezeichnendes, frei erfundenes Epos gewesen wäre.

Ich habe meine Unterredung mit Jakubowitsch so ausführlich wiedergegeben, weil ich mich — vielleicht irrtümlich — in meinem Bericht vor der Werchownaja Duma[10]) für alles verbürgt hatte, und da dieser Bericht bei meiner Verurteilung eine Rolle gespielt hat, so hielt ich es für notwendig, alles wortgetreu zu schildern. Im Januar 1825

---

[10]) Der obere Rat — hier Oberleitung der geheimen Gesellschaft.

294

fanden nach meiner Rückkehr aus dem Kaukasus die schon erwähnten Verhandlungen mit den Polen statt. Trotzdem gerade zu der Zeit meine Hochzeit war, weigerte ich mich nicht, an den Unterhandlungen teilzunehmen, und lieferte dadurch der Geheimen Gesellschaft einen neuen Beweis meiner Ergebenheit.

In meiner Wohnung fand die Versammlung statt.

Zuerst gaben wir russischen Deputierten einen Bericht über den Stand unserer Angelegenheiten, dann berichteten die Polen über die Wirksamkeit ihrer Gesellschaft. Aus ihren Worten ging hervor, daß sie ihre Einwilligung zu einem gemeinsamen Vorgehen nur dann geben wollte, wenn unsere Gesellschaft einer Vereinigung Polens mit den — wie sie sich ausdrückten — ihnen entrissenen Gouvernements zustimmen würde. Pestel antwortete darauf: „Von derartigen Bedingungen kann hier nicht die Rede sein; wir müssen die allgemeine Sache im Auge behalten: ein Bündnis Polens mit Rußland darf nicht nachteilig für Rußland sein. Sie wünschen mit uns zusammen zu wirken, aber was seit langer Zeit russisch ist, muß auch russisch bleiben. Wir bilden unserer Nationalität nach ein bundesmäßiges Ganzes, kommen Sie uns deshalb nicht mit Spitzfindigkeiten. Sie finden Brüder in uns, und wir wollen durch derartige Bedingungen keine Scheidewand zwischen uns aufrichten. Wir wünschen Polens Selbständigkeit, wünschen dem Lande das Beste —, aber es ist unsere erste Pflicht, u n s e r Vaterland zu verteidigen. Warten Sie noch mit der Lösung dieser Frage. Begnügen Sie sich mit dem, was wir Ihnen zu bieten haben, und rechnen Sie nicht auf das unmögliche. Es ist die Hauptsache, daß wir gemeinschaftlich, ohne irgendwelche Nebenzwecke, einen Aufstand erregen. Wir beginnen, und zu gleicher Zeit beginnen auch Sie!" Diese Unterredung setzte den jeder
295

historischen Begründung entbehrenden Forderungen der
Polen ein Ziel, und der Vorschlag, gemeinsam einen Aufstand zu erregen und zu gleicher Zeit loszuschlagen, wurde
einstimmig angenommen. Es ist keine erdachte, sondern
eine auf Tatsachen beruhende Schilderung, die ich hier
gebe.

Ehe ich den Faden meiner Erzählung über das Wirken
der Geheimen Gesellschaft wieder aufnehme, schweife ich
noch einige Augenblicke zu einer Privatperson ab. Ich
halte es für meine Pflicht, die schon damals auftauchende
und auch heute noch bestehende Meinung, daß Pestel aus
egoistischen Gründen gehandelt hätte, um im Falle eines
Erfolges die Macht an sich zu reißen, zu bestreiten. Es
ist eine Ansicht, die beleidigend ist für das Andenken des
Mannes, der sein Leben für unsere Sache geopfert hat.
Im Jahre 1824, als ich mit Pestel verschiedene Angelegenheiten unserer Gesellschaft besprach, sagte er mir ver-
traulich: „Ich weiß, daß man mich in der Gesellschaft
selbst für einen Ehrgeizigen hält, der im Trüben fischen
möchte; ich werde diese Ansicht nur dadurch widerlegen
können, daß ich die Präsidentschaft der Gesellschaft
niederlege und in das Ausland gehe; ich bin fest dazu
entschlossen und rechne dabei auf Ihre Freundschaft, daß
Sie sich meinem Entschluß nicht widersetzen werden!"
(Man nennt mich Siéyès, und ich strebe nur danach, ebenso
uninteressiert zu handeln wie . . .).

Ich antwortete Pestel darauf, daß sein Rücktritt von
der Leitung der Gesellschaft ein harter Schlag für dieselbe
sein würde. Nur er könnte die Gesellschaft und die Mitglieder so leiten, daß ihr Wirken der großen Sache nützlich
wäre. Sein Rücktritt würde jeden Fortschritt hemmen,
deshalb sollte er sich das leere Geschwätz nicht zu Herzen
nehmen, sondern mit ruhigem Gewissen seine Sache
weiterführen. Diese unbegründeten Verdächtigungen
296

waren nicht im Schoße der Gesellschaft selbst entstanden, sondern von den aus der Gesellschaft Ausgeschiedenen zur Rechtfertigung ihres Rücktrittes ersonnen worden. Meine eindringlichen Ermahnungen, meine aufrichtige Überzeugung, daß nur er die Sache führen könnte, veranlaßten Pestel, von seinem Vorhaben Abstand zu nehmen. Jetzt, da unsere Sache fehlgeschlagen ist, bedauere ich es, daß ich Pestel davon abgehalten habe, in das Ausland zu reisen. Wäre er damals fortgegangen, so würde er wahrscheinlich jetzt noch leben und würde ein besserer Überlieferer unserer Geschichte sein, als Nikolai Turgenjew[11]), der versichert, daß er niemals der Geheimen Gesellschaft angehört hätte, obwohl ich ihm alljährlich, wenn ich nach Petersburg kam, einen Rechenschaftsbericht über die Wirksamkeit unserer Gesellschaft ablegte.

* * *

Ich nähere mich jetzt dem Zeitpunkt, an dem die Regierung uns dem Gericht überlieferte. Ich halte es für unumgänglich nötig, näher auf die Beschaffenheit und das Ziel unserer Gesellschaft einzugehen. Da ich alles aus dem Gedächtnis wiedergebe und da inzwischen mehr als

---

[11]) Nikolai Iwanowitsch Turgenjew, geb. 1790, studierte in Göttingen und trat dann in den russischen Staatsdienst. 1813 wurde er dem Freiherrn von Stein als russischer Kommissar beigegeben. Nach seiner Rückkehr wurde er Wirklicher Staatsrat und Beigeordneter des Staatssekretärs. Er trat, um die Frage der Bauernbefreiung fördern zu helfen, 1819 in den Wohlfahrtsbund ein. So wurde er in die Verschwörung der Dekabristen verwickelt, und da er im Auslande war, in contumacium zum Tode verurteilt. Er lebte seitdem in Paris, wo er am 18. November 1871 starb. Turgenjew schrieb das Buch: „La Russie et les Russes" und später noch verschiedene politische Broschüren. Mit dem Dichter Turgenjew ist er nicht zu verwechseln.

297

Wolkonski

30 Jahre verstrichen sind, so wird mein Bericht nicht sehr
ausführlich und nicht sehr genau werden können. Die
Statuten der südlichen Gesellschaft und die bedeutende
Abhandlung Pestels über ihre Ziele — die in den Statuten
unter der Überschrift: „Russisches Recht" vermerkt ist —
werden, wenn sie später aus dem Archiv hervorgeholt
werden, der ganzen Welt unsere Sache im richtigen Lichte
erscheinen lassen und ihr die Kenntnis der bedeutenden
Persönlichkeiten, die der Gesellschaft angehört haben,
vermitteln.

Ich habe schon die Änderung der Regeln der Geheimen Gesellschaft, deren Mitglied ich war, erwähnt.
Jetzt will ich über das Hauptziel der Gesellschaft sprechen
nach der durch die Entscheidung des Moskauer Kongresses hervorgerufenen veränderten Sachlage.

Die südliche und nördliche Gesellschaft schlugen verschiedene Richtungen ein: die südliche Gesellschaft arbeitete auf eine demokratische Umgestaltung Rußlands
hin, die nördliche Gesellschaft auf eine monarchisch-kon-
stitutionelle. Trotz der Verschiedenheit des Zieles blieben
die beiden Gesellschaften miteinander in Beziehung.
Pestel war der Leiter der südlichen Duma, Nikita Murawiew der Leiter der nördlichen Duma. Jedes Jahr begaben Wassili Lwowitsch Dawidow und ich uns zur Versammlung nach Petersburg, um dort Mitteilung über jeden
Fortschritt zu machen und zu erhalten.

Die südliche Gesellschaft zielte auf eine radikale Umgestaltung hin (ich gebe jetzt zu, daß es vielleicht vor-
zeitig war), aber ihre Sache machte rapide Fortschritte.
Die Werbung neuer Mitglieder hatte großen Erfolg. Die
freiwillige Aufgabe der aristokratischen Prinzipien rief bei
den einzelnen eine gewisse Exaltation der Überzeugung
hervor und verlieh der ganzen Sache eine besondere
Schwungkraft.

298

2. Kapitel

Die Wirksamkeit der nördlichen Gesellschaft konnte sich sowohl ihrem Wesen als ihren Prinzipien nach nicht so lebendig entfalten. Sie beschränkte sich hauptsächlich auf Aufstellung verschiedener Projekte für eine Konstitution. Die Arbeiten Nikita Murawiews fanden bei der Gesellschaft größeren Beifall als alle übrigen Pläne, aber es war verfrüht, diese beabsichtigte Umgestaltung bereits in eine feste Form fügen zu wollen. (Übrigens ist das nur meine persönliche Ansicht.)

Zu einer erfolgreichen Umgestaltung braucht man Freiheit, und diese verlangt eine starke Willenskraft, damit sie nicht zur Anarchie ausartet. Im Falle einer erfolgreichen Umgestaltung wollte die südliche Gesellschaft eine dreijährige Regierung einsetzen. Später sollten dann Männer aus dem Volk gewählt werden oder die von dem Volk bezeichneten Vertrauensmänner die Leitung des Staatswesens übernehmen.

Obgleich ich schon einige Worte über Nikolai Turgenjew gesagt habe, muß ich noch einiges Ergänzende hinzufügen. Ich lasse ihm volle Gerechtigkeit widerfahren als dem mit Wort und Tat für Aufhebung der Leibeigenschaft eintretenden Kämpfer; aber ich kann es nicht verschweigen, daß sein Ableugnen, jemals Mitglied der Geheimen Gesellschaft gewesen zu sein, eine offenkundige Lüge ist. Bei meinen vorher erwähnten jährlichen Besuchen in Petersburg hatte ich ihm den Bericht über die südliche Gesellschaft abzulegen. Er galt bei der südlichen Gesellschaft nicht nur für einen eifrigen Verfechter unserer Sache — sondern er war auch einer der Mitbegründer der Geheimen Gesellschaft. Bei einer unserer Begegnungen fragte er mich, als wir über unsere gemeinsame Sache sprachen: „Nun, Fürst, haben Sie Ihre Brigade auch zum Aufstand vorbereitet für den Fall, daß es losgeht?" Ich antwortete ihm darauf: „Wenn ich meine Brigade offen

299

darauf vorbereitet hätte, Nikolai Pawlowitsch, so hätte ich ja der Regierung die Zügel in die Hand gegeben; ich bin aber überzeugt, daß ich es verstanden habe, den Soldaten der Brigade, ja sogar den Soldaten der Division Liebe und Vertrauen zu mir einzuflößen. Im Falle eines Aufstandes hoffe ich, sie mit mir fortzureißen, und wenn mir das gelingt, so folgen sie mir, ohne zurückzusehen."

Dabei fällt mir noch ein, was mir ein Ritter der Wahrheit, Iwan Iwanowitsch Puschtschin, einmal gesagt hat: „Während der Revolte im Ssemenowskischen Regiment traf ich mit Nikolai Iwanowitsch zusammen. Er fragte mich: „Was, Sie sind nicht bei der Revolte des Ssemenowskischen Regimentes beteiligt? Da gehörten Sie doch eigentlich hin." Das konnte nur ein Mitglied der Geheimen Gesellschaft sagen! Ich gebe nur Tatsachen wieder. Turgenjew ist nur durch Zufall der Verurteilung entgangen. Ich freue mich dessen für ihn; aber hätte ihm dieses Glück nicht gerade die Verpflichtung auferlegen müssen, für seine Mitbrüder einzutreten und sie der Welt im rechten Lichte zu zeigen? Er hätte es gekonnt, — um so mehr, als er im Ausland lebte und vor jeder Verfolgung sicher war. Mag jeder, der diese Zeilen liest, selbst urteilen! Ich bin überzeugt, daß alle, die mich kennen, wissen werden, daß nicht Zorn darüber, daß Turgenjew unsere Verbannung nicht teilte, mich zu dieser Bemerkung veranlaßt. Ebenso liegt mir jeder Neid fern, daß Turgenjew, trotzdem er von dem oberen Gerichtshof als schuldig erkannt worden war, nach Rußland zurückkehren und Rang und Ehrenzeichen behalten durfte.

Aber ich kehre wieder zu den die Geheime Gesellschaft betreffenden Ereignissen zurück. Alles auf das russische Recht und auf die nach der Umgestaltung zu ergreifenden Maßnahmen Bezügliche kann ich nicht mehr genau berichten, aber es wird, wie ich schon sagte, früher

300

oder später aus den Dokumenten deutlich zu ersehen sein. Aber eins will ich noch sagen: es war festgesetzt worden, daß die für eine bestimmte Zeit eingesetzte Regierung ebenso wie die Mitglieder der Volksduma nach Ablauf dieser Zeit nicht wieder an der Regierung teilnehmen durften, sondern daß ihre Mission dann zu Ende sein sollte.

Verschiedene Personen wurden mit der Ausarbeitung der einzelnen Teile der vorläufig aufgestellten Statuten betraut. Pestel wurde mit Ausarbeitung der Verwaltungssachen und der militärischen Organisation beauftragt; Turgenjew hatte die Finanzangelegenheiten und die Rechtspflege zu bearbeiten. Wenn das alles in die Öffentlichkeit dringen wird, wird man erkennen, wie genau und mit wie klarem Blick Pestel die ungeheuere Aufgabe gelöst hat. In den militärischen Statuten war bestimmt, daß es keine privilegierten Truppen geben sollte, weil aus ihnen immer entweder eine Opritschina (Leibwache des Zaren Iwan IV.) oder eine Prätorianergarde hervorgehen würde.

Die Arbeiten Nikolai Turgenjews sind nicht in die Hände der Regierung gefallen. Aber was während seines Aufenthaltes im Auslande über russische Finanzen und russische Rechtspflege von ihm gedruckt worden ist, ist eine Zusammenstellung dessen, was wir mit ihm zusammen für den Fall einer Umgestaltung Rußlands ersonnen hatten! Das bezeuge ich mit gutem Gewissen.

3. Kapitel
Verrat an der geheimen Gesellschaft

Ehe ich von den gegen die Geheime Gesellschaft ergriffenen Maßregeln spreche, muß ich noch einen Umstand, bezüglich der verräterischen Handlungsweise Witts, erwähnen.

Mitte des Jahres 1824 trat Graf Witt durch einen von ihm erwählten Gutsbesitzer-Agenten, mit Namen Boschniak, zu der Geheimen Gesellschaft in Beziehung. Boschniak, der in der Nähe von Elisawetgrad im Chersonskischen Gouvernement lebte, war ein sehr kluger und gewandter Mensch, der sich das Ansehen eines politischen Vorläufers zu geben wußte. Witt ahnte etwas von dem Vorhandensein einer Geheimen Gesellschaft; aber er wollte genaue Kunde über dieselbe haben, um die Gesellschaft an den Zaren zu verraten. Witt war Chef einer militärischen Ansiedelung. Durch Araktschejeff hatte der Kaiser Beweise erhalten, daß Witt einen Teil der für die Ansiedelung bestimmten Gelder veruntreut hatte, und ihm deshalb sein Vertrauen entzogen. Witt hoffte jetzt durch seinen Verrat das verlorene Vertrauen wieder zu gewinnen. Auf Anstiften Witts näherte Boschniak sich dem Offizier des Generalstabes, Licharew, einem jungen, feurigen und unbesonnenen Menschen. Da Boschniak die freundschaftlichen und verwandtschaftlichen Beziehungen Licharews zu Wassili Lwowitsch Dawidow kannte, so nahm er als sicher an, daß auch Licharew der Geheimen Gesellschaft angehörte. Licharew ging in die Falle. Boschniak wußte ihn durch sein einnehmendes Wesen, seine fortschrittlichen.
302

Ideen für sich zu gewinnen, und Licharew nahm ihn in die
Gesellschaft auf und stellte ihn Dawidow, der auch in die
Falle ging, als neues Mitglied vor. Nach kurzer Zeit erklärte Boschniak Licharew, daß Graf Witt unsere Überzeugungen teilte und bereit wäre, unserer Gesellschaft
beizutreten. Er wies darauf hin, wie bedeutsam die Erwerbung eines über so große militärische Kräfte verfü-
genden Mitgliedes für die Gesellschaft sein würde; zugleich
sagte er aber auch, daß Witt, weil er auf einer so hohen
Rangstufe stände, nicht direkt mit den Mitgliedern der Gesellschaft in Verbindung treten könnte. Darum wollte er,
Boschniak, zwischen Witt und der Geheimen Gesellschaft
vermitteln. Wie sich von selbst verstand, wurde der südlichen Duma in Tultschin Mitteilung von dieser Angelegenheit gemacht, und Pestel sowohl wie Juschnewski
tadelten die Handlungsweise Licharews. Man beschloß,
Witt nicht offen zu zeigen, daß man ihm mißtraute; man
wollte Boschniak und Witt mit leeren Versprechungen
hinhalten und Witts Aufnahme in die Gesellschaft mit der
Begründung, daß die Zeit zum Handeln noch nicht gekommen wäre, ablehnen. Um Witt nicht mißtrauisch zu
machen, wollte man ihm sagen, daß man seinen Beitritt
zur Gesellschaft im gegebenen Moment mit großer Dankbarkeit aufnehmen würde. Licharew teilte Boschniak diese
Antwort der Gesellschaft mit, aber weder Witt noch
Boschniak nahmen dieselbe für bare Münze. Als schlaue
und gewandte Leute ließen sie aber nichts von ihrem Miß-
trauen durchblicken, und Boschniak versuchte, Licharew
weiter auszuforschen. Aus einem Gespräch mit Kisselew
erhielt ich die Bestätigung, daß Witt alles über unsere
Gesellschaft zu erforschen suchte. Die Frau Kisselews
reiste in den Kaukasus, und ihr Gatte begleitete sie bis
Elisawetgrad, wo Witt, der Bruder der Kisselewa, sein
Quartier hatte. Auf dem Rückwege besuchte Pawel Dmi-
303

300

triewitsch das Gut seiner Frau, Buky, und ich suchte ihn
dort auf. „Höre, Freund Sergei," sagte er mir,
„Ihr, du und viele deiner nächsten Freunde, führt etwas
im Schilde — Gott weiß was — aber etwas, das nach
Sibirien führt; denke doch daran, daß du eine Frau hast
und daß sie schwanger ist; trenne dich von allen diesen
törichten Ideen, die in Kamenka[12]) nisten; ich wiederhole,
um deiner Frau und um deiner selbst willen, reiß dich von
dieser Sache los. Sie riecht nach Sibirien! Glaube deinem
alten, treuen Freunde!" Ich stellte mich ganz unwissend
und versicherte ihm, daß er sich in bezug auf mich täuschte.
Ob ich ihn davon überzeugt habe, weiß ich nicht, jedenfalls war damit unser Gespräch über diesen Gegenstand
abgeschlossen. Er reiste nach Tultschin, ich in das Lager
der 19. Division bei Sokol, — und bei späteren Begegnungen wurde dieser Unterhaltung nie wieder Erwähnung
getan. Ich war aber überzeugt, daß Witt Kisselew alles
mitgeteilt oder ihm wenigstens Andeutungen gemacht
hatte.

Ich berichtete den Inhalt meiner Unterredung mit
Kisselew nach Tultschin und Kamenka, damit sie dort
auf ihrer Hut wären. Aber wir hatten uns, wie das Sprich-
wort sagt, die Suppe eingebrockt und mußten sie später
ausessen. Außer Witt und Boschniak waren noch zwei
Angeber vorhanden, Sherwood und Maiboroda. Sherwood
war auch ein Agent Witts. Im Auslande ist ein Büchlein
unter dem Titel „Sherwood" erschienen. Wer er war,
woher er kam, wie er seine ersten Schritte im gesellschaftlichen Leben machte — das wird alles sehr wahrheits-
getreu geschildert —, aber was über die mit ihm vorge-

---

[12]) Kamenka war der Name des Gutes von W. L. Davidow.
Hier fanden häufig geheime Zusammenkünfte statt (siehe Jakuschkin, Seite 73 dieses Bandes).

304

gangene Veränderung über sein Handeln und Wirken für die Entdeckung der Geheimen Gesellschaft gesagt wird, ist grobe Lüge. Alles, was von der Versammlung in Kamenka bei Wassili Dawidow, von dem Zufall, der ihm Gelegenheit gegeben haben soll, den geheimen Zusammenkünften der Mitglieder beizuwohnen, gesagt wird, ist erfunden.

Sherwood war ein ziemlich scharfsinniger Mensch und hat wohl manches erraten. Seine Anwesenheit in Kamenka läßt sich sehr einfach erklären. Alexander Lwowitsch Dawidow schickte Sherwood, auf Empfehlung von dessen Regimentskommandeur, Grews, der das 3. Ukrainskische Regiment befehligte, zur Einfuhr von Austern in die Krim. Bei diesen Fahrten erarbeitete Sherwood sich manchen Kopeken. Wie schon gesagt, war er besonders scharfsinnig und erriet wohl manches; es kann aber auch sein, daß er von Witt beauftragt worden war, uns zu beobachten, und daß er auch von Witt als Spion nach Charkow gesandt worden war, um etwas über das Gerücht von einem Aufstande, der im Interesse Griechenlands geplant sein sollte, zu erforschen. Ich weiß nicht, ob er etwas über diese von einem gewissen Graf Bulgari geplante Sache in Erfahrung gebracht hat. Jedenfalls machte er auf seiner Reise nach Charkow die Bekanntschaft Fedor Fedorowitsch Wadkowskis, eines jungen, feurigen, aber zu vertrauensseligen Menschen. Wadkowski war aus einem Gardekavallerieregiment in die Linie versetzt worden, weil er sehr kühne Reden geführt hatte und auch, wie man behauptete, Verse, die die Regierung und den Zaren tadelten, verbreitet hatte. Wadkowski war jedenfalls über diese Versetzung aufs höchste erbittert.

Sherwood verstand es, sich in sein Vertrauen einzudrängen; er hatte von den einmal im Jahre stattfindenden Zusammenkünften der Geheimen Gesellschaft auf Ka-

Wolkonski

menka Wind bekommen und stellte sich Wadkowski als
Mitglied der Gesellschaft vor. Wadkowski glaubte ihm
und schloß Freundschaft mit ihm. Durch Wadkowski erfuhr Sherwood alle Einzelheiten über die Geheime Gesellschaft; Wadkowski hatte sogar die Unvorsichtigkeit,
ihm mitzuteilen, daß er die Statuten der Gesellschaft und
die Mitgliederliste in einem in seinem Geigenkasten befindlichen Geheimfach aufbewahrte. Mit diesen auf ver-
räterische Weise erlangten Beweisstücken kehrte Sherwood zu Witt zurück.

Ich erzähle diese Angelegenheit so ausführlich, weil
Wadkowski infolge des Berichtes von Sherwood noch vor
dem Tode des Kaisers Alexander verhaftet und auf Befehl von Araktschejeff nach Schlüsselburg gebracht wurde.
So waren schon vor dem Verrat Maiborodas verschiedene
Beweise von dem Bestehen und dem Wirken der Geheimen Gesellschaft vorhanden.

Wenn ich an Wadkowski denke — so liegt es mir ganz
fern, seine unvorsichtige Handlungsweise zu tadeln. Ich
denke seiner mit der größten Hochachtung! Er war ein
an Verstand, Herzenswärme und Überzeugungstreue hervorragender Mensch, und seine Unvorsichtigkeit war zum
Teil die Folge seiner guten Eigenschaften, zum Teil die
Folge seiner großen Jugend.

Ich glaube, es ist hier am Platz, meine Meinung
darüber zu äußern, was aus den Mitgliedern der Geheimen
Gesellschaft geworden wäre, wenn Kaiser Alexander nicht
in Taganrog gestorben wäre. Obgleich ich a priori eine
Folgerung ziehe, bin ich doch überzeugt, daß der Kaiser
die Sache nicht so bekannt, die gerichtliche Untersuchung
betreffs der Geheimen Gesellschaft nicht so öffentlich gemacht hätte. Er hätte wahrscheinlich einige Rädelsführer
ergreifen und lebenslänglich in Schlüsselburg einsperren
lassen, aber er hätte es für eine Schande gehalten, öffentlich
306

303

zu verkünden, daß ein Anschlag gegen seine Regierung gemacht worden wäre. Dadurch, daß man unsere Sache so bekannt machte, verschaffte man uns bei unseren Zeitgenossen und bei der Nachwelt Berühmtheit. Es ist möglich, daß ich mich in meiner Annahme täusche, aber ich glaube: ein Licht unter dem Scheffel wird nicht nur nicht gesehen, es erlischt auch.

Was soll ich über Maiboroda sagen? Er ist eine so gemeine Persönlichkeit, daß man nichts zu seinen Gunsten anführen kann. Er trat bei einem Moskauer Garderegiment ein. Wie und von wo er dorthin kam, weiß ich nicht; es hieß nur, daß die Offiziere seines Regimentes sich über sein anstößiges Benehmen beschwert hätten und daß er deshalb in die Linie versetzt worden wäre. Er kam als Offizier in das Wjatskische Regiment, und da er den Frontdienst sehr genau kannte, wurde er von Pestel zum Führer der ersten Grenadierkompagnie ernannt. Pestel mußte versuchen, sein Regiment, das in dieser Beziehung sehr hinter anderen Regimentern zurückstand, auf die geforderte Höhe der Frontausbildung zu bringen. Maiboroda, der sehr schlau war, begriff, daß er, um sich Pestel geneigt zu machen, bei Erfüllung der ihm gewordenen Aufgabe alle Grausamkeiten gegen die Untergebenen vermeiden müßte. Es gelang ihm wirklich, Pestel dadurch zu fangen und nach und nach sein Vertrauen zu gewinnen. Er gab sich den Anschein, alle Gedanken, Gefühle und politischen Ziele Pestels zu verstehen und wußte ihn so zu bestechen, daß Pestel Maiboroda für würdig hielt, in die Geheime Gesellschaft aufgenommen zu werden. Als ich Pestel einmal besuchte, stellte dieser mir Maiboroda mit den Worten vor: „Er ist einer der unserigen und verdient unser volles Vertrauen." Bei der im Jahre 1823 stattfindenden Parade des südlichen Armeekorps fand das Wjatskische Regiment die besondere Anerkennung des Kaisers. Diese Anerken-

nung, und noch mehr das fortgesetzte Zusammenwirken im Regiment brachte Maiboroda und Pestel einander immer näher. Eines Tages bat Maiboroda Pestel, ihn doch nach Moskau zu schicken und mit Abnahme der kommissarischen Sachen und mit Bestellungen für die Regimenter zu betrauen. Er versicherte Pestel, daß er alles nach bestem Wissen und zum Nutzen des Regimentes ausführen würde. Pestel antwortete ihm, daß die Moskauer Kommission gerade die Abnahme der Sachen angeordnet hätte und diese Gelegenheit günstig wäre, sich zum Zweck freiwilliger Bestellungen mit den Lieferanten in Verbindung zu setzen. Maiboroda erhielt den gewünschten Auftrag, aber bei seiner Rückkehr stellte es sich heraus, daß er seine Versprechungen nicht erfüllt hatte. Er konnte über die Verwendung der ihm anvertrauten Gelder keine genügende Auskunft geben und sollte sich deshalb vor Gericht verantworten. Maiboroda sah keinen Ausweg für sich! Er beschloß daher — gemein, wie er war —, die Geheime Gesellschaft zu verraten, um sich selbst zu retten. Durch das anfängliche Vertrauen Pestels hatte er den Beweis von dem Bestehen der Gesellschaft in Händen und wußte genau, was sie für Ziele verfolgte und wer ihr angehörte.

Er besaß in der Nähe von Elisawetgrad zusammen mit seinem Bruder ein kleines Gut. Unter dem Vorwande, sich von dort Geld holen zu wollen, um die fehlenden Mittel zu beschaffen, erbat er sich von Pestel Urlaub. In Elisawetgrad trat er mit dem vorher erwähnten Boschniak, und durch ihn mit dem Grafen Witt in Verbindung und verriet ihnen alles, was er wußte. Er begnügte sich aber nicht mit dieser verräterischen Handlung, sondern machte auch dem Kaiser, der sich damals in Taganrog befand, direkte Mitteilung von der Sache. Wie ich später erfuhr, hatte der Kaiser mit niemand über diesen Bericht ge-
308

sprochen. Nach seinem Tode fand man ihn auf seinem
Schreibtisch liegen. Diebitsch meldete die Sache gleich
nach Petersburg und beauftragte Tschernüscheff, unverzüglich nach Tultschin zu reisen, um die Untersuchung
einzuleiten. Als Tschernüscheff Gaissin, eine nicht weit
von dem Lager des Wjatskischen Regimentes entfernte
Poststation, passierte, ließ er Maiboroda holen und fuhr
mit ihm zusammen nach Tultschin. Maiboroda überführte
hier durch seine Gegenüberstellung mit den bei der ersten
Untersuchung verhörten Mitgliedern viele ihrer Schuld.

Ich hoffe, daß man aus diesen Zeilen ersehen wird,
daß Maiboroda nicht aus Ergebenheit für die Regierung
Verrat geübt hat, sondern einfach, um sich selbst zu retten.

Obgleich man Sherwood und Maiboroda für ihre in
dieser Sache geleisteten Dienste auszeichnete, war ihr
Schicksal ein trauriges. Sherwood, der in seiner Familie
den Spitznamen „Wjernüi" (der Getreue) führte, wurde
in der Gesellschaft nur „Skwernüi" (der Garstige) genannt. Als er in das Leibdragonerregiment versetzt wurde,
zogen sich seine Gefährten von ihm zurück und riefen ihn
nur mit dem Hundenamen „Fidelka". Da er sich so von
seinen Regimentskameraden ausgestoßen sah, trat er zur
Gendarmerie über, in der Hoffnung, dort Ruhe zu haben.
Aber als er hier wieder mit seinen gewohnten Intrigen
begann und außerdem noch bei einer Abrechnung der Lüge
überführt wurde, stießen auch die Gendarmen ihn aus
ihrem Kreise aus, und er lebte, von allen verachtet, in Not
und Schande.

Maiboroda erging es sehr ähnlich. Er wurde für
seinen Verrat mit Geld belohnt und als Kapitän in die
Garde versetzt. Auch er wurde von seinen Regimentskameraden aufs tiefste verachtet. Später wurde er als
Oberstleutnant in den Kaukasus versetzt und begegnete
auch hier — trotz der Unterstützung, die ihm von der

309

Wolkonski

Obrigkeit zuteil wurde — allgemeiner Verachtung. Als
er zum Regimentskommandeur ernannt wurde, verschwen-
dete er, wie man mir erzählt hat, Kronsgelder und machte
darauf seinem verbrecherischen Leben durch Selbstmord
ein Ende. Von Boschniak habe ich nichts erfahren, aber
da sein Leben so im Dunkeln geblieben ist, hat er wahrscheinlich keinen großen Vorteil von seiner Spionentätig-
keit für Witt gehabt. Von Witt kann ich nur sagen, daß
dieser Mensch es sein Leben lang verstanden hat, sich in
den Deckmantel der Ergebenheit zu hüllen und aus jeder
Affäre tadellos hervorzugehen. Er hat die Geheime Gesellschaft nicht aus Ergebenheit für die Regierung verraten, sondern einzig und allein, weil er hoffte, um dieser
Dienste willen nicht für die veruntreuten Gelder zur Verantwortung gezogen zu werden.

Aber es ist Zeit, daß ich zu dem eigentlichen Gang
meiner Erzählung über die Geheime Gesellschaft und über
meine Mitwirkung bei ihren Handlungen zurückkehre.

4. Kapitel
Kaiser Alexanders Tod und die Folgen des Verrats

Ich blieb in meiner Erzählung bei meinem Gespräch mit Kisselew stehen. Ich glaube nicht, daß ich ihn von einem Nichtbestehen der Geheimen Gesellschaft überzeugte. Von meinem Wirken für die Gesellschaft kann ich nur sagen, daß ich aus vollster Überzeugung alle meine Kräfte in ihren Dienst stellte, bis zu dem großen Augenblick, in dem die Regierung Bericht über die Gesellschaft erhielt. Die Regierung war durch diesen Bericht nicht nur aufmerksam geworden, sondern sie ergriff auch strenge Maßregeln zur Verhütung der von der Gesellschaft geplanten Umwälzungen.

Aber ehe ich darüber berichte, muß ich noch auf Einzelheiten aus diesem Zeitabschnitt eingehen. Es war im November des Jahres 1825. Der Kaiser befand sich in Taganrog, um dort im südlichen Klima seine schwankende Gesundheit wieder zu festigen.

In den ersten Tagen des November war er mit einem kleinen Gefolge in die Krim gereist. Bei einer Fahrt von Sewastopol nach dem Jegorewskischen Kloster war der Kaiser von sehr schlechtem Wetter überrascht worden und hatte sich auf der Rückfahrt erkältet. Zuerst hatte der Kaiser nur ein leichtes Unwohlsein gefühlt, aber auf der Rückreise nach Taganrog hatte sich das Unwohlsein so gesteigert, daß der Kaiser sich veranlaßt gesehen hatte, unterwegs zu übernachten. Der den Kaiser begleitende

311

Wolkonski

Arzt, Wilie, hatte ihm Arznei verordnet; der Kaiser hatte aber gemeint, daß die Nachtruhe und ein gutes Glas Punsch, das ihn zum Transpirieren bringen würde, ihm genügend helfen würden, und hat sich trotz Willes eindringlicher Vorstellungen nicht bewegen lassen, die Arznei zu nehmen. Der Punsch hatte dem Kranken nicht nur keinen Nutzen gebracht, sondern die im Anzuge befindliche entzündliche Krankheit im Gegenteil verschlimmert: bei der Ankunft in Taganrog hatte der Kaiser gefühlt, daß sein Zustand bedenklich geworden war, und am 19. November war er gestorben.

Es hieß, daß die oben erwähnten Berichte, die der Kaiser kurz vor seiner Abreise aus Taganrog erhalten hatte, ihn in sehr starke Erregung versetzt hätten. Der Kaiser hatte sich nicht nur als Beherrscher Rußlands, sondern als Haupt der ganzen europäischen Welt gefühlt. Seiner Meinung nach war er derjenige gewesen, der alle Versuche zur Umgestaltung des politischen Lebens in Europa niedergehalten hatte. Als er erfahren hatte, daß eine kleine Schar feuriger Geister in Rußland selbst eine Umgestaltung erstrebte, soll er sehr bestürzt gewesen sein. Es hieß auch, daß der Kaiser aus Kummer über diese Sache auf den Thron hatte verzichten wollen; wahr ist aber, daß der Kaiser niemandem etwas über die erhaltenen Berichte mitgeteilt hatte; er hatte an Araktschejeff geschrieben und denselben sofort nach Taganrog berufen. Dieser hatte sich aber geweigert, sofort zu kommen, weil er durch die Ermordung seiner Geliebten[13]) in höchste Aufregung versetzt worden war.

Ich muß auch hier wieder einen Augenblick abschweifen, um über eine kleine, mich persönlich betreffende

---

[13]) Die Geliebte Araktschejeffs, N. F. Minkinoi, war lange die Verwalterin seines Gutes Grusina gewesen. Sie wurde von dem Hofgesinde ermordet.

312

Episode zu berichten, da dieselbe beweist, daß der Kaiser Alexander um das Bestehen und das Wirken der Geheimen Gesellschaft gewußt hat. Im Oktober 1823 hielt der Kaiser eine Parade über das zweite Armeekorps, dem ich als Brigadekommandeur angehörte, ab. Während meine Brigade vorbeimarschierte, mußte ich, der dienstlichen Vorschrift gemäß, nicht weit von dem Zaren entfernt, Aufstellung nehmen. Als ich nach dem Vorbeimarsch meiner Brigade mein Pferd wandte, um ihr zu folgen, rief mich plötzlich der Kaiser zu sich heran, und sagte mir: „Ich bin mit Ihrer Brigade sehr zufrieden; das Asowskische Regiment ist eines der besten Regimenter meiner Armee —, das Dnjeprowskische Regiment steht etwas hinter dem anderen Regiment zurück, aber man merkt doch die Früchte Ihrer Arbeit. Meiner Ansicht nach wäre es viel vorteilhafter, Sie widmeten sich ausschließlich dieser Arbeit, anstatt daß Sie sich um die Regierung meines Reiches kümmerten, von der Sie, mit Verlaub zu sagen, ganz und gar nichts verstehen." Diese Worte des Kaisers beweisen, daß derselbe schon damals vieles über die Geheime Gesellschaft wußte. Ich begreife nicht, daß niemand den Worten des Kaisers Aufmerksamkeit schenkte; man beglückwünschte mich nur zu meiner Unterredung mit dem Zaren, und sogar Kisselew sagte mir nach der Parade: „Nun, Bruder Sergei, es scheint gut um dich zu stehen! Der Kaiser hat sich ja lange mit dir unterhalten!" Ich teilte Kisselew mit, was der Kaiser zu mir gesagt hatte, und er fragte mich, was ich zu tun gedächte. „Ich werde mein Abschiedsgesuch einreichen," antwortete ich. „Tue das nicht, Freund," riet Kisselew mir, „schreibe einen Brief an den Zaren und zeige ihm volles Vertrauen; er wird deine Rechtfertigung annehmen und sich davon überzeugen, daß du verleumdet worden bist; gib mir den Brief, ich werde ihn dem Zaren persönlich übergeben." Ich

313

310

schrieb den Brief, und als Kisselew ihn dem Zaren übergab, las derselbe den Brief zweimal durch und sagte dann:
„Monsieur Serge hat mich falsch verstanden. Ich habe ihm
sagen wollen, daß es höchste Zeit war, von dem einge-
schlagenen schlechten Wege abzuweichen, und daß ich
mich freute, daß er es getan hätte. Ich glaube, ich werde
auf der Durchreise sein Brigadequartier passieren, dann
soll er mit einer Ehrenwache da sein, damit ich ihn beruhigen und den durch meine Worte hervorgerufenen
falschen Eindruck zurechtstellen kann."

Als der Zar kam, stellte ich die Ehrenwache; der
Kaiser war außerordentlich zufrieden mit ihr und sagte
mir: „Du hast mich nicht richtig verstanden. Ich habe
dir sagen wollen, daß dein Kopf vordem mit Dingen angefüllt war, die nicht hineingehörten; ich habe mich jetzt
aber davon überzeugt, daß du eifrig bei deiner Arbeit
bist; fahre so fort, und ich werde es mit Freuden aner-
kennen." Ich erzähle diese kleine Episode aus meinem
Leben so ausführlich, um zu beweisen, daß der Zar vieles
über die Geheime Gesellschaft wußte, und daß er mich
und meine Gefährten durch den mir gegebenen Wink
warnen wollte.

Ich war mit meiner Erzählung bis zu dem Tode des
Kaisers gekommen. Die Nachricht war noch nicht allgemein bekannt, als ich sie von einem durchreisenden
Feldjäger erfuhr. Bald nach der Durchreise dieses Feldjägers erschien ein anderer, der die sofortige Ankunft
Tschernüscheffs meldete. Ich empfing ihn dienstlich an
der Station. Zwei ihn begleitende Feldjäger riefen un-
willkürlich in mir den Gedanken wach, daß Tschernüscheff
nicht im Guten käme. Wenn ich jetzt über unser Gespräch nachdenke, will es mir scheinen, als hätte ich damals schon aus seinen Worten erraten können, was mich
erwartete. „Sie sind mit Ihrer Frau hier, Fürst? Wie
314

311

ich höre, sieht sie ihrer Entbindung entgegen? Haben Sie auch alle Vorsichtsmaßregeln getroffen? In dieser ereignisreichen Zeit müssen Sie dafür sorgen, daß alle Vorsichtsmaßregeln getroffen werden." Er wollte mir mit diesen Worten viel sagen, aber ich nahm sie einfach für einen Beweis der Teilnahme an dem Ergehen meiner Frau.

Ich führte damals, in Stellvertretung des sich auf Urlaub befindenden Kornilow, die 19. Division. Zunächst wurde mir befohlen, meiner Division den Eid für Konstantin Pawlowitsch abzunehmen. Am dritten Tage nach der Ankunft Tschernüscheffs begab ich mich mit den Eideslisten der sechs Regimenter in das Hauptquartier. Auf der Station Krapiwnoi erfuhr ich, daß Tschernüscheff und Kisselew in Linz wären, und daß Pestel aus Linz, wo der Stab des Wjatskischen Regimentes lag, nach Tultschin beordert wäre. Der Bursche Pestels sollte auf der Station ergriffen und auf die Wache geführt worden sein. „Das bedeutet nichts gutes," dachte ich! Ich hatte einen Brief an Pestel, der verschiedene Mitteilungen über die Geheime Gesellschaft enthielt, in der Tasche —, kaum hatte ich Krapiwnoi verlassen, so zerriß ich den Brief in tausend kleine Stücke, die ich an verschiedenen Stellen verstreute.

Als ich in Tultschin ankam, hörte ich, daß Pestel unter Aufsicht stände, daß Abramow herbeigerufen wäre, und daß Bariatinski sich zu Sabanjeew begeben hätte. Die Untersuchung hatte begonnen und viele waren schon verhaftet worden. Ich mußte also gute Miene zum bösen Spiel machen. Als ich im Hauptquartier erschien, wurde ich, wie gewöhnlich, sehr liebenswürdig von dem guten, alten Grafen Wittgenstein empfangen. Ich brachte die Eideslisten der Regimenter der 19. Division, die dem Kaiser Konstantin den Untertaneneid geschworen hatten. Von einer Verzichtleistung Konstantins auf den Thron

315

war damals noch nichts bekannt. Da bei uns in Rußland von der Regierung nichts glatt abgewickelt wird, so entstand auch jetzt eine große Verwirrung. Konstantin Pawlowitsch verbot den Bewohnern der ihm unterstellten Gouvernements, ihm den Eid zu leisten, aber die Truppen, die nicht unter seinem Befehle standen, schworen ihm den Eid. Bei meiner Unterredung mit Wittgenstein fragte mich der Graf: „Nun, Fürst — wen erkennst du als Kaiser an?" Ich antwortete: „Denjenigen, dem Sie den Eid schwören." Darauf sagte er mir: „Ich halte Konstantin als den Ältesten für den berechtigten Thronerben."

Ich erbat mir darauf Urlaub von dem Grafen, um meine Frau zu ihren Eltern nach Boltuschka zu bringen. Er sagte mir: „Gehe und zögere keinen Augenblick, und vor allem gehe nicht nach Kamenka zu Dawidow." Das war der einzige Hinweis auf meine Zugehörigkeit zu der Geheimen Gesellschaft. Darauf kehrte ich in mein Quartier zurück. Ich erfuhr hier, daß Pestel sich bei dem diensthabenden General Baikow befände und beschloß, zu versuchen, ob ich ihn dort treffen könnte. Unter dem Vorwande, eine Unterredung über die Verproviantierung der Division haben zu müssen, erschien ich völlig unerwartet bei Baikow. Ich traf ihn mit Pestel Tee trinkend. Mein Kommen schien ihm durchaus nicht angenehm zu sein, aber er wagte doch nicht, mich fortzuweisen. Ich sprach mit Baikow über die Verproviantierung der Division und bat ihn dann, mir, da das Wetter schlecht war, für einen Besuch, den ich Juschnewski machen wollte, einen Wagen besorgen zu lassen. Ich machte diese Bemerkung absichtlich in Pestels Gegenwart, um ihn von der bevorstehenden Zusammenkunft mit Juschnewski in Kenntnis zu setzen. Baikow war augenscheinlich froh, den ungebetenen Gast wieder los zu werden und erfüllte meine Bitte sehr bereitwillig. Während ich auf den Wagen
316

wartete, erschien plötzlich ein Feldjäger aus Taganrog. Baikow mußte sich zum Empfang der Depeschen in das Nebenzimmer begeben, aber die Tür blieb geöffnet, und er wandte kein Auge von Pestel und mir. In dieser kurzen Zeit gelang es mir, Pestel mit leiser Stimme mitzuteilen, was mir ein guter Bekannter über den von Maiboroda über ihn gemachten Bericht gesagt hatte. Pestel antwortete mir, ebenfalls halblaut, darauf: „Sieh, ich werde gar nichts gestehen! Und wenn man mich auch auf die Folter spannen sollte, ich gestehe nichts! Das einzige, was uns verderben kann, ist das ‚russische Gesetzbuch‘, das muß unbedingt vernichtet werden!‘‘

In diesem Augenblick kehrte Baikow zurück, und unsere Unterredung wurde jäh abgebrochen. Ich wiederholte Baikow noch einmal, daß ich zu Juschnewski gehen wollte, um Pestel dadurch anzudeuten, daß ich Juschnewski seine Worte mitteilen und ihn zur Vernichtung des Gesetzbuches veranlassen würde. Unglücklicherweise vernichtete man das „Russische Gesetzbuch‘‘ nicht, sondern vergrub es in dem Dorfe Klebani in einem Garten; dort wurde es später aufgefunden und diente als unwiderlegbarer Beweis für die Schuld Pestels und für die Schuld der ganzen Geheimen Gesellschaft.

Ich traf Kisselew nicht in Tultschin. Er befand sich mit dem Inquisitor Tschernüscheff in Linz in dem Quartier Pestels. Es war mir ganz lieb, daß ich auf diese Weise einer Begegnung mit Kisselew aus dem Wege ging. Außerdem drängte es mich, bei der mir drohenden Gefahr meine Frau so rasch wie möglich zu ihren Eltern zu bringen. Ich machte mich deshalb sofort auf den Rückweg nach Uman und traf um Mitternacht dort ein.

Ich deutete meiner Frau flüchtig an, was in Tultschin geschehen wäre und bat sie, den Diener zu beauftragen,

317

Feuer im Kamin anzuzünden, da mich fröstelte. Es war nur ein Vorwand — ich wollte alle Papiere, die mich kompromittieren konnten, verbrennen. Das Feuer wurde angezündet, die Papiere wurden hineingeworfen, und ich wartete, bis sie zu Asche geworden waren. Unter diesen Papieren hatte sich auch ein noch uneröffneter Brief von Bestushew-Rjumin befunden. Der Brief war an ein Mitglied der polnischen Gesellschaft gerichtet gewesen, das den Auftrag gehabt hatte, die Verhandlungen zwischen unseren beiden Gesellschaften zu führen. Ich war durch irgendwelche Umstände verhindert worden, den Brief, dessen Inhalt ich selbst nicht kannte, an seine Adresse gelangen zu lassen, und hatte ihn deshalb in das Feuer gesteckt. Trotzdem hatte die Petersburger Untersuchungskommission merkwürdigerweise von dem Inhalt des Briefes und dadurch auch von vielen mich anklagenden Tatsachen Kenntnis erhalten.

Am Tage nach meiner Rückkehr brachte ich meine Frau nach Boltuschka; wir übernachteten bei Alexei Petrowitsch Orlow in Matussew und kamen dann am anderen Mittag bei meinem Schwiegervater an. Ich erfuhr hier noch Näheres über die Nachforschung nach der Geheimen Gesellschaft und über die Verhaftung verschiedener Persönlichkeiten; außerdem hörte ich, daß Nikolai als Kaiser anerkannt worden war — und ganz beiläufig erfuhr ich auch etwas über die Petersburger Vorgänge vom 14. Dezember. Schweren Herzens mußte ich mich von meiner Frau trennen und allein nach Uman zurückkehren. Da Kornilow noch auf Urlaub war, erhielt ich aus dem Hauptquartier den Befehl, der Division den Eid für Nikolai Pawlowitsch abzunehmen. Ich nahm erst dem Dnieprowskischen Regiment den Eid ab und begab mich dann nach Stawischtsche, um das Asowskische Regiment zur Eidesleistung zu versammeln. Auf dem Rückwege

318

von Stawischtsche nach Uman begegnete mir ein Kurier mit einer fliegenden Feldpost. Er überbrachte dem Asowskischen Regiment über meinen Kopf herüber einen Befehl von dem eben zurückgekehrten Divisionskommandeur Kornilow, und zugleich die Weisung an den Regimentskommandeur, sich nicht erst an mich, sondern direkt an ihn zu wenden. Es wurde mir klar, daß jetzt auch die Reihe an mich kam! Und wenn ich auch noch nicht verfolgt wurde, so war ich doch bereits in Ungnade gefallen.

Als ich nach Uman zurückkehrte, mußte ich mich dienstlich bei dem Divisionskommandeur melden. Er vermied es, über dienstliche Angelegenheiten mit mir zu reden und unterhielt sich rein persönlich mit mir. Von den Vorgängen des 14. Dezember, denen er als Augenzeuge beigewohnt hatte, wußte er mir viele Einzelheiten zu berichten. Mit seinem gewohnten beißenden Spott erzählte er, wie alle am Hofe, mit Ausnahme des Kaisers Nikolai, den Kopf verloren hätten, und wie leicht es dadurch den Verschwörern gemacht worden wäre, mit Erfolg für ihr Unternehmen zu kämpfen.

Soviel ich mich erinnere, kehrte ich an einem der letzten Dezembertage des Jahres 1825 nach Uman zurück. Am 4. Januar um Mittag erhielt ich die Nachricht aus Boltuschka, daß meine Frau am 2. oder 3. Januar — dessen entsinne ich mich nicht mehr genau — glücklich von einem Knaben entbunden worden wäre. Diese freudige Nachricht erreichte mich in einem Augenblick, in dem sich die Verhältnisse immer mehr für mich zuspitzten; ich war deshalb zweifelhaft, ob man mir gestatten würde, zu meiner Frau zu reisen. Ich begab mich zu Kornilow, teilte ihm das freudige Ereignis mit und bat ihn um Erlaubnis, zu meiner Frau reisen zu dürfen — wenn auch nur für einige Stunden. Kornilow antwortete mir: „Als Ihr Vorgesetzter kann ich Ihnen keinen Urlaub geben, aber da ich selbst
319

Wolkonski

Gatte und Vater bin, will ich bei dieser Gelegenheit ein Auge zudrücken." Diese Zustimmung genügte mir, und ich bereitete mich für die Abreise vor. Witt war damals in Uman, und da ich sehr nah mit ihm bekannt war, erzählte ich ihm von meiner Freude und von den Schwierigkeiten, die sich meiner Abreise in den Weg stellten. In seiner gewöhnlichen heuchlerischen Art bestärkte Witt mich in meinem Entschluß, abzureisen, und ich machte mich nachts auf den Weg. Am 5. Januar frühmorgens traf ich in Boltuschka ein. Meine Frau und meine Schwiegereltern freuten sich sehr, und ich mußte mir gleich meinen Erstgeborenen ansehen! Ich erfuhr hier noch viele Einzelheiten über die Verhaftungen und über den Aufstand vom 14. Dezember — auch daß Sergei Murawiew verhaftet worden war; alle diese Umstände sprachen deutlich dafür, daß man weitgehende Maßregeln gegen die Geheime Gesellschaft ergriffen hatte. Am 7. Januar erschien vor Tagesgrauen ein Expreßbote Kornilows mit einem Brief. Kornilow benachrichtigte mich in diesem Briefe (allerdings fälschlich), daß meine Brigade gegen das Tschernigowskische Regiment marschierte und daß deshalb meine Anwesenheit dringend erwünscht wäre. Ich war mir nicht klar, ob das eine Falle war, die Kornilow mir stellen wollte — und der Überbringer des Briefes wußte entweder nichts über die Angelegenheit oder wollte nicht sprechen. Auf halbem Wege begegnete mir ein heimlich aus meinem Hause in Uman abgesandter Bote, der mir mitteilte, daß mein Haus von einer Schildwache bewacht würde, und daß die Zugangstüren versiegelt wären. Jetzt wurde mir alles klar. Mein Herz zog sich zusammen, nicht aus Furcht vor dem, was mich erwartete, sondern aus Angst vor den schädlichen Folgen, die diese Aufregungen für meine Frau haben konnten.

* * *

320

4. Kapitel

Nach meiner Ankunft in Uman suchte ich sofort meine Wohnung auf, aber der Zutritt zu derselben wurde mir nicht gestattet. Trotzdem es schon Nacht war, begab ich mich sofort zu Kornilow, der mich durchaus liebenswürdig empfing. Er teilte mir mit, daß ein Feldjäger geschickt worden wäre, der mich verhaften und nach Petersburg bringen sollte. Am 7. Januar sollte Haussuchung bei mir gehalten und ich dem Feldjäger überantwortet werden; bis dahin sollte ich mich bei ihm ausruhen.

Ich tat die ganze Nacht kein Auge zu, weil ich immer an meine arme Frau denken mußte. Am anderen Tage begab sich Kornilow mit mir und dem ganzen Divisionsstabe in meine Wohnung. Alle bei mir gefundenen Papiere (sie waren alle bedeutungslos) wurden versiegelt und dem Feldjäger übergeben; dann nahm Kornilow meinen Säbel und das von allen dem Divisionsstabe Angehörenden unterschriebene Protokoll meiner Verhaftung und überlieferte beides dem Feldjäger. Nach dieser Übergabe fuhr eine Troika vor, und ich begab mich mit dem Feldjäger und meinem Burschen auf die Reise. Als ich den Wagen bestieg, las ich in den Augen meiner Kameraden und meiner Leute die größte Teilnahme, und ich weiß es ihnen allen noch heute Dank.

Der mich begleitende Feldjäger — ich weiß nicht mehr, ob er Timofejew oder Andrejew hieß — war sehr höflich gegen mich. Wenn wir Städte passierten, begab er sich stets zu dem militärischen Befehlshaber und ließ mich unterdessen allein. Ich hatte auf diese Weise Gelegenheit, in Berditschew einen Brief an meinen Schwiegervater zu schreiben, in dem ich ihm alles mich Betreffende mitteilte. Vor meiner Abreise aus Uman hatte ich noch, mit Erlaubnis Kornilows, sechs Briefe an meine Frau geschrieben. Ich verschwieg ihr meine Verhaftung und teilte ihr mit, daß ich wegen politischer Zerwürfnisse

Wolkonski

mit der Türkei in das Ausland gehen müßte; — jede Woche sollte ihr einer von diesen Briefen ausgehändigt werden.

Auf der Fahrt überholte ich einige ebenfalls von Feldjägern begleitete Verhaftete. Unter ihnen befanden sich auch die beiden mir nah bekannten Brüder Bobrischtschew-Puschtschin aus Tultschin, die mir viel von den Tultschiner Verhaftungen zu erzählen wußten. Dann begegneten mir der General-Adjutant Demidow und der Flügel-Adjutant Nikolai Dmitriewitsch Durnowo, die auf Allerhöchsten Befehl die Untersuchung bei dem Tschernigowskischen Regiment leiten sollten. Diese beiden mir befreundeten Männer rieten mir dringend, nichts zu verheimlichen, da in Petersburg alles bekannt wäre; sie versicherten mir, daß ich nur, wenn ich alles gestände, auf die unbegrenzte Gnade des Kaisers hoffen dürfte. Dann traf ich noch den aus Petersburg nach Kiew reisenden Adjutanten Fürst Schtscherbatow, dem ich einen Brief für meinen Schwiegervater einhändigte. Unweit von Petersburg fiel mir auf einer Station eine Nummer des „Invaliden" in die Hände. Ich las in dieser Zeitung schon den ersten Bericht über die Entdeckung aller Geheimen Gesellschaften. Einige der Mitglieder waren sogar mit Namen genannt, und die Zeitung meldete, „daß die hinterlistigen und verbrecherischen Ziele der Gesellschaft nicht nur bekannt, sondern auch von den genannten Mitgliedern eingestanden wären". Alle diese Nachrichten, besonders die letzte, ließen mir die Sache in sehr ungünstigem Lichte erscheinen . . . .

Meine Reise in Begleitung des Feldjägers fand endlich ihren Abschluß mit unserer Ankunft in Petersburg. Man führte mich zuerst in das sogenannte Schewelewskische Palais, in dem der Chef des Stabes Seiner Kaiserlichen Hoheit, Baron Diebitsch, wohnte. Der Feldjäger ging hinein, um meine Ankunft, oder richtiger gesagt, meine Herbeiführung, zu melden; ich blieb unterdessen, unter
322

4. Kapitel

Bewachung eines Kasaken, im Wagen zurück. Von hier aus fuhren wir zum Hauptstabe zu dem diensthabenden General Potapow; auch jetzt blieb ich wieder unter Aufsicht des Kasaken im Wagen, während der Feldjäger mit einem mir unbekannten Auftrag zu dem General hineinging. Während der Abwesenheit des Feldjägers begab sich der Adjutant des Baron Diebitsch, Fürst Peter Iwanowitsch Trubetzkoi, eilig in das Haus des diensthabenden Generals und kehrte ebenso eilig zurück. Er erteilte dem Kutscher den Befehl, mich zu dem Winterpalais zu fahren; mit mir wechselte er kein Wort, obgleich wir sehr nah miteinander bekannt waren. Wir fuhren zu dem Teil des Palastes, der damals Stallhof genannt wurde, hier verließ ich den Wagen und wurde durch verschiedene Kellergewölbe geführt, in denen sich mindestens ein ganzes vollständig bewaffnetes Bataillon Garde-Infanterie befand. Ich erwähne diesen Umstand als einen Beweis dafür, daß die Furcht vor einem etwaigen Aufstand noch nicht erloschen war, trotzdem ein Monat seit den Vorgängen des 14. Dezember verstrichen war.

Nachdem ich die Kellergewölbe passiert hatte, wurde ich in den nach der Newa gelegenen Teil der Eremitage[14]), und zwar zunächst in ein Vorzimmer geführt. Dann betrat ich den Empfangssaal, den Bassargin, der in Tultschin verhaftete Adjutant Kisselews, gerade verließ.

Bei meinem Eintritt in den Saal sah ich meinen alten Kriegskameraden, den General Adjutant Wassili Wassiliewitsch Lewaschew am Tische sitzen. Er ging hinaus, um dem Kaiser meine Ankunft zu melden. Ich benutzte die wenigen Augenblicke meines Alleinseins, um in die auf dem Tische liegenden Papiere hineinzusehen. Sie enthielten die Aussagen Bassargins, Lemans und Jakusch-

---

[14]) Berühmte Gemälde-Galerie in Petersburg.

kins, die wahrscheinlich kurz vor mir von Lewaschew vernommen worden waren. Ein flüchtiger Blick in die Papiere genügte mir, um festzustellen, daß alle drei, besonders Bassargin und Jakuschkin, ihre Zugehörigkeit zu der Geheimen Gesellschaft nicht verschwiegen hatten. Allerdings hatten sie nur zugestanden, daß sie der Gesellschaft, solange sie den Namen „Grünes Buch" geführt hatte, angehört hätten — also bis zur Aufstellung der neuen Statuten nach dem Moskauer Kongreß. In die Papiere Lemans konnte ich nicht mehr hineinsehen, weil der Kaiser Nikolai in Begleitung Lewaschews erschien. Der Kaiser wandte sich zu mir und sagte nicht unfreundlich: „Ihr Schicksal hängt von der Wahrheit Ihrer Aussagen ab! Wenn Sie ganz offen sein werden, verspreche ich Ihnen Begnadigung."

Darauf verließ der Kaiser wieder den Saal und ich blieb Auge in Auge mit Lewaschew zurück. Das Verhör begann. Gestützt auf die durch mein Durchblättern der eben erwähnten Papiere erhaltenen Beweise, daß das Bestehen der Geheimen Gesellschaft bekannt war, machte ich meine Aussagen, ohne über den Rahmen der Statuten des „Grünen Buches" hinauszugehen. Lewaschew suchte mich auf Grund unserer alten kameradschaftlichen Beziehungen und aus Ergebenheit für meinen Schwager Peter Michailowitsch zu weiteren Aussagen zu veranlassen, aber es gelang ihm nicht.

Er nahm das Protokoll und begab sich mit demselben zum Kaiser. Kurze Zeit darauf kehrten beide zu mir zurück. Der Kaiser sagte mir: „Ich . . ."

୨୨୨୨୨

324

Nachwort des Sohnes Wolkonskis
1. Kapitel
Verhör und Gefangenschaft

M it diesem Worte des Kaisers Nikolai Pawlowitsch : „Ich"
brechen die Memoiren meines Vaters, des Fürsten
S. G. Wolkonski, ab. Der Tod gestattete ihm nicht, dieselben zu Ende zu führen. — Ich habe die Memoiren durch
Schilderungen von dem ferneren Schicksal des Autors,
in Verbindung mit seinem Familienleben und den politischen Ereignissen jener Zeit, nach offiziellen Dokumenten
und nach anderen Quellen ergänzt. Ich habe mich dabei
— soweit es irgend möglich war — jeder persönlichen Be-
urteilung der Tatsachen und der Ereignisse enthalten. Noch
weniger habe ich mich für berechtigt gehalten, die persönlichen Anschauungen und Überzeugungen meines
Vaters auszulegen. Seine eigenen Worte und die von mir
angeführten Tatsachen, die ich durch eine kurze Erzählung miteinander verbunden habe, sollen sein geistiges
Bild wiedergeben. Ich konnte weder eine Schilderung
seines Familienlebens, noch eine Schilderung des Schicksals seiner Unglücksgefährten umgehen. Beides hängt so
eng zusammen, daß sich das eine nicht ohne das andere
denken läßt. Ich habe mir aber in dieser Beziehung enge
Grenzen gesteckt und die Gefährten meines Vaters nur
erwähnt, soweit sie direkt mit seinem Leben in Zusammenhang stehen.

ꙅꙅꙅꙅꙅ

325

Wolkonski

Ebenso wie der Autor dieser Memoiren wurden auch andere nach Petersburg gebrachte Mitglieder von dem Kaiser persönlich ins Verhör genommen. Der diesen Verhören beiwohnende General Lewaschew nahm alle Aussagen zu Protokoll.

Am 17. Dezember wurde auf Allerhöchsten Befehl eine Kommission zur Ermittelung der böswilligen Gesellschaften eingesetzt. Die Untersuchung wurde am 30. Mai 1826 abgeschlossen und das Ergebnis derselben dem Kaiser mitgeteilt.

Darauf wurde durch ein Allerhöchstes Manifest am 1. Juni das „Obere Kriminalgericht" eingesetzt. 61 Mitglieder der nördlichen Gesellschaft, 37 Mitglieder der südlichen Gesellschaft, 23 Mitglieder der vereinigten Slawen, im ganzen 121 Personen, wurden dem Kriminalgericht überliefert. In den ersten Tagen des Juli machte das Kriminalgericht nach Untersuchung der Angelegenheit dem Kaiser folgenden Bericht: „Nach unseren Gesetzen sind alle Angeklagten ohne Ausnahme des Todes schuldig. Wenn die Verbrecher in Klassen eingeteilt werden sollen und wenn Eure Kaiserliche Hoheit einigen von ihnen das Leben schenken wollen, so wird das keine gesetzliche oder gerichtliche Handlung sein, sondern ein Akt monarchischer Gnade, eine nur bei dieser Gelegenheit durch Allerhöchste Vorherbestimmung zugelassene Ausnahme. Das Gesetz kann der Barmherzigkeit des Selbstherrschers keine Grenzen stecken, aber das Obere Kriminalgericht erkühnt sich, Eurer Kaiserlichen Hoheit vorzustellen, daß es so große, die Sicherheit des Reiches gefährdende Verbrechen gibt, daß Barmherzigkeit durchaus unzulässig erscheint."

Nach Beschluß des Gerichtes wurden folgende Strafvorschläge mit Stimmenmehrheit angenommen: Todesstrafe durch Vierteilung; Todesstrafe durch Enthaupten; 326

den Kopf auf den Block legen mit nachfolgender Verbrennung, und lebenslängliche Zwangsarbeit; Zwangsarbeit von bestimmter Zeitdauer und dann lebenslängliche Ansiedelung; lebenslängliche Verbannung nach Sibirien; Degradation zum gemeinen Soldaten; in allen Fällen vorläufige Aberkennung von Rang und Adel." Nach Annahme dieser Strafvorschläge wurden die Angeklagten in 11 Klassen eingeteilt. Fünf der Angeklagten, die zur Vierteilung verurteilt worden waren, standen außerhalb dieser Klassen.

Auf diesen Bericht des Oberen Kriminalgerichts erfolgte am 10. Juli des Jahres 1826 ein Ukas, der einige der von dem Gericht verhängten Strafen milderte; so wurde die den Verbrechern der ersten Klasse zuerkannte Todesstrafe in lebenslängliche Zwangsarbeit umgewandelt. Die Bestrafung der fünf außer den Klassen stehenden Personen wurde durch Allerhöchsten Befehl dem Gericht „jener endgültigen Entscheidung, die von ihnen im Gericht gefällt werden würde", überlassen. Kraft dieses bestimmte das Gericht: „Nach Gerichtsbeschluß sollen die fünf Verbrecher nicht die qualvolle Strafe der Vierteilung erleiden, sondern gehängt werden."

Fürst S. G. Wolkonski war Mitglied der südlichen Gesellschaft gewesen und hatte an dem Aufstand am 14. Dezember nicht teilgenommen. Er war von dem Oberen Gerichtshof in die erste Klasse der Verbrecher, der 31 Personen angehörten, eingeordnet worden. Die Todesstrafe wurde „in Anerkennung der aufrichtigen Reue in zwanzigjährige Zwangsarbeit und lebenslängliche Ansiedelung" umgewandelt. In dem „Verzeichnis der Staatsverbrecher" war gegen den Generalmajor Fürst Wolkonski ausgesagt: „er stimmte dem Anschlag eines Zarenmordes und einer Ausrottung der ganzen kaiserlichen Familie zu; er hatte die Absicht, die kaiserliche Familie ein-

327

324

zukerkern; er nahm an der Leitung der südlichen Gesellschaft Anteil und bemühte sich, dieselbe mit der nördlichen Gesellschaft zu vereinigen; er ging mit der Absicht
um, dem Lande Provinzen zu entreißen und benutzte ein
gefälschtes Siegel des Feld-Auditoriats".

Diese beiden letzten Punkte der Anklage leugnete
Fürst Wolkonski kategorisch. In bezug auf den ersten
dieser beiden Punkte — einer Lostrennung einiger Provinzen von Rußland — muß ich sagen, daß dieser Gedanke seinen damaligen und seinen späteren Überzeugungen direkt widersprach und daß er immer für ein un-
geteiltes Rußland eingetreten ist. Was den zweiten Punkt
anbetrifft, so hat er einmal wirklich ein Kronssiegel —
aber kein gefälschtes Siegel — benutzt, um einen von ihm
geöffneten Brief zu versiegeln. Er tat das mit Bewilligung
der Person, an die der Brief gerichtet war (N. D. Kisselew),
um dadurch eines der ehemaligen Mitglieder der Gesellschaft, M. O. Orlow, zu retten. Diese ungerechte, seine
Ehre antastende Beschuldigung konnte er sein Leben lang
nicht verwinden. Was den Hauptpunkt, „seine Zustimmung zu dem Plan eines Zarenmordes", anbetrifft, so
hat er ja selbst gesagt, daß man nicht an eine Verwirklichung dieses Planes gedacht hätte, sondern daß durch
die geforderte Zustimmung nur laue Mitglieder ferngehalten werden sollten.

Nach dem Verhör durch den Kaiser Nikolai I. wurde
Fürst S. G. Wolkonski in dem Alexjewskischen Ravelin
der Peter Pauls-Festung gefangen gehalten; dort verblieb
er, bis er nach Sibirien gebracht wurde.

Die Gefangenschaft in der engen, halbdunklen und
feuchten Zelle der Peter Pauls-Festung war wohl die
schwerste Zeit im Leben des Fürsten S. G. Wolkonski.
Er hatte nicht nur unter physischem Unbehagen, sondern
auch unter moralischem Druck zu leiden. Er wußte nichts
328

von seiner Frau und seinem kleinen Kinde, die in Klein-
Rußland geblieben waren, er erhielt keine Nachrichten
von seiner Mutter und seinen Geschwistern, und die Zukunft lag völlig in Dunkel gehüllt vor ihm. Das alles
wirkte ungünstig auf seinen Seelenzustand. Mehr als alles
andere bedrückten ihn die täglichen, im Hause des Kommandanten stattfindenden Verhöre der Untersuchungskommission. Wie aus dem Urteil des Oberen Gerichtshofes
zu ersehen ist, war Fürst Wolkonski in seinen Aussagen
in bezug auf sich selbst absolut offen; aber er hatte die
größte Furcht, durch seine Aussage andere unbeteiligte
Leute mit in die Sache hineinzuziehen oder das Beweis-
material für die Schuld der beteiligten Personen noch zu
vergrößern.

Unterdessen folgte ein Verhör dem anderen; Kon-
frontierungen und Kreuzverhöre fanden statt. Bei einem
dieser Verhöre wandte sich der General-Adjutant Tschernüscheff an den Fürsten Wolkonski und sagte ihm:
„Schämen Sie sich, Generalmajor Fürst Wolkonski, die
Fähnriche legen eine bessere Gesinnung an den Tag als
Sie!" Diese von vielen gehörten Worte blieben in dem
Gedächtnis der Verurteilten als ein Charakteristikum des
Menschen, der sie aussprach, haften. Hier ist es auch
am Platze, von dem Eindruck zu sprechen, den einige
Mitglieder der Untersuchungskommission den Verurteilten
hinterließen. Der Vorsitzende, Kriegsminister Tatischtschew, der beständig anwesend sein mußte, nahm wenig
persönlichen Anteil an den Verhören. W. K. Michail Pawlowitsch betrug sich sehr würdig und blieb in gutem Andenken; ebenso General Benkendorf, der, trotzdem er auf
alle Einzelheiten der Aussagen einging, doch stets ehrlich
und höflich war. Den unangenehmsten Eindruck hinterließ Tschernüscheff; er wurde mehr als einmal von Benkendorf und anderen Mitgliedern aufmerksam gemacht,

329

daß er mit seinen Fragen weit über seine Befugnisse hinausginge; trotzdem er kein Hauptmitglied der Kommission war, war er beständig anwesend und leitete die Verhöre unermüdlich. Der Geschäftsführer, Bludow, war fast niemals anwesend, aber er verglich in seiner Kanzlei alle schriftlichen Aussagen miteinander und stellte aus ihnen die Folgerungen und den Bericht der Untersuchungskommission zusammen; in den Sitzungen ließ er sich durch den zeitweilig mit dem Amt eines Sekretärs betrauten Oberst Adlerberg vertreten.

Aus der Zeit der Gefangenschaft des Fürsten Sergei Wolkonski weiß ich wenig Näheres. Folgendes Schreiben des Fürsten an seine Schwester Sofie Grigorejewna Wolkonski blieb erhalten; es ist mit ganz feiner Schrift auf ein kleines Stück Papier geschrieben: „Teure Freundin, ich schicke Dir heimlich ein Briefchen; bitte, wahre das Geheimnis, sonst stürzt Du mich und den Überbringer dieses Briefes ins Verderben. Gib dem Boten 15 Rubel und versprich ihm weitere zehn Rubel, wenn er Dir wieder Nachricht bringen würde. Schicke mir durch ihn Nachricht; bemerke aber nicht, daß Du mein Briefchen erhalten hast und schreibe auch keine Adresse auf Deinen Brief; am besten wäre es, Du schriebest nicht selbst. Schreibe mir auf einem Fetzen Papier, aber deutlich. Ich fürchte sehr, daß man mich fortschicken wird, ohne daß ich Dich gesehen haben werde. Ich habe jedenfalls dem Boten gesagt, daß er es Dir melden soll —, er fürchtet sich, Dich zu erschrecken. Wenn ich dann auch schon meine Zelle verlassen habe, so wirst Du doch wenigstens wissen, daß ich nicht mehr hier bin, und dann kannst Du ja auch versuchen, mir das Geld zukommen zu lassen, das Du mir geben willst. Man hat mir im geheimen anvertraut, daß man uns auf Transportwagen befördern wird, — ich weiß nicht, ob nur bis zur Wolga oder bis an
330

327

unseren Bestimmungsort. Wenn wir auf die Weise bis nach Sibirien befördert werden sollen, so kann ich mir nicht vorstellen, wie ich das bei meinem geschwächten Gesundheitszustande ertragen sollte. Eine Fußreise würde meiner Gesundheit sogar zuträglicher sein als eine rasende Wagenfahrt. Einige Frauen sollen schon die Erlaubnis erbeten und erhalten haben, das Schicksal ihrer Männer teilen und ihnen an ihren Bestimmungsort folgen zu dürfen. Werde ich auch das Glück haben? Wird meine angebetete Frau mir diesen Trost zuteil werden lassen? Ich zweifele gar nicht daran, daß sie bereit sein wird, mir jedes Opfer zu bringen, aber ich fürchte feindliche Einflüsse. Man hält sie Euch allen fern, um besser auf sie einwirken zu können. Ich wünschte sehr, daß meine Frau, wenn sie mich besuchen darf, ohne ihren Bruder käme; er würde sie mir sofort entführen. Die Begleitung eines Arztes würde viel notwendiger sein. Wird meine Frau mir nicht den Trost zuteil werden lassen, den andere Frauen ihren Männern zuteil werden lassen? Ich weiß wohl, was sie ihrem Sohne schuldig ist, und ich würde sie gewiß nicht für immer von dem armen Kinde trennen wollen. Gib mir doch Nachricht. Was können wir von der Krönung erwarten? Werden die guten und tugendhaften Kaiserinnen nicht Mitleid mit unseren armen Müttern, Frauen und Verwandten haben? Wird man unser Los nicht zu erleichtern suchen? Werden sich die hochgestellten Verwandten, Freunde und Bekannten nicht für die Opfer der politischen Überzeugungen, deren Ausführung noch so fern lag, interessieren? Man verzeiht manchmal Verbrechen; wird man Irrtümern gegenüber unerbittlich sein? Bemüht Euch doch, auf die öffentliche Meinung einzuwirken, sie tritt doch oft für die Unglücklichen ein. Man hat mir im geheimen anvertraut, daß man an unserem Bestimmungsort Häuser für uns er-

331

Wolkonski

richtet, in denen wir mit unseren Frauen wohnen können. Werden wir und sie in Sibirien in strenger Haft gehalten werden? Was für eine schreckliche Zukunft liegt vor uns! Ich bitte Dich, schweige über alles, was ich Dir schreibe, sonst schadest Du mir! Sorge dafür, daß meine Frau einige Mittel zu ihrer Verfügung hat und verschaffe auch mir etwas Geld . . . . Ich drücke Dich, meine Frau und meinen Sohn an mein Herz!" Außer diesem Schreiben blieb noch ein Aquarell-Porträt der Frau Wolkonskis erhalten. Man hatte ihm erlaubt, dasselbe in der Festung bei sich zu haben; nach Sibirien durfte er es nicht mitnehmen, deshalb schickte er es seiner Schwester mit der Unterschrift: „Ich vertraue meiner Schwester Sophie diejenige an, die mir das Glück geschaffen hat, das ich selbst zerstört habe."

Ende April hatte Fürst S. G. Wolkonski die Freude, seine Frau wiedersehen zu dürfen. Der Kaiser Nikolai Pawlowitsch hatte dieses Wiedersehen gestattet, und als er erfahren hatte, daß die Fürstin Wolkonskaja krank wäre, hatte er befohlen, daß ein Arzt sie begleiten und Graf Orlow sie persönlich in die Festung bringen sollte. Das Wiedersehen fand im Hause und in Gegenwart des Kommandanten statt. Wie es scheint, haben sich die Gatten nur dieses eine Mal sehen dürfen.

2. Kapitel
Die Frauen der Staatsgefangenen in Sibirien

Der 12. Juli des Jahres 1826 war herangekommen; die Untersuchung war abgeschlossen und das Obere Kriminalgericht sammelte sich in der Festung, um den Angeklagten das Urteil zu verkünden. Die Angeklagten wurden klassenweise, so wie sie vom Gericht eingeordnet worden waren, hereingeführt und nach Verkündigung des Urteilsspruches wieder in ihre Zellen zurückgebracht.

Ich muß hier noch einen Umstand erwähnen, auf den ich später noch wieder zurückkommen werde. Fürst S. G. Wolkonski blieb offiziellen Dokumenten nach der ersten Klasse der Verbrecher beigeordnet; aus den Familiendokumenten ist aber ersichtlich, daß die Bitten seiner Mutter, der Fürstin Alexandra Nikolajewna Wolkonskaja, den Kaiser Nikolai veranlaßten, den Fürsten der zweiten Klasse der Staatsverbrecher zuzuteilen. Dieser Umstand gewann erst bei der im Jahre 1856 erfolgenden Begnadigung aller Verurteilten Bedeutung. Nur den Verbrechern der ersten Klasse wurde es verboten, wieder ihren Fürstentitel zu führen.

Der 13. Juli war der Tag der Urteilsvollstreckung.

Beim Morgengrauen wurden alle Angeklagten in den Festungshof geführt, der von Truppen aller Waffengattungen umstellt war. Hier sahen sich alle Angeklagten, mit Ausnahme der fünf zum Tode Verurteilten, wieder. Jeder Angeklagte mußte niederknien, dann wurde sein Degen über seinem Kopf zerbrochen, seine Uniform und seine Orden wurden auf einen brennenden Scheiterhaufen geworfen. Nachdem die Angeklagten in das Gefängnis

333

zurückgeführt worden waren, wurde die Exekution an den fünf zum Tode Verurteilten vollzogen.

Einige Tage später begann der Transport der Verurteilten an ihren Bestimmungsort.

Laut Familienpapieren wurde S. G. Wolkonski in der Nacht vom 26. Juli transportiert. In jedem Wagen saß ein Arrestant und neben ihm ein Gendarm; alle Gefangenen hatten Ketten an den Füßen. Die Gendarmen bemühten sich unterwegs, alle Neugierigen fern zu halten; die Gefangenen selbst hielten, um jedes Aufsehen zu vermeiden, beim Aussteigen ihre Ketten so, daß sie nicht klirren konnten. Die Reise war nach Aussage der Gendarmen eine sehr beschwerliche, weil die Gefangenen von der Erschütterung des raschen Fahrens oft schwach wurden oder fieberten. Die Ketten scheuerten ihnen die Füße wund, so daß man gezwungen war, ihnen dieselben abzunehmen, um das Blut abzuwischen, — aber dann wurden sie ihnen sofort wieder angelegt. Bisweilen kam es auch vor, daß sie eine Strecke ohne Ketten zurücklegen durften. Schließlich sagten die Gendarmen noch aus, daß die Gefangenen, besonders solange die Fahrt durch russische Gouvernements ging, sehr traurig und schweigsam gewesen wären und häufig geweint hätten. Auf den Stationen hätten sie französisch miteinander gesprochen. Erst in Sibirien hätte ihre Traurigkeit etwas nachgelassen; sie hätten sich bei den Stationsaufsehern nach Nertschinsk erkundigt und sich miteinander darüber unterhalten, wie sich ihr Leben dort gestalten würde. Sie hätten dann bei diesem Gespräch mehr Fassung gezeigt als zu Beginn der Reise.

4 Gefangene der ersten Klasse kamen am 27. August nach einer 37tägigen Reise in Irkutsk an. Ungefähr um dieselbe Zeit trafen die nächsten Vier, unter denen sich wahrscheinlich Fürst Wolkonski befand, dort ein.
334

Nachwort

Von Irkutsk aus wurden die Gefangenen in die Minen von Nertschinsk gesandt, und am 25. Oktober 1826 kamen sie in das 12 Werst von Nertschinsk entfernt liegende Blagodatskische Bergwerk. Hinsichtlich ihres Unterhaltes und ihrer Verwendung zur Arbeit gab der Gouverneur Zeidler, gestützt auf Allerhöchsten Befehl, dem Chef der Minen, Burnaschew, die Anweisung: „daß diese Verbrecher, so wie es sich gehörte, zur Arbeit verwendet werden sollten, und daß mit ihnen in jeder Beziehung genau so verfahren werden sollte, wie mit den anderen Sträflingen; sie sollten streng unter Aufsicht eines bestimmten Beamten stehen und jeden Monat sollte Seiner Majestät durch den Hauptstab über ihren Zustand Bericht erstattet werden". Gouverneur Zeidler wies übrigens besonders darauf hin, daß das Bergwerk für die Staatsverbrecher nicht an der großen Straße und nicht nahe der chinesischen Grenze liegen dürfte. Außerdem ordnete er an, nicht zuzulassen: „daß sich die Staatsverbrecher wie die anderen Sträflinge nach Beendigung der Zwangsarbeit mit freiwilligen Arbeiten beschäftigten, um sich mehr Mittel für ihren Unterhalt zu verschaffen".

Die Fürstin Maria Nikolajewna Wolkonskaja und die Fürstin Jekaterina Iwanowna Trubetzkaja waren inzwischen von Petersburg nach Sibirien gereist, um das Schicksal ihrer Männer zu teilen. Die Fürstin Wolkonskaja hatte gegen den Willen ihres Vaters und gegen die Wünsche ihrer ganzen Familie gehandelt. Ohne das Wissen ihrer Familie hatte sie anfänglich auf privatem Wege versucht, die Erlaubnis zu erlangen, ihrem Gatten folgen zu dürfen; dann hatte sie sich mit einem Brief an den Kaiser gewandt und folgende Antwort erhalten: „J'ai reçu, Princesse, la lettre que vous m'avez écrite du 15 de ce mois, j'y ai vu avec plaisir l'expression des sentiments que vous me témoignez pour l'intérêt que je vous porte,

335

Wolkonski

mais c'est à cause de cet intérêt même que je prends à Vous, que je crois devoir renouveler ici les avertissements que je vous ai déjà communiqués sur ce qui vous attend une fois passé Irkoutsk. Au reste j'abandonne entièrement à votre propre conviction, Madame, de vous décider à tel parti que Vous jugerez le plus convenable dans votre situation.

Votre affectionné

1826 le 21 Décembre. (Signé) Nicolas.[15]

Später hatte der Kaiser noch zweimal den Versuch gemacht, die Fürstin Wolkonskaja von ihrem gefaßten Entschluß abzubringen — einmal durch einen Feldjäger, der sie vor der Fahrt über den Ural einholte; ein zweites Mal in Irkutsk durch den General-Gouverneur Zeidler.

Als man einsah, daß der Entschluß der Fürstin unbeugsam war, legte man ihr in Irkutsk folgende Erklärung zur Unterschrift vor:

„1. Die Frau, die ihrem Gatten folgt und mit ihm in ehelicher Gemeinschaft weiterlebt, macht sich natürlich zur Teilhaberin seines Schicksals und verliert ihren bisherigen Stand, d. h., sie wird nicht anders angesehen wie die Frau jedes gemeinen Verbrechers. Außerdem muß sie alles tragen, was diese Lage an Schwierigem

---

[15]) Ich habe Ihren Brief vom 15. dieses Monats erhalten, Fürstin, und ich habe mit Vergnügen den Ausdruck der dankbaren Gefühle, die Sie mir für mein Ihnen gezeigtes Interesse bezeigen, entgegengenommen. Aus diesem Interesse heraus glaube ich Sie noch einmal auf das hinweisen zu müssen, was Sie erwartet, sobald Sie über Irkutsk hinaus sind. Im übrigen überlasse ich es ganz Ihrem eigenen Ermessen, Madame, den Weg zu wählen, der Ihnen in Ihrer Lage als der richtige erscheint.

Ihr wohlgeneigter

1826, den 21. Dezember. (Unterzeichneter) Nikolai.

336

mit sich bringt — selbst die Obrigkeit wird nicht imstande sein, sie vor den stündlichen, groben Beleidigungen von Leuten der gemeinsten, verachtetsten Klasse zu schützen; diese Leute haben das Recht, zu glauben, daß die Frau des Staatsverbrechers, dem dieselbe Strafe zuteil geworden ist wie ihnen, ihresgleichen sei. Diese Beleidigungen können sogar bis zur Vergewaltigung gehen. Solche versteckten Bösewichte hält auch die Furcht vor Strafe nicht zurück.

2. Die Kinder, die in Sibirien gezeugt werden, werden Kronbergwerks-Arbeiter.

3. Es ist weder erlaubt, bares Geld noch Wertsachen mitzunehmen; dieses verstößt erstens gegen die Regel, zweitens ist dieses Verbot aber auch im Interesse der betreffenden Persönlichkeit notwendig, weil die in diesen Orten lebenden Leute zu jeder Art von Verbrechen bereit sind.

4. Mit der Abreise nach Nertschinsk erlischt das Recht auf den Besitz Leibeigener."

Nachdem die Fürstin dieses Schriftstück unterschrieben hatte, durfte sie abreisen. Am 28. Februar 1827 traf die Fürstin im Blagodatskischen Bergwerk ein; sie bezog, zusammen mit der Fürstin Trubetzkaja, eine dem Gefängnis gegenüberliegende Hütte. Nachdem ihr gestattet worden war, dort zu wohnen, berichtete der Chef der Minen von Nertschinsk, Burnaschew, am 11. Februar darüber an den Kommandanten der Minen, General Leparsky; zugleich legte er folgende in seiner und zweier Beamten Gegenwart schriftlich aufgenommene Erklärung der Fürstin bei:

„1. Da ich das Schicksal meines Gatten zu teilen und in der Ansiedelung, in der er gefangen gehalten wird, zu leben wünsche, verpflichte ich mich, keinerlei Versuche zu machen, meinen Gatten zu sehen, außer an den von

Wolkonski

dem Herrn Kommandanten gestatteten Tagen — und zwar
jeden dritten Tag.

2. Ich verpflichte mich, meinem Gatten keinerlei
Sachen, weder Geld noch Papier, Tinte oder Bleistifte
ohne Wissen des Herrn Kommandanten oder des auf-
sichtführenden Offiziers zukommen zu lassen.

3. Ich verpflichte mich, auch von ihm keinerlei
Sachen, besonders keine Briefe oder irgendwelche Schriftstücke anzunehmen und sie an von ihm bezeichnete Personen zu befördern.

4. Ich verpflichte mich, auf keinen Fall irgendwelche
Briefe oder Schriftstücke anders als durch den Kommandanten fortschicken zu lassen; ebenso verpflichte ich mich,
dem Herrn Kommandanten davon Meldung zu machen,
wenn ich an mich oder meinen Mann gerichtete Briefe
von Freunden oder Verwandten nicht durch seine Ver-
mittelung erhalte.

5. Dasselbe verspreche ich im Falle, daß mein Mann
und ich direkt Sachen oder Geld geschickt bekommen
sollten.

6. Ich verpflichte mich, von meinen Sachen, deren
Register in den Händen des Herrn Kommandanten ist,
nichts ohne Wissen des Herrn Kommandanten zu ver-
schenken oder zu vernichten. Ebenso verpflichte ich mich,
über meine eigenen Gelder, die mir der Herr Kommandant für meine Lebensbedürfnisse zu behalten gestattet
hat, genau Buch zu führen und das Buch auf Wunsch
des Herrn Kommandanten demselben vorzulegen. Wenn
man bei mir Sachen oder Gelder findet, die ich vor dem
Herrn Kommandanten versteckt gehalten habe, so unter-
werfe ich mich dem gerichtlichen Urteil.

7. Ich verpflichte mich, meinem Gatten niemals irgendwelche berauschende Getränke, wie Wein, Schnaps, Bier
und Met zu schicken; ebenso verpflichte ich mich, ihm
338

die Eßvorräte, die ich ihm verschaffen darf, durch den ältesten Wacht-Unteroffizier zustellen zu lassen und nicht durch meine Leute, denen eine persönliche Begegnung mit meinem Manne verboten ist.

8. Ich verpflichte mich, meinen Gatten nur zur festgesetzten Zeit und in Gegenwart des diensthabenden Offiziers im Gefängnis selbst zu sehen und nichts Überflüssiges, nichts Ungehöriges mit ihm zu sprechen; ebenso verpflichte ich mich, die Unterhaltung nur in russischer Sprache zu führen.

9. Ich verpflichte mich, keine Diener oder Arbeiter zu mieten, sondern mich mit den mir gestellten Leuten, einem männlichen und einem weiblichen Dienstboten, zu begnügen. Ich bin verantwortlich dafür, daß meine Leute nicht mit meinem Manne in Berührung kommen und hafte für ihr Betragen. '

10. Nachdem ich diese Erklärung abgegeben habe, verpflichte ich mich, niemals ohne Wissen des Kommandanten den mir zum Aufenthalt angewiesenen Ort zu verlassen oder meine Leute aus dem Ort fortzuschicken. Im Fall der Abwesenheit des Kommandanten verpflichte ich mich, dem ältesten Offizier davon Mitteilung zu machen.

Zur Bestätigung, daß ich alle die obengenannten Forderungen genau erfüllen werde, unterzeichne ich dieses Schriftstück. Mine von Nertschinsk im Februar 1827." —

Zur Beaufsichtigung der Staatsverbrecher war ein Kommandant eingesetzt worden, der obenerwähnte Generalmajor Leparsky.

Das Gefängnis, in dem die Arrestanten untergebracht wurden, war eng und schmutzig; es war durch eine Mauer in zwei große Zimmer geteilt; in dem einen lebten die gemeinen Sträflinge — und in dem anderen die Staatsverbrecher; das Zimmer der Staatsverbrecher war in kleine, niedrige und dunkle Zellen eingeteilt, in denen man weder

Wolkonski

stehen noch sich beschäftigen konnte. Wolkonski lebte in einer Zelle mit Trubetzkoi und Obolenski. Die in Ketten geschmiedeten Gefangenen arbeiteten von 5 Uhr morgens bis 11 Uhr vormittags in den Schächten. Nach Vorschrift mußte jeder etwa drei Pud Erz aushauen. Auf Allerhöchsten Befehl vom 22. August 1836 wurde die zwanzigjährige Zwangsarbeit von S. G. Wolkonski in fünfzehnjährige umgewandelt.

Anstatt einer Schilderung des Lebens in dem Bergwerk will ich hier einige den „Berichten über Führung, Beschäftigung und Gesundheit der Staatsverbrecher" entnommene Meldungen wiedergeben. Die Berichte wurden täglich von den Gefangenenaufsehern gemacht und einmal wöchentlich an den Chef der Minen von Nertschinsk, Burnaschew, geschickt; sie geben ein ganz klares Bild von dem Leben der Staatsverbrecher in dieser Periode. In einem dieser Berichte ist gesagt: „Sie führten sich gut, waren fleißig bei der Arbeit und sprachen nichts Ungehöriges. Sie gehorchten den Aufsehern und zeigten sich sehr bescheiden. In ihren Zellen hörte man keine murrenden Worte, nur Worte der Reue über ihre Verbrechen." Im Dezember des Jahres 1826: „Sergei Trubetzkoi ist von einer Brustkrankheit befallen worden, wie es scheint von Schwindsucht. Er hustet Blut aus und fühlt eine große Schwäche in der Brust." 16. Februar 1827: „Sergei Trubetzkoi und Sergei Wolkonski waren über die Maßen froh über die Ankunft ihrer Frauen." 1. April 1827: „Seit dem 22. März leidet Sergei Wolkonski an einem Erkältungsfieber." März 1827: „Sergei Trubetzkoi und Sergei Wolkonski gewöhnen sich an die Art des hiesigen Lebens, sie werden zufriedener; Wolkonski ist seiner schwachen Gesundheit halber oft in sich gekehrt." 28. Februar: „Sergei Wolkonski ging nicht zur Arbeit, weil er ein Zusammentreffen mit seiner Frau hatte." Sergei Trubetzkoi

340

und Sergei Wolkonski durften am 14. März ihre Frauen
sehen und wurden nicht zur Arbeit geschickt. Ebenso am
17., 20., 23., 26. und 29. März." 1. April 1827: „Artamon Murawiew leidet seelisch, seit er am 27. März einen
Brief von seiner Frau erhalten hat. (Es ist bekannt, daß
ihm seine Frau nicht nach Sibirien gefolgt ist.) Alexander
Jakubowitsch klagt häufig über Schmerzen im Kopf, die
von einer im Kaukasus erhaltenen Wunde herrühren, und
über Schmerzen in der Brust. Trotzdem geht er ohne
Murren zur Arbeit — er ist sehr niedergeschlagen, zwingt
sich aber, bisweilen heiter zu scheinen." Im Monat März:
„Sergei Wolkonski und andere arbeiteten fleißig im Bergwerk; sie bemühten sich, heiter zu sein, und arbeiteten
mit großer Ausdauer." Von den Brüdern Borissow wird
wiederholt gesagt: „Sie sind immer traurig und still und
ertragen ihr Schicksal schweigend und mit großer Geduld." Von Wassili Dawidow wird häufig gesagt: „Er
kann auch heiter sein, ist es aber äußerst selten." Häufig
heißt es: „Die Gefangenen beschäftigen sich viel mit der
Lektüre heiliger Schriften." Außerdem wird in bezug auf
sie alle gesagt: „Sie leben sehr freundschaftlich miteinander; die Eßvorräte, die ihnen die Fürstinnen Trubetzkaja und Wolkonskaja bringen, verbrauchen sie alle
gemeinsam, ebenso teilen sie sich in den Tabak und häufig
auch in die Kleidungsstücke, ohne irgendwelchen Abzug von Geld." Alle übrigen Bemerkungen sind den hier
erwähnten sehr ähnlich; man findet keine einzige tadelnde
Äußerung. Gegen Ende der Gefangenschaft nahm die
Strenge gegen die Staatsverbrecher sichtlich ab.

Der Aufenthalt im Blagodatskischen Bergwerk dauerte
bis zum 13. September 1827, im ganzen 11 Monate. General Leparsky, dem die Wahl für einen passenden Ort
zur Unterbringung der Dekabristen überlassen worden
war, hatte Tschita erwählt und dort den Bau eines großen

341

Gefängnisses angeordnet. Am 9. September traf General Leparsky folgende Verfügung: „Die Fürstinnen Wolkonskaja und Trubetzkaja begeben sich am 11. September in Begleitung des Unteroffiziers Makawejew nach Tschita. Dem Unteroffizier ist ein offener Befehl mitzugeben, auf den hin ihm auf jeder Station zwei bis drei bewaffnete und berittene Männer zum Schutz der Fürstinnen zur Verfügung gestellt werden. Am 13. September machen sich die acht Staatsverbrecher in Begleitung des im Blagodatskischen Bergwerk befindlichen Kommandos, bestehend aus einem Unteroffizier und zwölf Kasaken, in vorgeschriebener Weise auf den Weg." Von Station zu Station begleiteten fünf berittene und bewaffnete Bauern die Gefangenen, bei den Nachtquartieren waren sechs Leute zur Unterstützung der Kasaken zur Hand. Wenn ihnen eine Abteilung Verbannter begegnete, so wurden die Staatsverbrecher etwas abseits von der großen Straße geführt.

Die Fürstinnen Trubetzkaja und Wolkonskaja trafen nach einigen Tagen in Tschita ein und mieteten sich bei dem Ortsdiakon ein Zimmer. Zwei Tage später trafen die acht Staatsverbrecher aus Blagodatski ein und wurden in dem Gefängnis untergebracht. Die Lage der Gefangenen in Tschita war anfänglich eine sehr schwierige, aber dank der Fürsorge des Generals Leparsky besserte sich dieselbe allmählich bedeutend. (Siehe Memoiren von Jakuschkin.) General Leparsky erfreute sich allgemeiner Beliebtheit. Jeder der Gefangenen bewahrte sich zum Andenken an ihn ein von N. A. Bestushew in vielen Exemplaren gemaltes Aquarellporträt auf. Man sagte, daß der Kaiser Leparsky beauftragt hätte, streng, aber herzlich gegen die Gefangenen zu sein. Jedenfalls änderte sich überall, wo Leparsky die Hand im Spiele hatte — in Nertschinsk, Tschita und Petrowsk —, sofort der Ton
342

der Unterbeamten; sie wurden freundlich, hielten streng die gegebenen Vorschriften inne, aber ließen alle möglichen Erleichterungen und Freiheiten zu.

Der Aufenthalt in Tschita dauerte vier Jahre. In dieser Zeit erlebten Wolkonskis drei Trauerfälle. Im Jahre 1829 starb der Vater der Fürstin, Nikolai Nikolajewitsch Rajewski. Ein halbes Jahr darauf starb ihr $1^{1}/_{2}$ Jahre alter in Rußland zurückgelassener Sohn Nikolai. Zuletzt starb ihr in Tschita geborenes Töchterchen Sofie, das nur einen Tag alt geworden war. Im Jahre 1830 siedelten die Gefangenen nach Petrowsk über (siehe Jakuschkin) — die Frauen lebten erst mit in den Kasematten und bauten sich dann ihre eigenen Häuser. Im Jahre 1835 erhielt S. G. Wolkonski die Erlaubnis, im Hause seiner Frau wohnen zu dürfen.

Im Frühling des Jahres 1832 wurde ihnen ihr Sohn Michail, zwei und ein halbes Jahr später ihre Tochter Jelena geboren. Seit dieser Zeit teilte die Fürstin ihre Sorge zwischen ihrem Mann und ihren Kindern. Sie widmete sich mit großer Hingebung der Pflege und Erziehung ihrer Kinder. In Petrowsk ließ der Gesundheitszustand des Fürsten Wolkonski viel zu wünschen übrig. Im Frühjahr 1836 war er zwei Monate lang durch Rheumatismus an das Bett gefesselt. Man schickte ihn deshalb in das 180 Werst von Werchneudinsk entfernt gelegene Bad Turkinsk; im Juli 1836 kam er unter Aufsicht zweier Kasaken nach Petrowsk zurück. Hier war es inzwischen viel leerer geworden — Wolf und die übrigen, die sich mit Medizin beschäftigt hatten, waren in Ansiedelungen geschickt worden, so daß keine ärztliche Hilfe mehr zu haben war. S. G. Wolkonski mußte immer noch in Petrowsk bleiben.

Ein Jahr vorher war schon die Rede davon gewesen, Fürst Wolkonski von der Zwangsarbeit zu befreien. Nach

343

dem Tode seiner Mutter hatte man bei Eröffnung ihres
Testaments einen von ihr an den Kaiser gerichteten Brief
gefunden, in dem sie gebeten hatte, nach ihrem Tode das
Los ihres Sohnes zu erleichtern, ihn aus Sibirien heraus-
zuführen und ihm zu gestatten, unter Aufsicht auf seinem
Gute zu leben. Nachdem dieser Brief dem Kaiser vor-
gelegt worden war, schrieb der Kriegsminister Graf Tscher-
nütscheff an den Grafen Benkendorf: „Seine Majestät
finden es unmöglich, diesen Wunsch der verstorbenen
Fürstin zu erfüllen, aber ihrem Andenken zu Ehren soll
Fürst S. Wolkonski von der Zwangsarbeit befreit und in
Sibirien angesiedelt werden.“

Graf Tschernütscheff fragte zugleich an, welcher Ort
oder welche Stadt dem Fürsten als Aufenthaltsort angewiesen werden sollte. Diese Frage über die Wahl des
Ansiedelungsortes blieb zwei Jahre lang unentschieden.
Unterdessen saß Fürst Wolkonski in qualvoller Erwartung in Petrowsk und versuchte vergeblich, sich zu erklären, warum ihm die verheißene Gnade nicht zuteil
würde. Graf Benkendorf hatte auf die Frage Graf Tscher-
nütscheffs geantwortet, daß vielleicht die Stadt Kurgan
ein passender Aufenthaltsort für Wolkonski sein würde,
doch wären dort schon sechs der Staatsverbrecher angesiedelt; wenn Seine Majestät Kurgan nicht passend
finden sollten, so wäre noch Jalutorowsk vorzuschlagen.
Graf Tschernütscheff erwiderte darauf: „Seine Majestät
wünschten, daß Wolkonski an einem Ort angesiedelt
würde, wo sich keine anderen Staatsverbrecher befänden.
Wenn sich in Sibirien kein passender Aufenthaltsort
finden ließe, so wünschten Seine Majestät, daß die in
Jalutorowsk lebenden Staatsverbrecher an einen anderen
Ort gebracht würden und Wolkonski dann in dieser Stadt
angesiedelt würde, aber auf jeden Fall allein.“

Da die Ausführung des Allerhöchsten Befehls so
344

große Schwierigkeiten machte, ließ Graf Benkendorf den Fürsten Wolkonski im Jahre 1836 durch General Leparsky fragen, ob er in Petrowsk bleiben oder in der Stadt Bargusin angesiedelt werden wollte. Dem General-Gouverneur Branewski wurde mitgeteilt, daß der in Bargusin lebende Küchelbecker an einen anderen Ort gebracht werden sollte, falls Wolkonski dorthin käme. Eine Ansiedelung in Bargusin, einer kleinen, von der großen Straße entfernt liegenden Stadt mit rauhem Klima, hätte nur eine Verschlechterung der Lage des Verbannten bedeutet, und so berichtete General Leparsky am 23. April 1836, daß Wolkonski vorzöge, in Petrowsk zu bleiben. Dieser Ausgang der Sache brachte nicht nur den kranken Wolkonski, sondern besonders seine Frau zur Verzweiflung. Sie war ständig von Sorge um ihren kranken Mann und um ihre sehr schwächlichen Kinder erfüllt, und deshalb wandte sie sich jetzt mit einem Brief an den Grafen Benkendorf, indem sie unter anderem folgendes sagte:

„Herr Graf, ich kann in der Wahl, die man uns gestellt hat, nur einen uns um des Andenkens meiner Schwiegermutter willen gegebenen Beweis des Wohlwollens Seiner Majestät sehen. Haben Sie die Güte, Seiner Majestät meine tiefste Dankbarkeit auszudrücken und versuchen Sie es bitte, eine einzige Gnade für mich zu erlangen, — die, in demselben Ort leben zu dürfen wie der Doktor Wolf, oder wenigstens an einem nicht weiter als 5—10 Werst entfernten Ort, von dem aus seine Hilfe erreichbar ist. Der Gedanke allein, keinen klugen Arzt für meine Kinder zur Hand zu haben, würde mich stündlich für ihr Leben fürchten lassen — und diese Furcht würde mein Leben vergiften. Ich kenne Doktor Wolfs Bestimmungsort noch nicht, aber wenn er in der Nähe von Irkutsk wäre, würde es sehr günstig für mich sein, weil meine Bitte dann keine großen Schwierigkeiten machen

345

Wolkonski

könnte. Herr Graf, übernehmen Sie es, der Anwalt einer Sache zu sein, durch die Sie einer Mutter das Leben ihrer Kinder erhalten könnten — und glauben Sie, daß ich Ihnen mein ganzes Leben lang dankbar dafür sein werde."

Nachdem Benkendorf dem Kaiser über diesen Brief berichtet hatte, schrieb er am 7. August 1836 folgenden Brief an den General-Gouverneur Ost-Sibiriens:

„Der Kaiser schenkt den Bitten der Frau des Staatsverbrechers Wolkonski Gehör und befiehlt in Seiner Gnade, Wolkonski in die Urikowskische Ansiedelung im Gouvernement Irkutsk zu senden. Dort soll auch der ehemalige Doktor Wolf, der bis jetzt dem kranken Wolkonski und den kränklichen Kindern desselben ärztliche Hilfe geleistet hat, angesiedelt werden." Aber auch dieser Gnade konnte Wolkonski nicht gleich teilhaftig werden; am 18. November berichtete der General-Gouverneur an den Chef der Gendarmen, „daß der zur Ansiedelung in der Urikowskischen Ansiedelung bestimmte Wolkonski wegen Krankheit seiner Kinder und wegen der Unmöglichkeit, den Baikal zu passieren, in Petrowsk bleiben müßte, bis der See zugefroren wäre."

3. Kapitel
In der Ansiedelung

Am 26. März 1837 kam, wie der General-Gouverneur Ost-Sibiriens an den Chef der Gendarmen meldete, „Wolkonski in Irkutsk an und wurde noch an demselben Tage an seinen Aufenthaltsort, die Ansiedelung Urik, weiterbefördert." So hatte Wolkonski mit seiner Familie $6^1/_2$ Jahre in Petrowsk verbracht — die letzten zwei Jahre in qualvoller Erwartung, wohin man ihn schicken würde.

Als die Fürstin Wolkonskaja in Urik ankam, wurde sofort mit dem Bau eines Hauses begonnen. Bis zur Fertigstellung desselben lebte die ganze Familie in dem Dorfe Ust-Kudu an der Angara, bei einem schon vor einem Jahre hierher gekommenen Verwandten der Fürstin Josef Wiktorowitsch Poggio. Nach einigen Monaten war das Holzhaus fertig und Wolkonski lebte lange Jahre bis zu seiner Versetzung nach Irkutsk in diesem warmen, geräumigen Hause. Urik selbst war kein schöner Ort. Die Häuser der Wolkonskis und Murawiews standen nebeneinander, und zwar außerhalb des Dorfes, auf einer wasserlosen, unbewachsenen Ebene. Darum gingen Wolkonskis in den Sommermonaten nach Ust-Kuda, wo sie zwei Werst von dem Dorf entfernt ihr „Landhaus" hatten. Das Holzhäuschen lag mitten im Walde oberhalb der schnellen, kalten Angara, einem der schönsten Flüsse Sibiriens.

Ein Teil der Gefährten Sergei Grigorewitschs waren schon in Urik und den umliegenden Dörfern angesiedelt, ein Teil kam erst später. In Urik lebten Doktor F. B. Wolf, M. S. Lunin, N. M. Murawiew, der seine Frau in Petrowsk

begraben hatte und sich jetzt der Erziehung seiner einzigen
Tochter Sofie widmete, und dessen Bruder A. M. Murawiew; 10 Werst von Urik entfernt im Dorf Ust-Kuda
lebten: B. A. Muchanow und die Brüder J. W. und A. W.
Poggio; 8 Werst entfernt im Dorfe Chomutowa: N. A. Pa-
now, A. A. Büstritzki und A. N. Suthoff mit seiner Frau;
13 Werst entfernt im Dorfe Ojoka: S. N. Trubetzkoi mit
Frau und Kindern und F. F. Wadkowski; alle, mit Ausnahme des ältesten Bruders Poggio, waren aus Petrowsk
hierher gekommen. Josef Wiktorowitsch Poggio war direkt
aus Schlüsselburg, wo er 8 Jahre in Einzelhaft verbracht
hatte, hierher geschickt worden. Die anderen im Gouvernement Irkutsk angesiedelten Dekabristen lebten in
größerer Entfernung von Urik, auf der anderen Seite von
Irkutsk; in Baswodna: A. S. Murawiew, die Brüder Borissow und Juschnewski mit Frau; in Smolenschtschina:
W. A. Betschassny und in Irkutsk A. W. Wedenjapin.
Oberhalb des Flusses Angara in Olonk: W. F. Rajewski
und in Bielska: N. F. Gromnitzki. Die Beziehungen
zwischen ihnen allen waren die denkbar freundschaft-
lichsten. Sie sahen sich häufig und besuchten einander
so oft wie möglich. Diese Beziehungen waren die größte
Freude ihres Lebens. Obgleich ihnen nicht erlaubt war,
aus einem Bezirk in den anderen zu gehen, legte ihnen die
Ortsobrigkeit gar keine Hindernisse in den Weg. Nur eine
Reise nach Irkutsk war streng verboten und durfte nur
nach vorher eingeholter Erlaubnis angetreten werden. N.
M. Murawiew und M. S. Lunin besaßen bedeutende, ihnen
von ihren Verwandten geschickte Bibliotheken; aus Irkutsk
konnten vorher durchgesehene Bücher und Zeitungen bezogen werden, es war gestattet, auf die Jagd zu gehen, kurz,
das Leben spielte sich in einem gewohnten, aber äußerst
engen Rahmen ab. Es war nicht nur räumlich, sondern
auch durch manche strenge Forderungen scharf begrenzt.
348

In seiner Eigenschaft als Ansiedler erhielt jeder ein bestimmtes Stück Land; viele, so auch Fürst Wolkonski, bebauten das Land. Wolkonski hatte eine große Vorliebe
für Landwirtschaft und schätzte die Berührung mit der
arbeitenden Klasse sehr hoch. Die Dekabristen standen
den Bauern sehr nah, sie fanden bei ihnen große Teilnahme
für ihr Schicksal und erhielten viele Beweise der Verehrung; einige von ihnen lehrten die Bauern lesen und
schreiben und unterwiesen sie in verschiedenen Hand-
werken. S. G. Wolkonski stand der arbeitenden Klasse
am nächsten; seine Liebe zu dem einfachen Volk geht
— kann man sagen — durch sein ganzes Leben; er nahm
an ihrer Arbeit, ja sogar an ihrem Familienleben teil. Die
Bauern wandten sich an ihn, wenn sie Rat oder ärztliche
Hilfe brauchten. Die Beziehungen zwischen ihm und den
Bauern setzten sich auch später fort, als Wolkonski in Irkutsk lebte. An den Markttagen kamen die Bauern häufig
zu ihm, um sich Rat zu holen, oder auch nur, um ihn
wiederzusehen. Diese von der Obrigkeit nicht gehinderten
Beziehungen zwischen Bauern und Dekabristen wirkten
nur Gutes. Das Volk behielt die Dekabristen, die unzweifelhaft großen Einfluß auf seine Bildung gehabt hatten,
in dankbarer Erinnerung.

Das friedliche Leben jener Zeit wurde einmal durch
ein unerwartetes Ereignis gestört. Einer der nächsten
Freunde S. G. Wolkonskis, sein Kamerad aus dem Gardekavallerieregiment, M. S. Lunin, wurde plötzlich verhaftet.
Man ergriff ihn mitten in der Nacht, hielt Haussuchung
in seiner Wohnung und brachte ihn über den Baikal in
das Akatuewskische Erzbergwerk. Dort starb er an ge-
brochenem Herzen. Man sagte, daß seine Briefe an seine
Schwester, in denen er frei über die von der Regierung
ergriffenen Maßregeln geurteilt hatte, den Anlaß zu seiner
Verhaftung gegeben hätten. Die Mittel, die Wolkonskis

349

damals zu ihrem Leben zur Verfügung standen, waren sehr gering. Statt der ihnen vordem angewiesenen 10000 Rubel erlaubte man ihnen jetzt nur 2000 Rubel zu empfangen. Diese Einschränkung bedrückte Wolkonskis sehr, um so mehr, als es oft galt, den armen Gefährten zu helfen. Deshalb schickten die Brüder und Schwester der Fürstin Wolkonski Kleider, Wäsche und Vorräte der verschiedensten Art und erleichterten dadurch die Lage der Familie etwas.

Von Jahr zu Jahr machte sich jedoch der Mangel an Geld fühlbarer, so daß die Fürstin Wolkonskaja sich im Jahre 1838 gezwungen sah, sich an den General-Gouverneur von Ost-Sibirien, Rupert, zu wenden. Sie bat ihn, daß man ihr Einkommen noch um 2000 Rubel erhöhen möchte, und berief sich darauf, daß es unmöglich wäre, von der ihnen bewilligten Summe etwas für die Erziehung der Kinder zu erübrigen, da die Lebensmittel in der Umgegend von Irkutsk dreimal so teuer wären als in allen anderen Orten Sibiriens. Graf Benkendorf antwortete dem General Rupert auf seinen Bericht, daß die Fürstin Wolkonskaja nicht die gewünschten 2000 Rubel zur Erziehung ihrer Kinder erhalten könnte, „Seine Majestät hätte dieses Gesuch abschlägig beschieden, da es in Sibirien ja gar keine Lehrer gäbe und die Erziehung der Kinder somit keine weiteren Kosten verursachen könnte. Es bedürfte also nur der elterlichen Sorge". Im Jahre 1839 erneuerte die Fürstin ihre Bitte, ihr 2000 Rubel mehr zu bewilligen; sie berief sich dieses Mal nur auf die große Teuerung aller Lebensmittel. Die Schwester des Fürsten, die Fürstin S. G. Wolkonskaja, trat in Petersburg für das Gesuch ihrer Schwägerin ein, aber auch ihre Bemühungen blieben erfolglos.

Um dieselbe Zeit verwandte sich auch der Bruder der Fürstin Wolkonskaja, General-Leutnant Rajewski, für
350

die Familie, und bat, dieselbe doch im Kaukasus anzusiedeln. — Feldmarschall Fürst Woronzow, der Rajewski
sehr hoch schätzte, unterstützte dessen Bitte, aber trotzdem wurde sie abgelehnt.

Das Leben auf dem Lande hatte die Gesundheit S. G.
Wolkonskis sehr gekräftigt; er litt nur noch zeitweise an
dem alten Rheumatismus und sah sich deshalb genötigt,
ein am Baikal gelegenes Bad aufzusuchen. Auf die im
Jahre 1840 von dem General Rupert gestellte Anfrage,
ob sich S. G. Wolkonski und A. W. Poggio in ein Bad
begeben dürften, kam die Antwort, daß man ihnen den
Aufenthalt in zwei verschiedenen Bädern gestattete, aber
wünschte, daß sie dort unter strenger Aufsicht ständen.

Während des Lebens in der Ansiedelung sorgten die
Eltern mit Hilfe ihrer Verbannungs-Gefährten selbst für
die Erziehung ihrer Kinder. Die Kinder S. G. Wolkonskis
wurden ausschließlich von der Mutter erzogen, die mit
eifersüchtiger Liebe jeden ihrer Schritte bewachte. Sie
selbst unterrichtete sie in der französischen und englischen
Sprache; P. A. Muchanow unterrichtete die Kinder in
Mathematik, A. W. Poggio in der russischen Sprache, Geschichte und Geographie, M. S. Lunin in der englischen
Sprache und Sabinski (ein im Jahre 1837 verbannter Pole)
in der französischen Sprache. Die Fürstin hegte die Hoffnung, ihren Sohn auf das Gymnasium in Irkutsk bringen
zu dürfen — sie ließ deshalb einen Lehrer aus Irkutsk
kommen, der ihn in der lateinischen Sprache und später
auch in der Rechtslehre unterrichtete. Diese Art des
Unterrichts war wegen der großen Entfernung zwischen
Irkutsk und Urik unverhältnismäßig teuer.

Im Anfang des Jahres 1841 bei Gelegenheit der Vermählung des Thronfolgers Zäsarewitsch Alexander Nikolajewitsch wünschte der Zar einige besondere Gnadenbeweise zu geben. Auf Veranlassung des Grafen Benken-

351

348

dorf erfolgte eine Anfrage „nach den in Sibirien geborenen Kindern der dorthin versandten Staatsverbrecher, die vor ihrer Verurteilung — als sie also noch dem Adel angehört hatten — eine Ehe eingegangen waren". Auf die Anfrage wurden die in Sibirien geborenen Kinder aufgezählt:

Bei Sergei Wolkonski ein Sohn Michail, eine Tochter Jelena. Bei Nikita Murawiew eine Tochter Sofie, bei Sergei Trubetzkoi die Töchter Alexandra, Elisaweta und Sinaida, bei Alexander Murawiew ein Sohn Nikita, bei Wassili Dawidow die Söhne Wassili, Iwan und Leo, die Töchter Alexandra und Sofie; bei Iwan Annenkow die Tochter Olga und die Söhne Wladimir, Iwan und Nikolai, bei Wassili Iwaschew ein Sohn Peter und die Töchter Marie und Olga.

Von den hier aufgezählten Kindern gehörten nur die Kinder S. G. Wolkonskis, N. M. Murawiews, S. P. Trubetzkois und W. L. Dawidows der in der Anfrage bezeichneten Kategorie der Staatsverbrecher an, denen eine Gnade zuteil werden sollte.

Das erklärte auch der Justizminister Graf Panin in seiner Antwort an den Grafen Benkendorf. Zugleich fragte er den Grafen Benkendorf, was er für Maßregeln hinsichtlich der Ausführung des kaiserlichen Befehles vorzuschlagen hätte. Er, Graf Panin, schlüge folgendes vor: 1. Den Eltern sollte die Möglichkeit gegeben werden, ihre Söhne, wenn sie das für den Eintritt in eine militärische Erziehungsanstalt notwendige Alter erreicht hätten, in ein Kadettenkorps zu bringen, damit sie bei dem Austritt aus dem Korps die Adelsrechte erhalten könnten — vorausgesetzt, daß sie sich dieselben durch gutes Betragen und großen Fleiß verdient hätten. 2. Auf Wunsch der Eltern sollten die Töchter einer unter staatlicher Aufsicht stehenden Erziehungsanstalt überwiesen werden. 3. Die Kinder beiderlei Geschlechts sollten nicht den Familien-
352

namen tragen dürfen, den ihre Väter unwiederbringlich verloren hätten, sondern die Familiennamen Sergejew, Nikitin, Wassiljew usw. Der Kanzleichef der zweiten Sektion, Bludow, der auch um seine Meinung befragt wurde, stimmte, ebenso wie Benkendorf, den Vorschlägen des Grafen Panin vollständig bei. Dieser Antrag Panins, Bludows und Benkendorfs wurde am 21. Februar 1842 von dem Zaren genehmigt und dem General Rupert durch Benkendorf zur Ausführung überwiesen.

Die Verbannten erblickten in diesen Maßnahmen einen Beweis großer Gnade; eine Bedingung aber machte auf alle in Sibirien lebenden Staatsverbrecher einen niederschmetternden Eindruck: die geforderte Namensänderung der Kinder.

Sie sahen in dieser Maßnahme die Absicht, ihren Nachkommen auch diesen letzten Zusammenhang mit ihren Vätern und Vorvätern zu nehmen. Einige schrieben dem Kaiser selbst diese Hartherzigkeit zu, andere hielten den Grafen Benkendorf für den Urheber dieser Maßnahme. Aber wie aus dem oben Gesagten hervorgeht, hatte Graf Panin diesen Vorschlag aufgebracht. General-Gouverneur Rupert ließ Wolkonski, Murawiew und Trubetzkoi zu sich kommen, teilte ihnen den Allerhöchsten Gnaden-Erlaß und die daran geknüpften Bedingungen mit; er stimmte für unbedingte Annahme desselben und forderte von den Genannten eine schriftliche Antwort. Nur der in Krassnojarsk angesiedelte W. L. Dawidow entschloß sich, auf diese Bedingungen einzugehen, da er außer den vier in Petersburg zurückgelassenen Kindern noch fünf Kinder hatte, deren Erziehung in Sibirien große Schwierigkeiten machte; die übrigen drei wiesen den Vorschlag zurück. N. M. Murawiew schrieb in der von General Rupert geforderten Antwort: „Seine Kaiserliche Hoheit der Zäsarewitsch haben anläßlich Seiner Vermählung geruht, Sein

Wolkonski

Augenmerk auf das Los unserer Kinder zu richten und gewünscht, daß die heißen Gebete der Mütter, Väter und Waisen für ihn zum Throne Gottes aufstiegen. Seine Majestät der Kaiser haben ein Komitee damit beauftragt, Mittel und Wege ausfindig zu machen, um den großherzigen Gedanken des Zäsarewitschs zu verwirklichen, aber die Mitglieder dieses Komitees waren nicht von dem hohen christlichen Geist durchdrungen, der diese Jünglingsseele erfüllt. Durch die Fortnahme des Familiennamens trifft man ein unschuldiges Wesen und wirft einen Schatten auf das Andenken der Mutter und Gattin." S. P. Trubetzkoi schrieb an den General Rupert: „Ich bin in tiefster Seele von dem Gefühl der Dankbarkeit durchdrungen für die Gnade, die unseren Frauen und Kindern erwiesen worden ist. Ich wage zu hoffen, daß der Kaiser es in seiner Gnade nicht zulassen wird, daß man die Stirn der Mütter befleckt und daß man die Kinder durch Fortnahme ihres Familiennamens auf gleiche Stufe mit unehelich Geborenen stellt. Wiederholte, schwere Krankheiten haben die Gesundheit meines Sohnes vollständig zerrüttet. Deshalb würde eine Vorherbestimmung zum Kriegsdienst, ja sogar schon die Reise von Sibirien nach Rußland, verderblich für ihn sein. Meine Tochter ist noch ein kleines Kind, und wer könnte ihr die mütterliche, liebevolle Sorge ersetzen? Das Leben meiner Frau hängt so vollständig von dem Leben und dem Wohlergehen ihrer Kinder ab, daß schon der Gedanke an die Möglichkeit einer Trennnug qualvoll für sie ist. Darf ich meine Kinder mit der traurigen Überzeugung in die Welt eintreten lassen, daß ihr Vater ihnen Lebensvorteile durch neue Leiden, vielleicht gar durch das Leben der Mutter erkauft hat? Ich lege dem liebevollen und wohltätigen Zäsarewitsch und Thronfolger das Schicksal meiner Frau und meiner Kinder ans Herz und bitte ihn um seine mitleidige Für-
354

sprache, daß man meine Kinder nicht ihres Namens beraubt, den sie durch die Heiligkeit der Ehe ihrer Eltern erhalten haben. Man kann diesen Namen nur aus ihrem Gedächtnis auslöschen, wenn man zugleich auch ihre kindliche Liebe vernichtet. Ich habe die Ehre, Eurer Exzellenz durch dieses Schreiben auf den mir übermittelten Vorschlag zu antworten."

General Rupert schrieb nach Empfang dieser von aufrichtigem Gefühl diktierten Briefe folgendermaßen an den Grafen Benkendorf: „Ich ließ die in der Nähe von Irkutsk lebenden Staatsverbrecher Wolkonski, Murawiew und Trubetzkoi zu mir kommen und teilte ihnen persönlich die unendliche Nachsicht und die unaussprechliche Gnade mit, die Seine Majestät der Kaiser ihren Kindern zu erweisen geneigt sind. Zugleich machte ich ihnen klar, wie groß die Vorteile wären, die eine Rückkehr aus Sibirien und eine Erziehung in Rußland für ihre Kinder mit sich brächte; aber zu meinem größten Kummer habe ich nicht bemerkt, daß die große Gnade und das Mitleid Seiner Majestät auch nur den kleinsten Wiederhall in den Herzen dieser kalten, eingefleischten Egoisten geweckt hat. Anstatt der Rührung, der bedingungslosen Unterwerfung, der Dankbarkeit und der Ehrfurcht, mit der sie diese große Gnade des Kaisers hätten aufnehmen und annehmen müssen, hatten sie nur leere Ausreden, Widersprüche und unbegrenzte Wünsche als Antwort. Ich sah mich deshalb gezwungen, ihnen zu befehlen, sich mit ihren Frauen zu beraten und binnen 48 Stunden schriftlich zu antworten. Ich habe die Ehre, Eurer Erlaucht diese Briefe zur Durchsicht vorzulegen, ebenso auch den Brief des in Krassnojarsk angesiedelten Verbrechers Dawidow.

Euer Erlaucht werden aus den Briefen ersehen, daß nur Dawidow die große Nachsicht und Gnade des guten Kaisers voll zu würdigen versteht, und daß er deshalb

23* 355

allein wert ist, der hohen monarchischen Gnade teilhaftig zu werden. — Was Wolkonski, Murawiew und Trubetzkoi anbetrifft, so haben sie sich durch ihren unerklärlichen Eigensinn und durch ihren Egoismus, der sie veranlaßte, diese Gnade zurückzuweisen, meiner Meinung nach für immer jeden Anspruch auf irgendwelche Nachsicht der Regierung verwirkt." Zum Glück machte dieser Brief des Generals Rupert, wie man aus den Folgen ersehen kann, keinen besonderen Eindruck in Petersburg.

Die seelischen Erregungen, die die Fürstin Wolkonskaja bei dieser Gelegenheit durchzumachen hatte, und die Furcht, daß man ihr trotz der abschlägigen Antwort doch ihre Kinder fortnehmen würde, — erschütterten sie so, daß sie schwer krank wurde. — Seit dieser Zeit fieberte sie beständig und wurde niemals wieder vollständig gesund.

Sie hatte sich umsonst geängstigt, man nahm ihr die Kinder nicht. Da sie selbst aber dringend ärztlicher Hilfe bedurfte, so sah sie sich gezwungen, sich im August des Jahres 1844 mit einem Brief an den Grafen A. F. Orlow, den Nachfolger des Grafen Benkendorf, zu wenden und bei ihm um die Erlaubnis nachzusuchen, mit ihrem Manne in Irkutsk leben zu dürfen. Da die Krankheit der Fürstin eine ernste Wendung zu nehmen drohte, so gestattete General Rupert ihr zeitweilig, in Irkutsk zu leben. Er unterstützte auch ihr Gesuch und bestätigte, daß die Wolkonskaja von einer hartnäckigen Krankheit befallen wäre, zu deren Heilung ihr in der Ansiedelung Urik nicht die nötigen Mittel zur Verfügung stünden. Trotzdem wurde das Gesuch im Oktober 1844 abschlägig beschieden.

Leontii Wassiliewitsch Dubelt war damals Chef des Stabes bei dem Chef der Gendarmen. Er hatte zuerst unter dem General N. N. Rajewski gedient, war Adjutant bei ihm gewesen und hatte täglich in seinem Hause verkehrt. Die Fürstin erinnerte ihn an diesen Umstand und

356

bat ihn in einem Brief vom 23. November um seinen Bei-
stand. Sie schrieb unter anderem: „Der General-Gouverneur hat mir, als meine Krankheit eine gefährliche Wendung zu nehmen drohte, gestattet, vorläufig in der Stadt
zu leben; aber diese Erlaubnis konnte er nicht auch auf
meinen Mann ausdehnen. Wie kann mein Mann aber in
Urik bleiben, wenn er mich in Gefahr weiß, und weiß,
daß nur die Kinder bei mir sind. Da verschiedene Unglücksgefährten meines Mannes die Erlaubnis erhalten
haben, Gouvernementsstädte zu bewohnen — z. B. Baria-
tinsky und Dawidow, die beide der ersten Klasse angehören, während mein Mann der zweiten Klasse angehört —,
so wagte ich es, an Alexei Feodorowitsch zu schreiben,
so wie ich früher an Benkendorf geschrieben habe. Benkendorf antwortete mir immer gütig. Die Antwort des
Grafen Orlow an den General Rupert lautet nicht günstig
für meinen Mann; mir verbietet man allerdings, nicht in
der Stadt zu leben. Dieser ungünstige Bescheid hat mich
sehr erschüttert und meine Herzkrämpfe haben sich
wiederholt. Sie sehen, in was für einer Lage ich mich
befinde — und da man uns die Übersiedelung in die Stadt
nicht gestattet, so weiß ich nicht, ob man mich hier noch
länger dulden wird. Man kann mich jeden Augenblick auf-
fordern, die Stadt zu verlassen, und ich habe solche Angst,
in Urik ohne Hilfe zu sterben! Da ich es nicht ein zweites
Mal wage, den Herrn Grafen zu belästigen, so wende ich
mich an Sie, lieber Leontii Wassiliewitsch, und bitte Sie,
dem Herrn Grafen meine Lage zu schildern. Erwirken
Sie mir die offizielle Erlaubnis, bis zu meiner Wiederher-
stellung in Irkutsk bleiben zu dürfen, versuchen Sie, zu
veranlassen, daß mein Mann zu mir kommen darf, um mich
und meine Kinder zu pflegen. Ich schließe mit der Bitte,
zu glauben, daß ich Ihnen die aufrichtigste Achtung und
Freundschaft bewahre.“

357

354

4. Kapitel
Leben in Irkutsk und Rückkehr nach Rußland

Im Januar 1845 benachrichtigte Graf Orlow infolge dieses Briefes den General Rupert, „daß die Wolkonskaja bis zu ihrer Heilung in Irkutsk leben und daß ihr Mann sie dort zeitweise besuchen dürfte". Im Januar erhielt auch die Fürstin Trubetzkoi die Erlaubnis, mit ihren Kindern in Irkutsk zu leben, auch ihr Mann durfte sie mit Erlaubnis des General-Gouverneurs zeitweise dort besuchen.

Von der Lage der Staatsverbrecher und ihrer Frauen nach ihrer Übersiedelung nach Irkutsk legt folgender Briefwechsel zwischen der dritten Sektion und dem General-Gouverneur von Ost-Sibirien Zeugnis ab. Es hatte sich um den Besuch in einem Mädchen-Institut gehandelt. Bei dieser Gelegenheit hatte sich der Gouverneur Piatnitzki mehrfach unfreundliche Bemerkungen gegen die Fürstin erlaubt. Die Fürstin hatte sich in einem Briefe an ihre Schwester E. N. Orlowa darüber beklagt, und die Schwester hatte den Brief an den Grafen Orlow geschickt. Dieser schrieb an den General Rupert: „Maria Wolkonskaja ist manchmal unfreundlicher Behandlung ausgesetzt gewesen; sie verdient indessen die größte Schonung. Sie hat an dem Verbrechen ihres Mannes keinen Anteil genommen und ist ihm nur auf ihren eigenen Wunsch nach Sibirien gefolgt", zugleich bat er den General Rupert, die Wolkonskaja unter seinen besonderen Schutz zu nehmen

358

und anzuordnen, daß die nächsten Vorgesetzten sich der
Fürstin gegenüber besonders nachsichtig und höflich er-
wiesen. Das war der erste aus Petersburg nach Sibirien
gelangende Brief, der einen derartigen Charakter trug.
General Rupert, der durch diesen Brief in große Erregung
versetzt wurde, suchte sich vor dem Grafen Orlow zu
rechtfertigen und schrieb ihm unter anderem: „Der Vater
Maria Wolkonskajas, General Rajewski, ist einmal mein
Vorgesetzter gewesen. Die Erinnerung an die Güte dieses
Mannes gegen mich, und das freiwillig erwählte Schicksal
seiner Tochter gaben der Wolkonskaja ein besonderes
Anrecht auf meine Nachsicht. Soweit es in meiner Macht
stand, die Wünsche der Wolkonskaja zu erfüllen, habe
ich dieselben bereitwilligst erfüllt — das kann die Wolkonskaja selbst bezeugen. Was die Klage der Wolkonskaja betrifft, so kann sie sich wohl nur auf die von dem
städtischen Gouverneur getroffenen Maßnahmen beziehen.
Einige der Staatsverbrecher besuchten trotz seines Ver-
botes mit ihren Frauen ein Frauen-Institut. Die Anwesenheit der Staatsverbrecher, ihrer Frauen und Kinder auf
Bällen und öffentlichen Versammlungen im allgemeinen,“
sagte General Rupert weiter, „fand und finde ich in ihrer
Lage nicht angemessen, noch weniger finde ich ihren Besuch in den von der Krone zur Erziehung der Jugend bestimmten Anstalten am Platze.“ Graf Orlow dankte dem
General Rupert „für seine Teilnahme an der Lage der
Frau des Staatsverbrechers Wolkonski“, und erklärte sich
vollständig mit der Ansicht des Generals Rupert einverstanden, „daß die Frauen der Staatsverbrecher keine Gesellschaften besuchen dürften“. Auf jeden Fall hatte der
Brief des Grafen Orlow starken Eindruck auf den ängst-
lichen General-Gouverneur gemacht, und der Verkehr der
Orts-Obrigkeit mit den Frauen der Verbannten wurde ein
durchaus anderer.

359

General Rupert hatte in seinem Brief an Orlow die Wahrheit darüber gesagt, daß die Familien Trubetzkoi und Wolkonski an einem Fest in dem Mädcheninstitut, in dem die Tochter Trubetzkois erzogen wurde, teilgenommen hatten; aber was er über die Teilnahme der Staatsverbrecher an Geselligkeit im allgemeinen gesagt hatte, war unwahr. Sie mieden im Gegenteil jede Art von Geselligkeit schon aus Furcht davor, ihren Bekannten durch ihre Gegenwart Unannehmlichkeiten zu bereiten. Die Gesellschaft bemühte sich um sie. Die Kaufmannschaft, die Geistlichkeit, ja sogar die Beamten suchten ihren Umgang, weil sie in ihnen religiöse, hochgebildete, liebenswürdige und ihr Vaterland liebende Menschen erkannten. Einige angesehene Persönlichkeiten übergaben den Dekabristen sogar ihre Kinder zur Erziehung. General Rupert hieß das alles nicht gut, und so lebten die Verbannten in beständiger Furcht vor Unannehmlichkeiten oder erneuten Verboten. Und erst als General Murawiew die Stelle Ruperts einnahm, besserte sich die Lage der Staatsverbrecher.

Im Jahre 1844 hatten die Wolkonskis neuen Kummer: die Mutter der Fürstin, Sofia Alexejewna Rajewskaja geborene Konstantinowna und Enkelin Lomonossows, starb am 16. Dezember in Rom. In demselben Jahre starb auch der Bruder des Fürsten, Nikita Grigorewitsch, und im folgenden Jahre, am 7. Januar 1845, sein ältester Bruder, Fürst Nikolai Grigorewitsch Repnin.

Im Jahre 1846 entschlossen Wolkonskis sich, um die Erlaubnis zu bitten, daß ihr Sohn das Gymnasium in Irkutsk besuchen dürfte. Die Fürstin Wolkonskaja wandte sich am 25. Februar mit einem Brief an den Grafen Orlow: „Herr Graf, ich habe keine Verwandten mehr, Sie wissen, daß niemand mehr etwas zu meinen Gunsten tun kann. Ich wende mich deshalb an Sie und bitte Sie, mir in meiner

360

peinlichen Lage beizustehen. Ich leide seit Jahren an
einer Herzkrankheit, an der ich zu sterben fürchte. Meine
einzige Sorge ist, meinem Sohne eine angemessene Erziehung zu geben — aber eine Trennung von ihm würde
mir bei meiner schwachen Gesundheit den Todesstoß versetzen. Deshalb habe ich den lebhaften Wunsch, ihn auf
dem Gymnasium in Irkutsk studieren zu lassen —, damit
er sich später eine Existenz schaffen kann. Ich beschwöre
Sie, Herr Graf, mir bei Seiner Majestät dem Kaiser die
Erlaubnis auszuwirken, daß mein Sohn als Externer[16]) zu
dem Gymnasium in Irkutsk zugelassen wird, ich würde
es Seiner Majestät dann danken, den Rest meiner Tage in
Ruhe verleben zu können. Herr Graf, es ist keine offizielle Bittschrift, die ich an Sie richte, es ist die Bitte
einer Mutter, die sich voll Vertrauen und voller Hoffnung
an Sie wendet."

General Rupert unterstützte dieses Gesuch, welches
seiner Meinung nach „Beachtung verdiente, weil die öffentliche Erziehung das beste Mittel wäre, dem jugendlichen
Geist eine mit den Anschauungen der Regierung über-
einstimmende Richtung zu geben". Graf Orlow holte die
Genehmigung des Kaisers ein und machte dem Kultusminister Graf Uwarow, dem Kriegsminister, dem
Minister des Innern und dem General Rupert
davon Mitteilung. Von einer Namensänderung war
nicht mehr die Rede, und der Sohn S. G. Wolkonskis trat in die fünfte Klasse des siebenklassigen
Irkutsker Gymnasiums ein. Im Jahre 1849 beendete er
den Kursus in dieser Schule und erhielt die goldene Me-

---

[16]) Externe werden die außerhalb des Schulhauses wohnenden
Zöglinge einer Schulanstalt, häufiger die noch die sich zum Examen
an einem Gymnasium, das sie nicht besucht haben, Meldenden genannt.

361

daille. Über seine Fortschritte und über seine Führung
wurde der dritten Sektion stets Bericht erstattet. Anläßlich der Ausstellung eines Gymnasial-Scheines schrieb
der Kultusminister an den Grafen Orlow; dieser hielt es
für nötig, die Allerhöchste Erlaubnis dazu einzuholen.
S. G. Wolkonski hatte den heißen Wunsch, seine Kinder
— an deren Aufenthalt in Sibirien er sich die Schuld beimaß — aus der Verbannung herausgeführt zu sehen. Die
Bemühungen der Verwandten Wolkonskis in Petersburg,
seinem Sohne die Erlaubnis zu verschaffen, die Universität
zu besuchen, scheiterten, und deshalb mußte man an eine
andere Karriere für ihn denken. Graf Orlow schrieb an
N. N. Murawiew: „Der Sohn des Staatsverbrechers S. G.
Wolkonski, Michail, der mit Allerhöchster Genehmigung
das Irkutsker Gymnasium besucht hat, wünscht nach beendeter Schulzeit in den Dienst einzutreten, und zwar hat
er den besonderen Wunsch, unter Euer Hochwohlgeboren
zu dienen. Da der junge Mann sich während der Schulzeit stets gut geführt und fleißig gelernt hat, so daß er
bei dem Schlußexamen mit der goldenen Medaille belohnt
worden ist, finde ich sein Streben sehr lobenswert. Ich
würde es auch im allgemeinen für sehr nützlich halten,
wenn der junge Mensch sofort eine ordentliche Tätigkeit hätte und sich dabei unter der direkten Aufsicht von
Euer Hochwohlgeboren befände. Deshalb wende ich mich
an Sie, sehr geehrter Herr, mit der gehorsamen Bitte —,
wenn alles, was ich über die Führung und die Kenntnisse
des jungen Mannes gehört habe, auf Wahrheit beruht,
sich desselben freundlichst anzunehmen." General-Gouverneur Murawiew teilte dem Grafen Orlow daraufhin
mit, daß er Michail Wolkonski in der 5. Abteilung der
Ober-Verwaltung Ost-Sibiriens angestellt hätte, weil er
sich dort direkt unter seiner Aufsicht befände. „Ich erfüllte Ihre Bitte," schrieb er, „mit um so größerem Ver-
362

gnügen, als Wolkonski wegen seines Fleißes und wegen
seiner moralischen Vorzüge, die er der Erziehung im elterlichen Hause zu danken hat, besondere Beachtung verdient." Ich führte diese beiden Briefe an, um zu zeigen,
wie verschieden General-Gouverneur Murawiew und sein
Vorgänger die Dekabristen beurteilten. General Rupert
bezeichnete sie als „kalte, eingefleischte Egoisten, die sich
selbst des Rechtes auf irgendwelche Nachsicht der Regierung beraubt hätten", und General Murawiew bezeugte,
daß der Sohn Wolkonskis seinem Elternhause die gute
moralische Erziehung zu danken hätte; und genau in derselben Weise urteilte er über das Familienleben der
übrigen Dekabristen.

General N. N. Murawiew wurde im Jahre 1847 zum
Nachfolger Ruperts ernannt. Mit seinem Kommen änderte
sich die Lage der Dekabristen sehr: er lud sie in sein
Haus, nahm an allen ihren Nöten teil und machte sich
häufig zu ihrem Anwalt. Seine Frau, Jekaterina Nikolajewna, trat in freundschaftliche Beziehung zu den Frauen
der Dekabristen. Die Zivil-Gouverneure W. N. Sarin und
K. K. Wenzel folgten dem Beispiele Murawiews. Diese
Beziehungen zu Murawiew wurden auch später, als die
sibirische Grenze hinter den Dekabristen lag, von ihnen
aufrecht erhalten; sie fanden erst ihr Ende durch den Tod
Murawiews.

Im Jahre 1850 hatten Wolkonskis eine große Freude.
Die Schwester der Fürstin, Sofia Nikolajewna Rajewskaja, hatte nach vielen Schwierigkeiten die Erlaubnis erhalten, einige Wochen bei ihren Verwandten in Irkutsk zu
verleben. Es war die erste verwandte Seele, die sie nach
einer Trennung von 24 Jahren wiedersahen. Im Jahre
1854 kam die Schwester S. G. Wolkonskis, Fürstin Sofia
Grigoriewna, zu Besuch. Beide Besucherinnen hatten verschiedene Vorschriften zu beobachten, — die Fürstin Wol-

363

konskaja hatte sich schriftlich verpflichten müssen, mit
niemandem einen Briefwechsel zu unterhalten und bei
ihrer Rückkehr keine Briefe zur Beförderung zu übernehmen; außerdem hatte sie geloben müssen, alle notwendige Vorsicht, die die Lage ihres Bruders in Sibirien
erforderte, zu beobachten. Noch vor diesem Besuch, am
15. September 1850, hatte sich die Tochter Wolkonskis,
Jelena Sergejewna, mit dem bei dem General-Gouverne-
ment stehenden D. W. Moltschanow verheiratet und war am
19. September mit ihm nach Petersburg gereist.   Der
dritten Sektion wurde Mitteilung davon gemacht, und der
Chef der 8. Gendarmerie-Abteilung bemerkte dazu, daß
er nicht wisse, ob die in Sibirien geborenen Kinder der
Staatsverbrecher das Recht hätten, ohne Erlaubnis der
höchsten Obrigkeit das Land zu verlassen. Diese Frage
wurde nicht weiter beachtet, und S. G. Wolkonski hatte
die Freude, zu sehen, daß seine Tochter ein freier
Mensch geworden war. Dann kehrten Moltschanows
nach Irkutsk zurück und lebten mit den Wolkonskis zusammen in einem unlängst von diesen erbauten
Hause.

Um diese Zeit brach der Krieg mit der Türkei aus.
Als die Belagerung von Sewastopol begann, bat Sergei
Grigoriewitsch darum, als Soldat dorthin versetzt zu
werden. Er war damals schon 67 Jahre alt; seine Familie
versuchte vergeblich, ihm sein Vorhaben auszureden. Da
er fest auf seinem Plan bestand, so wandte sich die Familie an N. N. Murawiew um Hilfe, und dieser verweigerte
Wolkonski seine Fürsprache. Sonst ging das Leben der
Wolkonskis in gewohnter Weise weiter; nur die Gesundheit der Fürstin, die das sibirische Klima schwer vertrug,
wurde immer mehr geschwächt. Dieser Umstand veranlaßte Jelena Sergejewna Moltschanowa, als sie sich wieder
einmal in Petersburg befand, sich mit einem Brief an die
364

Kaiserin zu wenden. Sie bat, daß man ihrer Mutter gestatten möchte, sich in Moskau ärztlichen Rat zu holen und sie dann wieder nach Sibirien zu ihrem Gatten zurückreisen zu lassen. Die Verwendung der Kaiserin hatte in diesem Falle Erfolg, und der Kaiser genehmigte das Gesuch der Moltschanowa. Anfang August traf die Fürstin Wolkonskaja aus Irkutsk in Moskau ein. Sie lebte hier mit ihrer Tochter zusammen, deren Mann damals schwer daniederlag an einer Krankheit, die ihn zwei Jahre später in das Grab brachte.

Nach der Abreise der Fürstin Maria Nikolajewna war das Leben S. G. Wolkonskis sehr einsam, da sein Sohn in eine entfernte Gegend abkommandiert worden war. Die Gesellschaft seiner Verbannungsgenossen war ihm ein Trost, ebenso auch die Freundlichkeiten des General-Gouverneurs Murawiew und des Zivil-Gouverneurs Wenzel, in deren Gesellschaft er manche Stunde verbrachte. Trotzdem fühlte er zum erstenmal die ganze Schwere seiner Einsamkeit. Er wünschte die Rückkehr seiner kranken Frau nicht; das rauhe Klima Sibiriens war zu gefährlich für sie, aber er sehnte sich mit ganzer Seele nach Rußland und klammerte sich an die Hoffnung, seine Frau vor seinem Tode wiederzusehen. Zu jener Zeit ereigneten sich große Dinge: In Sibirien erwarb Murawiew ohne jedes Blutvergießen den Amur[17]) und mit ihm

---

[17]) Seit 1848 schritt Graf Nikolai Murawiew, der General-Gouverneur von Ostsibirien, mit Ernst zur Erwerbung des Amurlandes. Er rüstete verschiedene große Züge aus, legte mehrere Forts an und schickte, nachdem 1854 die russische Herrschaft über den Amur begründet worden war, etwa 3000 Soldaten und 500 Ansiedler nebst Geschützen, Ackergerätschaften usw. in das Mündungsgebiet des Amur. 1857 wurde die tatsächliche Vereinigung des Flußgebietes mit dem russischen Reich ausgesprochen. Die Russen erhielten das linke Ufer des oberen und mittleren Amur

365

den freien Zugang zum Ozean. In Petersburg starb
der Kaiser Nikolai I., weiter erfolgte der Friedens-
schluß nach dem Krimkriege und dann das Pariser
Traktat.[18])

Nach der Einnahme der Amur-Mündungen und nach
dem Zurückwerfen der verbündeten Flotte aus dem Hafen
von Petropawlowsk nach Kamtschatka begab sich General
Murawiew nach Petersburg. Vor seiner Abreise sandte
er den Sohn des Fürsten Wolkonski, der gerade aus dem
Amurgebiet zurückgekehrt war, in die Mongolei zwecks
einer dritten Amur-Expedition (im Jahre 1856) und beauftragte ihn, das gesammelte Material dann direkt nach
Petersburg zu bringen, — das wurde auch ausgeführt.
Ich erwähne diesen Umstand, um zu beweisen, daß Murawiew gar nicht erst die Frage aufkommen lassen wollte,
ob der Sohn des Staatsverbrechers in seiner dienstlichen
Eigenschaft das Recht hätte, außerhalb Sibiriens zu sein.
Auf diese Weise wurde wirklich jeder Zweifel von vorn-
herein abgeschnitten, und S. G. Wolkonski hatte auch die
Freude, seinen Sohn frei zu sehen — frei von der Verpflich-

---

von der Mündung des Ussuri an und außerdem freie Schiffahrt
auf den rechten Nebenflüssen des Amur. (Vertrag zu Aigun vom
28. Mai 1857.)

[18]) Im dritten Pariser Frieden vom 30. März 1856 trat Rußland
die Donaumündungen mit einem Teil von Bessarabien ab und gab
Kars zurück. Weiter verpflichtete es sich, keine See-Arsenale am
Schwarzen Meer anzulegen und nicht mehr Kriegsschiffe auf demselben zu unterhalten, als die Türkei. Außerdem verzichtete Rußland auf das Protektorat über die orientalischen Christen und die
Donaufürstentümer, die unter das Gesamtprotektorat der europäischen Großmächte gestellt wurden. Die Pforte wurde zu den Vor-
teilen des europäischen öffentlichen Rechtes zugelassen und die
Unabhängigkeit und die Unverletzlichkeit des Osmanischen Reiches
wurden garantiert.

366

tung, die Grenzen Sibiriens nicht zu überschreiten, frei von
all den Beschränkungen, an denen er sich selbst die Schuld
beimaß. Seine Freude war noch größer, als sein Sohn
sich mit dem Wladimirorden 4. Klasse, den er für die
Gründung der ersten russischen Bauernansiedelungen am
Amur erhielt, zugleich den Adel erwarb.

Kaiser Alexander II. befahl bei seiner Thronbesteigung, daß die anläßlich seiner Krönung auszuteilenden
Gnadenbeweise auch auf die im Jahre 1825 Verurteilten
ausgedehnt werden sollten. Im Frühjahr 1856 trat ein
Minister-Komitee zusammen, das sich mit Ausarbeitung
dieser Frage beschäftigte. Es ist kein Zweifel, daß Murawiew den Kaiser bei seinem Entschlusse, die Dekabristen
zu begnadigen, beeinflußt hat. Die Einzelheiten der von
dem Minister-Komitee getroffenen Bestimmungen blieben
ihm aber auch bis zum Erscheinen des Manifestes am
Krönungstage selbst verborgen. An diesem Tage, dem
26. August 1856, wurden dem Staatsverbrecher Sergei Wolkonski und seinen nach seiner Verurteilung geborenen
Kindern alle Rechte des Geburtsadels zurückgegeben, nur
der früher getragene Ehrentitel und das Recht auf sein
früheres Vermögen wurden ihm vorenthalten. Er erhielt
die Erlaubnis, mit seiner Familie aus Sibirien zurückzukehren und innerhalb der Grenzen des Reiches, mit Aus-
schluß von Petersburg und Moskau, zu leben, wo er
wünschte, allerdings unter Aufsicht.

Die Einzelheiten des Manifestes sind allgemein bekannt; ich will nur noch erwähnen, daß den der ersten
Kategorie angehörenden Dekabristen und ihren Kindern
nicht der frühere Titel zurückgegeben wurde — so erhielten Wolkonski, Trubetzkoi, Obolenski und Schtschepin-
Rostowski nicht die Erlaubnis, den Fürstentitel zu tragen.
S. G. Wolkonski durfte sich — wie schon früher gesagt —
der zweiten Klasse zurechnen, aber er wollte nicht an diese
367

364

Frage rühren. Deshalb wandte sich die Fürstin Maria Nikolajewna mit einem Brief an die Kaiserin Marie Alexandrowna und bat sie, bei dem Kaiser Fürsprache einzulegen, daß er den Kindern der Begnadigten die zu ihrem Namen gehörigen Titel zurückgäbe. Nach drei Tagen, am 30. August, erschien dann noch ein besonderer ergänzender Allerhöchster Ukas.

Ich muß hier noch einen Umstand erwähnen, der besonders für die Feinfühligkeit des Kaisers spricht. Da der Kaiser durch Murawiew erfahren hatte, daß der Sohn Wolkonski's zur Zeit in Moskau anwesend wäre, befahl er, daß gerade dieser nach Sibirien geschickt würde, um die Nachricht von der Begnadigung zu überbringen. Noch am Krönungstage wurde der Titular-Rat Wolkonski in den Kreml befohlen; hier händigte ihm der Gendarmeriechef Fürst Dolgorukow das Allerhöchste Manifest ein, und auf Befehl des Kaisers reiste Wolkonski noch an demselben Abend per Post nach Sibirien ab.

Die in dem Manifest enthaltenen Gnadenbeweise waren geheim gehalten worden, einen Telegraph gab es nicht in Sibirien — aber ein Vorgefühl des Kommenden lag doch in der Luft; niemand konnte wissen, was es mit diesen Vorgefühlen für eine Bewandtnis hatte, aber die Dekabristen glaubten so fest an sie, daß viele von ihnen in Erwartung der Durchfahrt eines Kuriers auf die große sibirische Poststraße hinausgingen. Wolkonski passierte diese Straße und teilte unterwegs schon mit, was das Manifest enthielt. Am 16. Tage traf er mit dem Manifest in Irkutsk ein.

Leider waren nicht viele von den Dekabristen mehr am Leben: von 121 Menschen lebten in Sibirien nur noch 19. In Irkutsk befanden sich: S. G. Wolkonski, C. P. Trubetzkoi, A. W. Poggio (Josef Poggio war am 8. Januar 1848 in Irkutsk gestorben), M. K. Küchelbecker und A. W.
368

365

Wedenjapin; in dem Dorfe Chomutowa — A. A. Büstritzki, in dem Dorfe Smolentschtschina — W. A. Betschassny, in Selenginsk — M. A. Bestushew, in Petrowsk — J. J. Gorbatschewski, in Tschita — D. J. Sawalischin, in Krassnojarsk — die Familie W. L. Dawidows; er selbst war am 25. Oktober 1855 gestorben und in Krassnojarsk begraben worden. Die übrigen befanden sich in West-Sibirien und im Kaukasus, — mehr als 90 Menschen waren schon tot. — Betschassny und Wedenjapin konnten aus Mangel an Mitteln nicht von der Erlaubnis, in das Vaterland zurückzukehren, Gebrauch machen; sie starben bald darauf in der Ansiedelung. Zwei Jahre vor Erscheinen des Manifestes hatte der Tod auch dem Leben der Fürstin E. J. Trubetzkaja ein Ziel gesetzt. Die Vorbereitungen Wolkonskis für die Abreise nahmen nicht viel Zeit — kaum 12 Tage — in Anspruch. Die Habe wurde schnell verkauft, der Verkauf des Hauses wurde einem Agenten übertragen, und am 23. September reiste Sergei Wolkonski aus Irkutsk ab. Nach einem Monat traf er in Begleitung seines Sohnes in Moskau ein, wo ihn seine Frau und seine Tochter mit ihrer Familie erwarteten.

Ein Zeitraum von 31 Jahren lag zwischen der Verhaftung Sergei Grigoriewitschs und seiner Rückkehr aus Sibirien nach Moskau.

Der Aufenthalt in Moskau war ihm verboten, und deshalb wollte er in das Dorf Sükowa ziehen. Aber sein alter Kriegskamerad, der Moskauer General-Gouverneur Graf Sakrewski war sehr liebenswürdig gegen ihn und hinderte ihn nicht daran, sich in Moskau bei seiner Familie aufzuhalten. Die Moskauer Gesellschaft nahm Wolkonski mehr als freundschaftlich auf; er fand hier viele frühere Jugendfreunde wieder. Ebenso wie in Irkutsk besuchte er auch hier keine Gesellschaften. Er begnügte sich damit, seine nächsten Freunde freundschaftlich zu

besuchen und sie bei sich zu empfangen. Von Natur aus bescheiden und „voll großer, innerer Einfachheit", wie Aksakow von ihm sagte — vermied er es, über sein Leben in Sibirien zu sprechen; die von ihm ertragenen Leiden nannte er „selbstverdiente" — nur Bemerkungen über die lange Dauer der Strafe konnte er nicht mit Schweigen übergehen. Wolkonski hatte einen großen Verwandtenkreis in Moskau und stand mit ihnen allen in den besten Beziehungen; während seines zweijährigen Aufenthaltes in Moskau wurde sein Familienleben durch nichts gestört. Er hatte, ohne daß er sich darum bemühte, großen Einfluß auf die Jugend, für die er stets besondere Sympathien gezeigt hatte. In den höheren Lehranstalten fanden damals nicht selten Unruhen statt, und die Söhne seiner Freunde und Verwandten wandten sich dann häufig an ihn mit ihren Kümmernissen und mit ihren jugendlichen politischen Träumen; aber statt der erwarteten Unterstützung der letzteren erhielten sie beruhigende Ratschläge, die sich auf lange Erfahrung und eigene Erlebnisse des Geistes und des Herzens stützten. Wie in Sibirien, so machte sich auch hier sein wohltätiger Einfluß auf seine Umgebung geltend.

Damals wurde schon die Frage der Befreiung der Bauern und die einer öffentlichen Rechtspflege aufgeworfen. Mit diesen beiden Fragen, besonders mit der ersteren hatte Fürst Wolkonski sich sein Leben lang beschäftigt — in der Jugend, in der Verbannung und in seinen letzten Lebensjahren, bis zu ihrer Verwirklichung durch den Kaiser Alexander II. Mit Gier sammelte er alle Einzelheiten über die in Petersburg ausgearbeiteten Reformen. Alle seine Gedanken konzentrierten sich damals auf die Verwirklichung seines Traumes von der Aufhebung der Leibeigenschaft, und er fürchtete nur, daß er den Tag der Verwirklichung nicht mehr erleben würde. Aber das

370

Nachwort

Schicksal war ihm gnädig: er durfte den großen Staatsakt vom 19. Februar 1861 mit erleben.[19])

---

[19]) In Rußland wurde die Leibeigenschaft bereits unter Kaiser Alexander I. in den drei Ostseeprovinzen aufgehoben, und zwar auf Initiative der dortigen Ritterschaft. Die Pläne der Abschaffung der Leibeigenschaft stießen im eigentlichen Rußland auf hartnäckigen Widerstand. Unter Nikolaus versuchte man der Willkür der Herren Schranken zu setzen, allerdings vergeblich, da man den Leibeigenen kein Recht zur Klage gegen ihre Herren zugestand. — Alexander II. begann sogleich nach seiner Thronbesteigung mit weitgehenden Reformen. Schon 1857 wurde die Abschaffung der Leibeigenschaft beschlossen. Im September 1859 wurden Abgeordnete der Adelskorporationen aus allen Provinzen nach Petersburg berufen, um an der Festsetzung eines Emanzipationsgesetzes teilzunehmen. Nachdem der Entwurf in letzter Instanz vor dem Reichsrat verhandelt war, wurde am 19. Februar (3. März) 1861 das Manifest betreffend die Aufhebung der Leibeigenschaft vom Kaiser erlassen. Danach erlangten die leibeigenen Dienstleute, deren Zahl etwa 1½ Millionen betrug, nach zwei Jahren ihre völlige persönliche und bürgerliche Freiheit. Die an die Scholle gebundenen Bauern (über 20 Millionen) erhielten ebenfalls nach zwei Jahren völlige Freiheit und überdies das Recht, die Gehöfte, die sie in Nutznießung hatten, durch Ablösung als Eigentum zu erwerben. Die kaiserlichen Apanage- und Kronbauern (über 22 Millionen) erhielten durch Ukas vom 8. Juli 1863 vorteilhafte Ablösungsbedingungen.

5. Kapitel
Leben unter Polizeiaufsicht, Freiheit und Tod

Sehr schwer litt Wolkonski unter dem fortgesetzten Miß-
trauen der Regierung, das durch beständige Polizei-
aufsicht zum Ausdruck kam. Im Februar des Jahres 1857
schrieb der Gendarmeriechef, Fürst Dolgorukow, an den
General-Gouverneur Sakrewski: „Ich erhielt mehrfach Bericht, daß der aus Sibirien zurückgekehrte Sergei Wolkonski im Gouvernement Moskau lebt und häufig in Moskau selbst weilt, trotzdem ihm der Aufenthalt in der Residenz verboten ist. Wenn diese Berichte auf Wahrheit
beruhen, so bitte ich um Nachricht, welchen Ort im Gouvernement Moskau er sich zum Aufenthalt ausgesucht hat
und aus welchem Grunde er nach Moskau geht." Graf
Sakrewski antwortete darauf: „Sergei Wolkonski lebt im
Moskauer Kreise hinter dem Petrowskischen Park im Dorfe
Sükowa. Er kommt manchmal mit meiner Erlaubnis nach
Moskau, um sich Rat von den Ärzten zu holen, und um
seine kranke, in Moskau lebende Frau, seine Tochter und
deren schwerkranken Mann zu besuchen. Der zeitweise
von mir, um der traurigen Lage Wolkonskis willen, zugelassene Aufenthalt desselben in Moskau erfolgt immer mit
meinem Wissen — und unter der nötigen Polizeiaufsicht."
Graf Sakrewski verwandte sich dafür, Wolkonski zu gestatten, um seiner und seiner Frau Krankheit willen ganz
in Moskau zu leben. Darauf erhielt er am 17. Februar
1857 von dem Fürsten Dolgorukow folgende Antwort:
372

„Ich habe Seiner Majestät dem Kaiser den von Ihnen er-
statteten Bericht über den Edelmann Sergei Wolkonski
vorgelegt. Einzig Ihre Erklärung, daß Sie Wolkonski aus
Mitleid mit seiner traurigen Lage zeitweise den Aufenthalt in Moskau gestattet haben, veranlaßt seine Majestät,
Ihnen zu erlauben, so zu handeln wie bisher. Wolkonski
darf ein zeitweiliger Aufenthalt in Moskau aber nur gestattet
werden, so lange er sich dessen durch Bescheidenheit
und gute Führung würdig erweist. Im entgegengesetzten
Falle soll er auf das strengste zur Verantwortung gezogen
werden." Ende Februar desselben Jahres bemühte sich
Graf Sakrewski darum, Wolkonski die Erlaubnis zu verschaffen, „sich auf kurze Zeit nach St. Petersburg begeben
zu dürfen, um dort seine alte Schwester, die Witwe des
Feldmarschalls Wolkonski, Sofie Grigoriewna, vor ihrer
Abreise in das Ausland wiederzusehen, und um dort die
Gräber seiner Eltern zu besuchen; wenn es als unmöglich
angesehen würde, Wolkonski einen Aufenthalt in Petersburg zu gestatten, so möchte man ihm doch erlauben, sich
in der Umgegend aufzuhalten, einzig um seine Schwester
zu sehen". Fürst Dolgorukow antwortete am 8. März
darauf: „Seine Majestät geruhten zu äußern, daß, da die
Fürstin Wolkonskaja sich im Jahre 1854 hätte nach Irkutsk
begeben können, um ihren Bruder zu sehen, sie es jetzt
auch wohl ermöglichen könnte, zu ihm zu reisen. Er befände sich ja nicht mehr in Sibirien, und die Gesundheit
der Fürstin wäre wohl auch derart, daß sie sich die Reise
erlauben könnte. Jedenfalls könnte dem Edelmann Sergei
Wolkonski die Erlaubnis, sich in Petersburg und Umgegend aufzuhalten, nicht erteilt werden." Im Juli desselben Jahres erkrankte Sofie Grigoriewna Wolkonskaja
sehr schwer und war dem Tode nahe. Graf Sakrewski
bat von neuem telegraphisch um Erlaubnis, daß der Bruder
sich auf acht Tage zu seiner kranken Schwester nach Pe-
373

tersburg begeben dürfte. Dieses Mal wurde es gestattet
— und schon nach zehn Tagen wurde die Rückkehr Wolkonskis nach Moskau berichtet. Die Fürstin Sofie Grigoriewna erholte sich von ihrer für tödlich gehaltenen Krankheit und reiste in das Ausland.

Im Jahre 1857 reiste auch die Fürstin M. N. Wolkonskaja mit ihrer verwitweten Tochter in das Ausland, um
dort Heilung ihrer Leiden zu suchen. Sergei Wolkonski
erhielt die Erlaubnis, sich auf einige Tage in das Kostromskische Gouvernement zu begeben, um sein dort liegendes
Gut zu besichtigen. Seine Rückkehr von dort wurde von
dem Zivil-Gouverneur Schtscherbatow sofort der dritten
Sektion gemeldet.

Ein Jahr war vergangen, die Fürstin Wolkonskaja war
im Auslande sehr krank geworden und ihre Tochter wandte
sich Anfang August 1858 brieflich an den Fürsten Dolgorukow mit der Bitte, ihrem Vater die Erlaubnis zu verschaffen, in das Ausland zu reisen, da die Krankheit ihrer
Mutter einen längeren Aufenthalt im Auslande notwendig
machte. Auf den Bericht Dolgorukows erfolgte keine Antwort. Erst am 19. September erhielt S. Wolkonski auf
erneute Verwendung die Erlaubnis, sich für drei Monate in
das Ausland begeben zu dürfen, und die Weisung, bestimmt nach Ablauf dieser Frist zurückzukehren.

Anfang Oktober reiste Wolkonski in das Ausland.
Trotz seines vorgeschrittenen Alters saß er neben dem
Kutscher auf dem Bock des Postwagens. Infolge dieser
unbequemen Fahrt wurde er unterwegs krank und konnte
nur mit Mühe bis nach Dresden gelangen, wo er sich bei
seinem Neffen, A. N. Wolkonski, der dort Gesandter war,
aufhielt. Von Dresden aus schrieb Wolkonski am 19. Oktober an seinen Schwager A. N. Rajewski in Moskau: „Sie
werden erstaunt sein, diese Zeilen aus Dresden zu erhalten. Mich hält Krankheit hier fest — ich bekam schon
374

am dritten Tage nach meiner Abreise aus Moskau eine Geschwulst an den Füßen und offene Wunden. Ich hatte große Schmerzen und schleppte mich zunächst bis Warschau, wo ich drei Tage Rast machte; jetzt bin ich schon seit fünf Tagen in Dresden und die Schmerzen sind noch unverändert dieselben. Ich schreibe Ihnen diese Zeilen liegend, weil ich die Füße nicht ohne Schmerzen herunterhängen lassen kann. Heute reise ich nach Paris ab. Ich habe mir meinen Sohn nach Frankfurt bestellt. Ich kann mich nicht ohne Hilfe bewegen, obgleich die Geschwulst an den Füßen abnimmt und die Wunden sich schließen. Wahrscheinlich wird meine Krankheit eine lange Kur erfordern. Ich fürchte nur, daß es als ein Vorwand meinerseits angesehen werden wird, um nicht zu dem festgesetzten Termin erscheinen zu müssen. Wenn meine Kräfte es mir nur irgend erlauben, werde ich mein gegebenes Wort halten; das ist meine Pflicht — aber es steht nicht in meiner Macht, mir die dazu erforderliche Gesundheit zu schaffen. Dieser Umstand veranlaßt mich, Sie, hochgeehrter A. N., zu bitten, die Ihnen von mir gemachten Mitteilungen, so weit Sie das für richtig halten, weiter zu geben, um mir dadurch Vorwürfe zu ersparen, wenn meine Gesundheit eine Bitte um Nachurlaub notwendig machen sollte. Ich schätze die mir erteilte Erlaubnis Seiner Majestät des Kaisers zu hoch, um nicht alles zu versuchen, nicht sein Mißfallen zu erregen. Meine Frau ist schon von Paris nach Nizza gereist, meine Kinder erwarten mich noch in Paris; so wie ich mich bis dahin geschleppt haben werde, will ich mit ihnen weiterreisen Meine Pflicht und mein Herz treiben mich so rasch wie möglich zu meiner kranken Frau. Nach Vergnügungen steht mein Sinn wahrhaftig nicht." A. N. Rajewski gab seinem Verwandten A. E. Timaschew, dem Gehilfen des Gendarmeriechefs, diesen Brief mit der Bitte, S. G. Wol-

375

konskis Gesuch zu unterstützen. Am 18. Dezember meldete der Gendarmeriechef den Ministern des Inneren und des Äußeren, daß Seine Majestät S. G. Wolkonskis Urlaub um drei Monate verlängert hätte.

Damals fing die Krankheit S. G. Wolkonskis an — bald verschlimmerte sie sich, bald besserte sie sich, aber sie verließ ihn nicht wieder. Er litt an Podagra-Anfällen und an einer Erweiterung der Venen an den Beinen. Die Wunden an den Füßen öffneten und schlossen sich und heilten dann ganz.

Die Familie hatte sich damals anläßlich der Hochzeit der Tochter S. G. Wolkonskis, die eine zweite Ehe mit Nikolai Arkadiewitsch Kotschubey einging, nach Paris begeben; dann verlebten sie den Winter in Nizza. Da der Urlaub noch um drei Monate verlängert worden war, so begab sich S. G. mit seiner Familie aus Nizza nach Rom. Nach Ablauf dieser zweiten Frist ließ der Fürst im März 1859 durch den russischen Gesandten in Rom, N. D. Kisselew, ein zweites Gesuch um Urlaubsverlängerung bis zum 1. August einreichen, weil er in Vichy Heilung seiner Leiden suchen wollte. Auch dieses Gesuch wurde genehmigt. Außer der Notwendigkeit, nach Vichy zu gehen, hatte sich noch ein anderer Grund gefunden, der Wolkonski zu dieser zweiten Bitte um Nachurlaub veranlaßt hatte: der Wunsch, der im Frühjahr desselben Jahres in Genf stattfindenden Hochzeit seines Sohnes mit der Fürstin E. G. Wolkonskaja beizuwohnen.

Nachdem S. G. Wolkonski seinen Sohn gesegnet hatte, begab er sich nach Vichy; der Aufenthalt dort tat ihm sehr gut, und so kehrte er zum bestimmten Termin nach Rußland zurück und begab sich zu seiner Tochter in das Dorf Woronki im Gouvernement Tschernigow. Im Laufe des Winters verschlimmerte sich sein Leiden wieder sehr, und der Wunsch, im folgenden Jahre die Kur in Vichy
376

zu wiederholen, veranlaßte ihn, sich im Februar durch
den Kiewer General-Gouverneur, Wassiltschikoff, mit der
Bitte um abermaligen Urlaub an den Zaren zu wenden.
Fürst Dolgorukow machte darauf dem Fürsten Wassiltschikoff Mitteilung, daß der Kaiser S. Wolkonski einen
sechsmonatlichen Urlaub bewilligt hätte.

Nach beendeter Kur in Vichy begab S. G. Wolkonski sich nach Paris. Dort war damals sein alter Freund
und Kriegskamerad Graf N. D. Kisselew Gesandter. Graf
Kisselew war im höchsten Grade herzlich gegen ihn,
suchte ihn häufig auf und bestand auf Wiederaufnahme
der alten, freundschaftlichen Beziehungen. S. G. Wolkonski lehnte das, getreu seinem Grundsatze, hochstehende
Persönlichkeiten nicht durch den Umgang mit ihm in eine
unangenehme Situation zu bringen, ab. Es ist begreiflich,
daß ihn das dieses Mal einen besonders schweren Entschluß kostete. Im November 1860 bemühte sich Graf
Kisselew darum, durch den Minister des Äußeren die Erlaubnis zu erwirken, daß S. G. Wolkonski noch ein Jahr
im Auslande bleiben dürfte. Graf Kisselew fügte dem Gesuch eigenhändig hinzu, „daß der Gesundheitszustand
Sergei Grigoriewitschs und besonders der der Fürstin viel
zu wünschen übrig ließe". Das Gesuch wurde am 16. November 1860 durch Allerhöchsten Befehl genehmigt.

Sergei Grigoriewitsch befand sich in Paris, als der
Staatsakt, die Aufhebung der Leibeigenschaft, am 19. Februar 1861 stattfand. Die Russen versammelten sich in
der Kirche, und der Oberpriester Wassiliew hielt eine
schöne Rede. Sergei G. Wolkonski befand sich auch dort.
Er sah durch diesen Akt den heißesten Wunsch seines
Lebens erfüllt; es schien ihm, als ob er von der Höhe
des Thrones Antwort und Lohn erhielte für alles, was er
zur Verwirklichung dieses Wunsches geopfert hatte —
Hände und Füße zitterten ihm, und Tränen des Glückes

377

und der Dankbarkeit für den Zar-Befreier flossen ihm über das alte Gesicht. Später sagte er, daß dies der glücklichste Augenblick seines Lebens gewesen wäre.

Im Sommer des Jahres 1861 kehrte Wolkonski nach Rußland zurück und besuchte zunächst die Familie seines Sohnes, die sich auf dem einer Nichte des Fürsten Wolkonski gehörenden Gute Fall, in der Nähe von Reval, aufhielt. Dann reiste er zu seiner Frau und Tochter nach Woronki. Auf der Fahrt dorthin durfte er sich drei Tage lang in Petersburg aufhalten. Von da ab lebte er auf dem Lande. Im Jahre 1863 entschloß er sich zu einem für ihn sehr wichtigen Schritt. Die beständige Einmischung der Polizei in sein Leben, die Notwendigkeit, dieselbe von jedem Schritt, den er machte, in Kenntnis zu setzen, der moralische Druck, sich immer mißtraut zu sehen, lasteten schwer auf ihm. Deshalb entschloß er sich, um Aufhebung der Polizei-Aufsicht zu bitten. Er wandte sich am 13. Januar an den Orts-Gouverneur Fürst S. P. Galizin mit der Bitte, sein Gesuch weiterzugeben. Fürst Galizin reichte dem Minister des Inneren, Walujew, dieses Gesuch ein, und dieser übergab es der dritten Sektion. Fürst Wolkonski schrieb in seinem Gesuch: „Ich bitte um Aufhebung der Polizei-Aufsicht als einer bei meinen Gefühlen aufrichtigster Untertanentreue und tiefster Dankbarkeit gegen Eure Majestät überflüssigen Vorsichtsmaßregel. Eure Majestät würden es mir, dem 75jährigen Greise, ermöglichen, meinen Lebensabend ruhig im Kreise meiner Familie zu verleben, wenn Sie mir das unbeschränkte Untertanenrecht wiederschenkten." Das Gesuch wurde genehmigt und der General-Adjutant Potapow teilte das dem Sohne des Fürsten in einem Briefe vom 19. Februar 1863 in folgender Weise mit: „Seine Majestät der Kaiser haben auf den alleruntertänigsten Bericht des Gendarmeriechefs auf das Gesuch Ihres Vaters hin zu befehlen geruht, alle

378

Rechtsbeschränkungen, denen Ihr Vater noch unterworfen war, aufzuheben."

S. G. Wolkonski äußerte nie ein Wort der Klage über seine zerstörte Karriere und ertrug den Verlust aller Ehrenzeichen mit großer Kaltblütigkeit. Er bedauerte nur den Verlust des Georgenkreuzes, den Verlust des Ehrenzeichens, das er nach der Schlacht bei Preußisch-Eylau erhalten hatte, und den Verlust der silbernen Medaille aus dem Jahre 1812, weil diese Orden Zeugnis für seine früheren Heldentaten ablegten. Als er sich im November 1863 bei seinem Sohne in Petersburg befand, wurde er bei dem Gendarmeriechef, Fürst Dolgorukow, um Rückgabe derselben vorstellig: „Seine Majestät der Kaiser haben in Seiner unbegrenzten Gnade meine Verbannung aufgehoben und mir alle bürgerlichen Rechte zurückgegeben. Meine untertänigste Dankbarkeit wird bis zu meinem Tode unverändert dieselbe bleiben. Ich erkühne mich aber, Seine Majestät zu bitten, zu allen mir erwiesenen Gnaden noch eine letzte hinzuzufügen: mir zu gestatten, das Ehrenzeichen, das ich bei Preußisch-Eylau erhielt, die silberne Kriegsmedaille aus dem Jahre 1812 und die bronzene Adelsmedaille aus demselben Jahre wieder tragen zu dürfen. Diese Ehrenzeichen sind mir teuer als Erinnerung an die großen Ereignisse, an denen ich teilnehmen durfte, als Erinnerung daran, daß auch ich einmal das Glück hatte, mein Blut für Rußland zu vergießen. Ich bin noch einer von den wenigen Überlebenden aus der kleinen Schar derer, die bei Preußisch-Eylau das Ehrenzeichen erhielten, einer von den Überlebenden aus der auch schon sehr beschränkten Zahl der Teilnehmer an den Vaterländischen Kriegen. Wenn der Kaiser jetzt das Schwert gegen die Feinde Rußlands erheben würde, so würde ich, trotz meines vorgeschrittenen Alters, aus Liebe zum Zaren und zum Vaterlande, immer

379

bereit sein, in den Reihen der Soldaten Seiner Majestät zu kämpfen. Ich empfehle Eurer Erlaucht mein Gesuch, mit der Bitte, es — wenn möglich — zu den Füßen des Kaisers niederzulegen; ich bin ja in diesem Falle nicht der erste, der bittet. Um die Rückgabe des Georgenkreuzes vierter Klasse zu bitten, kann ich mich nicht entschließen, obgleich es mir natürlich teurer ist als alle anderen Orden, — ich bitte nur um die Gnade, die einigen meiner Gefährten schon widerfahren ist." Auch diese Bitte wurde von dem Zaren erfüllt, und S. G. Wolkonski erhielt die Erlaubnis, die silberne und bronzene Medaille und das Kreuz von Preußisch-Eylau zu tragen.

Das war die letzte Gnade, die Kaiser Alexander II. dem Fürsten Wolkonski erwies; dieser genoß seit dieser Zeit unbeschränkte Freiheit.

Mit Aufhebung der Polizei-Aufsicht hören unsere offiziellen Dokumente auf. Es bleibt mir nur noch übrig, kurz über die letzten Lebensjahre des Fürsten Wolkonski zu berichten. Den Sommer des Jahres 1863 verlebte er in Esthland auf dem Gute Fall, von dort wurde er wegen Erkrankung seiner Frau nach Woronki gerufen. Da er selbst an einem heftigen Podagraanfall litt, konnte er nicht zu ihr reisen, und so fuhr ich allein zu meiner Mutter. Ihr geschwächter Körper hielt diesen neuen Leiden nicht stand und so starb sie, 56 Jahre alt, nach sechswöchentlichem Krankenlager am 10. August 1863 in den Armen von Sohn und Tochter. Dieser Verlust erschütterte S. G. Wolkonski so, daß ich ihn sehr verändert fand, als ich nach Fall zurückkehrte. Bald befiel ihn eine neue Krankheit, eine fortschreitende Lähmung der Extremitäten. Nach einem Jahre waren die Füße vollständig gelähmt, und er mußte in einem Lehnstuhl mit Rädern, den er selbst leitete, sitzen. Er verlebte den Winter bei mir in Petersburg und begab sich dann im Frühjahr nach Vichy. Aber dieses Mal brach-
380

ten die Bäder ihm keinen Nutzen, sie schadeten vielmehr seinem geschwächten Organismus so, daß die Badeärzte mich hinberiefen. Zu ihrem größten Erstaunen erholte er sich doch so weit, daß ich ihn nach Petersburg zurückbringen konnte.

Da er immer schwächer wurde, entschloß er sich im Frühling des Jahres 1865, zu seiner Tochter nach Klein-Rußland zu reisen, um dem Grabe seiner Frau näher zu sein. Ich begleitete ihn bis Moskau, setzte ihn dort in den Wagen und sah ihn damals zum letztenmal.

Er verbrachte den Sommer an seinen Memoiren arbeitend und mit Freunden und Verwandten korrespondierend. Mir schrieb er täglich; seine Geisteskräfte hatten durch den Verlust der Körperkräfte nicht gelitten: bis zum letzten Tage seines Lebens blieben ihm sein ungewöhnliches Gedächtnis und seine Redegabe erhalten; bis zuletzt hatte er lebhaftes Interesse an allen Fragen der inneren und äußeren Politik und nahm herzlichen Anteil an allem, was ihn umgab.

Im September schrieb meine Schwester mir, daß die Kräfte meines Vaters sehr abnähmen; ich machte mich sofort auf die Reise, aber da es noch keine Eisenbahn von Moskau nach dem Süden gab, so kam ich zu spät! Unterdessen wartete mein Vater sehnsüchtig auf mich, — er wollte das Abendmahl nehmen, verschob es aber von Tag zu Tag, um es mit dem Sohne gemeinsam zu nehmen. Die Tochter, die den raschen Kräfteverfall erkannte, überredete ihn schließlich, es nicht länger aufzuschieben, und so nahm er am 28. November frühmorgens das heilige Abendmahl. An diesem Tage saß er noch einmal in seinem Lehnstuhl in dem Zimmer, in dem er gewöhnlich zu schreiben pflegte. Nachdem er eine Zeile an mich geschrieben hatte, legte er die Feder hin und sagte seiner Tochter, daß er schlafen wollte, und daß sie ihm etwas vorlesen

381

Wolkonski

möchte. Dann streckte er sich auf sein Bett aus und schloß die Augen. Die Tochter nahm das erste beste Buch und las ihm, am Bett sitzend, halblaut vor. Zufällig kam gerade der langjährige Arzt und Altersgenosse des Fürsten, Doktor Fischer, herzu — er horchte auf die Atemzüge des Fürsten und machte der Tochter ein Zeichen, daß es zu Ende ginge. Sie erhob sich und schickte nach dem Geistlichen. Dann holte sie ein Gebetbuch, setzte sich wieder an das Bett des Fürsten und las ein Sterbegebet. Nach einigen Minuten hörte das Atmen auf. . . .

ƎƎƎƎƎ

S. G. Wolkonski liegt neben seiner Frau in Woronki, im Gouvernement Tschernigow, in einer Kirche, die die Tochter zu dem Gedächtnis ihrer Eltern hat errichten lassen, begraben.

Gutenberg-Verlag

Druck:
Customized Business Services GmbH
im Auftrag der KNV-Gruppe
Ferdinand-Jühlke-Str. 7
99095 Erfurt